Bernhard Schlink
Sommerlügen
Geschichten

Diogenes

Inhalt

Nachsaison

I

Vor der Gepäckkontrolle mussten sie Abschied nehmen. Aber weil in dem kleinen Flughafen alle Schalter und Kontrollen in einem Raum untergebracht waren, konnte er ihr mit den Augen folgen, als sie ihre Tasche auf das Band legte, durch den Detektor ging, die Bordkarte vorzeigte und zum Flugzeug geführt wurde. Es stand gleich hinter der Glastür auf dem Rollfeld.

Sie sah immer wieder zu ihm und winkte. Auf den Stufen zum Flugzeug drehte sie sich ein letztes Mal um, lachte und weinte, legte ihre Hand auf ihr Herz. Als sie im Flugzeug verschwand, winkte er den kleinen Fenstern zu, wusste aber nicht, ob sie ihn sah. Dann wurden die Motoren angeworfen, die Propeller drehten sich, das Flugzeug rollte an, wurde schneller und hob ab.

Sein Flug ging erst in einer Stunde. Er holte sich Kaffee und Zeitung und setzte sich auf eine Bank. Seit sie sich kennengelernt hatten, hatte er keine Zeitung mehr gelesen und nicht mehr alleine über einem Kaffee gesessen. Als er nach einer Viertelstunde noch immer keine Zeile gelesen und keinen Schluck getrunken hatte, dachte er: Ich habe das Alleinsein verlernt. Er mochte den Gedanken.

2

Vor dreizehn Tagen war er angekommen. Die Saison war zu Ende und mit ihr das schöne Wetter. Es regnete, und er verbrachte den Nachmittag mit einem Buch auf der überdachten Veranda seines Bed & Breakfast. Als er sich am nächsten Tag in das schlechte Wetter schickte und im Regen am Strand zum Leuchtturm wanderte, begegnete er der Frau zuerst auf dem Hin- und dann auf dem Rückweg. Sie lächelten einander an, neugierig beim ersten Mal und schon ein bisschen vertraut beim zweiten. Sie waren weit und breit die einzigen Wanderer, und sie waren Leidens- und Freudengenossen, hätten beide lieber einen klaren, blauen Himmel gehabt, genossen aber den weichen Regen.

Am Abend saß sie alleine auf der großen, mit Plastikdach und -fenstern bereits herbsttauglich gemachten Terrasse des beliebten Fischrestaurants. Sie hatte ein volles Glas vor sich und las ein Buch – Zeichen, dass sie noch nicht gegessen hatte und nicht auf ihren Mann oder Freund wartete? Er stand unschlüssig in der Tür, bis sie aufschaute und ihn freundlich anlächelte. Da fasste er sich ein Herz, ging zu ihrem Tisch und fragte, ob er sich zu ihr setzen dürfe.

»Bitte«, sagte sie und legte das Buch zur Seite.

Er setzte sich, und weil sie schon bestellt hatte, konnte sie ihn beraten, und er wählte den Kabeljau, den sie auch gewählt hatte. Dann wussten beide nicht, wie sie ins Gespräch finden sollten. Das Buch half nicht; es lag so, dass er den Titel nicht lesen konnte. Schließlich sagte er: »Hat was, ein später Urlaub auf dem Cape.«

»Weil das Wetter so gut ist?« Sie lachte.

Machte sie sich über ihn lustig? Er sah sie an, kein hübsches Gesicht, die Augen zu klein und das Kinn zu kräftig, aber der Ausdruck nicht spöttisch, sondern fröhlich, vielleicht ein bisschen unsicher. »Weil man den Strand für sich hat. Weil man in Restaurants einen Tisch findet, in denen man in der Saison keinen fände. Weil man mit wenigen Menschen weniger alleine ist als mit vielen.«

»Kommen Sie immer nach dem Ende der Saison?«

»Ich bin das erste Mal hier. Eigentlich müsste ich arbeiten. Aber mein Finger macht noch nicht mit, und seine Übungen kann er ebenso hier machen wie in New York.« Er bewegte den kleinen Finger der linken Hand auf und ab, beugte und streckte ihn.

Sie sah dem kleinen Finger verwundert zu. »Wofür übt er?«

»Für die Flöte. Ich spiele im Orchester. Und Sie?«

»Ich habe Klavier gelernt, spiele aber nur noch selten.« Sie wurde rot. »Das meinen Sie nicht. Ich bin als Kind mit den Eltern oft hier gewesen und habe manchmal Heimweh. Und nach dem Ende der Saison hat das Cape den Reiz, den Sie beschrieben haben. Alles ist leerer, ruhiger – ich mag das.«

Er sagte nicht, dass er sich einen Urlaub während der Saison nicht leisten könnte, und nahm an, dass es ihr ebenso ging. Sie trug Turnschuhe, Jeans und Sweatshirt, und über der Lehne des Stuhls hing eine ausgeblichene gewachste Jacke. Als sie zusammen die Weinkarte studierten, schlug sie eine billige Flasche Sauvignon Blanc vor. Sie erzählte von Los Angeles, von ihrer Arbeit bei einer Stiftung, die Kinder aus dem Ghetto Theater spielen ließ, von dem Leben ohne Winter, von der Gewalt des Pazifik, vom Verkehr. Er erzählte vom Sturz über ein falsch verlegtes Kabel, bei dem er sich den Finger gebrochen hatte, vom Armbruch beim Sprung aus dem Fenster mit neun und vom Beinbruch beim Skifahren mit dreizehn. Sie saßen zuerst alleine auf der Terrasse, dann kamen weitere Gäste, und dann saßen sie bei einer zweiten Flasche wieder alleine. Wenn sie aus dem Fenster sahen, lagen Meer und Strand in völliger Finsternis. Der Regen rauschte auf das Dach.

»Was haben Sie morgen vor?«

»Ich weiß, dass Sie im Bed & Breakfast Frühstück kriegen. Aber wie wär's mit Frühstück bei mir?«

Er brachte sie nach Hause. Unter dem Schirm nahm sie seinen Arm. Sie redeten nicht. Ihr kleines Haus lag an der Straße, an der eine Meile weiter sein Bed & Breakfast lag. Vor der Tür ging von selbst das Licht an, und sie sahen einander zu plötzlich zu hell. Sie umarmte ihn kurz und gab ihm den Hauch eines Kusses. Ehe sie die Tür zumachte, sagte er: »Ich heiße Richard. Wie heißen…«

»Ich heiße Susan.«

3

Richard wachte früh auf, verschränkte die Arme hinter dem Kopf und hörte den Regen in den Blättern der Bäume und auf dem Kies des Wegs. Er hörte das gleichmäßige, beruhigende Rauschen gerne, auch wenn es für den Tag nichts Gutes verhieß. Würden Susan und er nach dem Frühstück am Strand wandern? Oder im Wald um den See? Oder Fahrrad fahren? Er hatte kein Auto gemietet und vermutete, dass auch sie keines gemietet hatte. So war der Radius gemeinsamer Unternehmungen begrenzt.

Er beugte und streckte den kleinen Finger, damit er später weniger üben musste. Er hatte ein bisschen Angst. Wenn Susan und er nach dem Frühstück tatsächlich den Tag gemeinsam verbringen und auch noch gemeinsam essen oder sogar kochen würden – was kam danach? Musste er mit ihr schlafen? Ihr zeigen, dass sie eine begehrenswerte Frau war und er ein begehrensstarker Mann? Weil er anders sie kränken und sich blamieren würde? Er hatte über Jahre mit keiner Frau geschlafen. Er fühlte sich nicht besonders begehrensstark und hatte sie am letzten Abend auch nicht besonders begehrenswert gefunden. Sie hatte vieles zu erzählen und zu fragen, hörte aufmerksam zu, war lebhaft und witzig. Dass sie, ehe sie etwas sagte, immer einen winzigen Augenblick zögerte und, wenn sie sich konzentrierte, die Augen zusammenkniff, hatte Charme. Sie weckte sein Interesse. Sein Begehren?

Im Salon war für ihn das Frühstück gerichtet, und weil er das ältere Ehepaar, das Orangensaft gepresst, Rühreier geschlagen und Pfannkuchen gebacken hatte, nicht enttäuschen mochte, setzte er sich und aß. Die Frau kam alle paar Minuten aus der Küche und fragte, ob er noch Kaffee wünsche oder mehr Butter oder andere Marmelade oder Obst oder Joghurt. Bis er begriff, dass sie mit ihm reden wollte. Er fragte sie, wie lange sie schon hier lebe, und sie setzte die Kaffeekanne ab und blieb neben dem Tisch stehen. Vor vierzig Jahren hatte ihr Mann eine kleine Erbschaft gemacht, und sie hatten das Haus auf dem Cape gekauft, in dem er schreiben und sie malen wollte. Aber aus dem Schreiben und

Malen wurde nichts, und als die Kinder groß waren und die Erbschaft aufgebraucht war, machten sie aus dem Haus ein Bed & Breakfast. »Was Sie über das Cape wissen wollen, wo es am schönsten ist und wo man am besten isst, fragen Sie mich. Und wenn Sie heute rausgehen – Strand ist auch bei Regen Strand, Wald ist nur nass.«

In den Bäumen des Walds hing der Nebel. Er hüllte auch die Häuser ein, die abseits der Straße standen. Das kleine Haus, in dem Susan wohnte, war ein Pförtnerhaus, neben dem eine Auffahrt zu einem großen, nebelverhüllten, geheimnisvollen Haus führte. Er fand keine Klingel und klopfte. »Gleich«, rief sie, und es klang weit weg. Er hörte sie eine Treppe hinauflaufen, eine Tür zuwerfen und einen Gang entlangrennen. Dann stand sie vor ihm, außer Atem und eine Flasche Champagner in der Hand. »Ich war im Keller.«

Der Champagner machte ihm wieder Angst. Er sah Susan und sich mit den Gläsern vor einem Feuer im Kamin auf einem Sofa sitzen. Sie rückte näher. Es war so weit.

»Was stehst du und guckst? Komm rein!«

In dem großen Zimmer neben der Küche sah er tatsächlich einen Kamin, daneben Holz und davor ein Sofa. Susan hatte in der Küche gedeckt, und wieder trank er Orangensaft und aß Rühreier, und danach gab es Obstsalat mit Nüssen. »Es hat wunderbar geschmeckt. Aber jetzt muss ich raus und laufen oder Fahrrad fahren oder schwimmen.« Als sie zweifelnd in den Regen sah, erzählte er ihr von seinem doppelten Frühstück.

»Du wolltest John und Linda nicht enttäuschen? Was für ein Schatz du bist!« Sie sah ihn vergnügt und bewundernd an. »Ja, warum nicht schwimmen! Du hast keine Badehose?

Du willst …« Sie schaute zweifelnd, war aber einverstanden, packte Handtücher in eine große Tasche und legte einen Schirm, den Champagner und zwei Gläser dazu. »Wir können übers Grundstück gehen, es ist schöner und geht schneller.«

4

Sie kamen an dem großen Haus vorbei, einem mit hohen Säulen und geschlossenen Läden auch aus der Nähe geheimnisvollen Bau. Sie stiegen die breiten Stufen hoch, standen auf der Terrasse zwischen den Säulen, gingen ums Haus und fanden die Treppe zur überdachten Veranda vor dem nächsten Geschoss. Von hier ging der nebeltrübe Blick über Dünen und Strand zum grauen Meer.

»Es liegt ganz still«, flüsterte sie.

Sah sie das auf diese Entfernung? Hörte sie es? Es regnete nicht mehr, und in der tiefen Stille mochte auch er nur flüstern. »Wo sind die Möwen?«

»Draußen auf dem Meer. Wenn der Regen aufhört, kommen die Würmer aus der Erde und die Fische an die Oberfläche.«

»Das glaube ich nicht.«

Sie lachte. »Wollten wir nicht schwimmen?« Sie lief los, so schnell und des Wegs so sicher, dass er mit der großen Tasche nicht mithalten konnte. In den Dünen verlor er sie aus den Augen, und als er den Strand erreichte, zog sie gerade die letzte Socke aus und rannte zum Meer. Als er am Meer war, schwamm sie schon weit draußen.

Das Meer lag tatsächlich ganz still und war nur kalt, bis er zu schwimmen begann. Dann schmeichelte es seinem nackten Körper. Er schwamm weit hinaus und ließ sich auf dem Rücken treiben. Noch weiter draußen kraulte Susan. Als der Regen wieder einsetzte, genoss er die Tropfen auf seinem Gesicht.

Der Regen wurde dichter, und er sah Susan nicht mehr. Er rief. Er schwamm in die Richtung, in der er meinte, sie zuletzt gesehen zu haben, und rief wieder. Als er das Land kaum noch sah, kehrte er um. Er war kein schneller Schwimmer, strengte sich an, kam aber nur langsam voran, und die Langsamkeit steigerte seine Angst zur Panik. Wie lange würde Susan durchhalten? Hatte er das Handy in der Hosentasche? Bekam er am Strand eine Verbindung? Wo war das nächste Haus? Er hielt die Anstrengung nicht durch, wurde noch langsamer und noch panischer.

Dann sah er eine blasse Gestalt aus dem Meer steigen und am Strand stehen bleiben. Der Zorn gab ihm Kraft. Wie hatte sie ihm solche Angst einjagen können! Als sie winkte, winkte er nicht zurück.

Als er wütend vor ihr stand, lächelte sie ihn an. »Was ist los?«

»Was los ist? Ich habe eine Wahnsinnsangst gekriegt, als ich dich nicht mehr gesehen habe. Warum bist du nicht vorbeigeschwommen, als du zurückgeschwommen bist?«

»Ich habe dich nicht gesehen.«

»Du hast mich nicht gesehen?«

Sie wurde rot. »Ich bin ziemlich kurzsichtig.«

Sein Zorn kam ihm plötzlich lächerlich vor. Sie standen sich nackt und nass gegenüber, beiden lief der Regen übers

Gesicht, beide hatten Gänsehaut und zitterten und wärmten sich die Brust mit den Armen. Sie sah ihn mit dem verletzlichen, suchenden Blick an, in dem sich, wie er jetzt wusste, nicht Unsicherheit ausdrückte, sondern nur Kurzsichtigkeit. Er sah die blauen Adern, die durch ihre dünne weiße Haut schienen, ihr Schamhaar, rotblond, obwohl das Haar auf ihrem Kopf hellblond war, ihren flachen Bauch und ihre schmalen Hüften, ihre kräftigen Arme und Beine. Er schämte sich seines Körpers und zog den Bauch ein. »Es tut mir leid, dass ich grob war.«

»Ich verstehe schon. Du hattest Angst.« Sie lächelte ihn wieder an.

Er war verlegen. Dann gab er sich einen Ruck, zeigte mit dem Kopf zu der Stelle bei den Dünen, wo ihre Sachen lagen, rief »los!« und rannte los. Sie war schneller als er und hätte ihn mühelos überholen können. Aber sie rannte neben ihm her, und es erinnerte ihn an seine Kindheit, an die Freude des gemeinsamen Rennens zu einem gemeinsamen Ziel mit den Schwestern oder den Freunden. Er sah ihre kleinen Brüste, die sie, als sie am Strand gestanden war, mit den Armen geschützt hatte, und ihren kleinen Po.

5

Ihre Kleider waren nass. Aber die Handtücher waren in der Tasche trocken geblieben, und Susan und Richard hüllten sich hinein und setzten sich unter den Schirm und tranken Champagner.

Sie lehnte sich an ihn. »Erzähl mir von dir. Von vorne, von

deiner Mutter und deinem Vater und deinen Geschwistern, bis jetzt. Stammst du aus Amerika?«

»Aus Berlin. Meine Eltern gaben Musikunterricht, er Klavier und sie Geige und Bratsche. Wir waren vier Kinder, und ich durfte auf die Musikhochschule, obwohl meine drei Schwestern viel besser waren als ich. Mein Vater wollte es so; er konnte den Gedanken nicht ertragen, ich würde versagen, wie er versagt hatte. Also ging ich für ihn auf die Musikhochschule, wurde für ihn zweiter Flötist im New York Philharmonic Orchestra und werde für ihn eines Tages erster Flötist in einem anderen guten Orchester werden.«

»Leben deine Eltern noch?«

»Mein Vater ist vor sieben Jahren gestorben, meine Mutter letztes Jahr.«

Sie dachte nach. Dann fragte sie: »Wenn du nicht für deinen Vater Flötist geworden wärst, sondern gemacht hättest, was du hättest machen wollen – was wärst du?«

»Lach mich nicht aus. Als zuerst mein Vater und dann meine Mutter starben, dachte ich, endlich bin ich frei und kann machen, was ich will. Aber sie sitzen immer noch in meinem Kopf und reden auf mich ein. Ich müsste ein Jahr lang raus, weg vom Orchester, weg von der Flöte, müsste laufen, schwimmen, nachdenken und vielleicht aufschreiben, wie es zu Hause mit den Eltern und den Schwestern war. Damit ich am Ende des Jahres wüsste, was ich will. Vielleicht wäre es sogar die Flöte.«

»Ich habe mir manchmal gewünscht, jemand würde auf mich einreden. Meine Eltern hatten einen Autounfall und starben, als ich zwölf war. Die Tante, zu der ich kam, mochte Kinder nicht. Ich weiß auch nicht, ob mein Vater mich mochte. Er hat manchmal gesagt, er freut sich, wenn ich größer bin und er was mit mir anfangen kann – klang nicht so gut.«

»Das tut mir leid. Wie war deine Mutter?«

»Schön. Sie wollte, dass ich so schön werde wie sie. Meine Garderobe war so fein wie ihre, und wenn Mutter mir beim Anziehen half, war sie wunderbar, liebevoll, zärtlich. Sie hätte mir beigebracht, wie man mit biestigen Freundinnen und frechen Freunden umgeht. So musste ich alles alleine lernen.«

Sie saßen unter dem Schirm und hingen ihren Erinnerungen nach. Wie zwei Kinder, die sich verirrt haben und nach Hause sehnen, dachte er. Ihm fielen Lieblingsbücher seiner Kindheit ein, in denen Jungen und Mädchen sich verirrten und in Höhlen und Hütten überlebten, auf einer Reise überfallen und in die Sklaverei verschleppt, in London geraubt und zum Betteln und Stehlen gezwungen oder aus dem Tessin als Schornsteinfeger nach Mailand verkauft wurden. Er hatte mit den Kindern um den Verlust der Eltern getrauert und auf die Rückkehr zu ihnen gehofft. Aber der Reiz der Geschichten lag darin, dass die Kinder ohne die Eltern zurechtkamen. Wenn sie schließlich nach Hause zurückkehrten, waren sie den Eltern entwachsen. Warum ist es so schwer, selbständig zu sein, wozu man doch nur sich selbst braucht und niemand anders? Er seufzte.

»Was ist?«

»Nichts«, sagte er und legte den Arm um sie.

»Du hast geseufzt.«

»Ich wäre gerne weiter, als ich bin.«

Sie kuschelte sich an seine Seite. »Das Gefühl kenne ich.

Aber ist es nicht so, dass wir in Schüben weiterkommen? Lange tut sich nichts, und plötzlich erleben wir eine Überraschung, haben eine Begegnung, treffen eine Entscheidung und sind nicht mehr dieselben wie zuvor.«

»Nicht mehr dieselben wie zuvor? Ich war vor einem halben Jahr auf einem Klassentreffen, und die, die in der Schule anständig und angenehm gewesen waren, waren's immer noch, und die Arschlöcher waren immer noch Arschlöcher. Den anderen wird es mit mir nicht anders ergangen sein. Für mich war es ein Schock. Da arbeitet man an sich, denkt, man verändert und entwickelt sich, und die anderen erkennen einen sofort als den wieder, der man schon immer war.«

»Ihr Europäer seid Pessimisten. Ihr kommt aus der Alten Welt und könnt euch nicht vorstellen, dass die Welt neu wird und dass Menschen neu werden.«

»Lass uns am Strand wandern. Der Regen hat fast aufgehört.«

Sie schlugen die Handtücher um sich, liefen über den Strand und neben dem Meer. Sie liefen mit bloßen Füßen, und der nasse, kalte Sand prickelte.

»Ich bin kein Pessimist. Ich hoffe immer, dass mein Leben besser wird.«

»Ich auch.«

Als es wieder heftiger regnete, gingen sie zurück zu Susans Haus. Sie froren. Während Richard duschte, ging Susan in den Keller und stellte die Heizung an; während Susan duschte, machte Richard ein Feuer im Kamin. Er trug den Morgenmantel, den Susan von ihrem Vater behalten hatte, rot, warm, schwere Wolle mit seidenem Futter. Sie hängten ihre nassen Kleider zum Trocknen auf und fanden heraus, wie der Samowar funktionierte, der auf dem Sims über dem Kamin stand. Dann saßen sie auf dem Sofa, sie im Schneidersitz in der einen, er auf den Knien in der anderen Ecke, tranken Tee und sahen einander an.

»Ich kann meine Sachen sicher bald wieder anziehen.«

»Bleib doch. Was willst du bei dem Regen machen? Alleine in deinem Zimmer sitzen?«

»Ich…« Er wollte einwenden, dass er sich nicht aufdrängen, sie nicht belästigen, ihren Tagesablauf nicht durcheinanderbringen wolle. Aber es waren Floskeln. Er wusste, dass sie sich über seine Gesellschaft freute. Er las es in ihrem Gesicht und hörte es in ihrer Stimme. Er lächelte sie an, zuerst höflich, dann verlegen. Wie, wenn die Situation bei Susan Erwartungen weckte, denen er nicht genügen konnte? Aber dann griff sie aus den Büchern und Zeitschriften neben dem Sofa ein Buch und las. Sie saß und las so selbstgenügsam, so behaglich, so entspannt, dass auch er sich zu entspannen begann. Er suchte und fand ein Buch, das ihn interessierte, las aber nicht, sondern sah ihr beim Lesen zu. Bis sie aufschaute und ihn anlächelte. Er lächelte zurück, endlich entspannt, und machte sich ans Lesen.

6

Als er um zehn ins Bed & Breakfast kam, saßen Linda und John vor dem Fernseher. Er sagte ihnen, er brauche am nächsten Morgen kein Frühstück, er werde bei der jungen Frau in dem kleinen Haus eine Meile weiter frühstücken, einer Bekanntschaft vom Abendessen im Restaurant.

»Sie wohnt nicht im großen Haus?«

»Das macht sie, wenn sie alleine kommt, schon lange nicht mehr.«

»Aber im letzten Jahr…«

»Im letzten Jahr kam sie alleine, hatte aber ständig Besuch.«

Richard hörte Linda und John mit wachsender Irritation zu. »Sie reden von Susan…« Er merkte, dass sie sich einander nur mit dem Vornamen vorgestellt hatten.

»Susan Hartman.«

»Ihr gehört das große Haus mit den Säulen?«

»Ihr Großvater hat es in den zwanziger Jahren gekauft. Nach dem Tod ihrer Eltern hat der Verwalter das Anwesen runtergewirtschaftet, die Miete kassiert und nichts investiert, bis Susan ihn vor ein paar Jahren entlassen und die Häuser und den Garten wieder hergerichtet hat.«

»Hat das nicht ein Vermögen gekostet?«

»Es hat ihr nicht weh getan. Wir hier sind froh – es gab Interessenten, die das Grundstück parzellieren und das Haus aufteilen oder durch ein Hotel ersetzen wollten. Hier wäre alles anders geworden.«

Richard wünschte Linda und John eine gute Nacht und ging auf sein Zimmer. Er hätte Susan nicht angesprochen, wenn er von ihrem Reichtum gewusst hätte. Er mochte reiche Leute nicht. Er verachtete ererbten Reichtum und hielt erwirtschafteten Reichtum für ergaunert. Seine Eltern hatten nie genug verdient, um den vier Kindern zu geben, was sie ihnen gerne gegeben hätten, und er verdiente am New York Philharmonic Orchestra gerade so viel, dass er in der teuren Stadt zurechtkam. Er hatte keine reichen Freunde und nie welche gehabt.

Er war wütend auf Susan. Als hätte sie ihn an der Nase herumgeführt. Als hätte sie ihn in eine Situation gelockt, in der er jetzt festsaß. Saß er fest? Er musste am nächsten Morgen nicht zu ihr zum Frühstück gehen. Oder er konnte zu ihr gehen und ihr sagen, sie könnten sich nicht mehr sehen, sie seien zu verschieden, ihre Leben seien zu verschieden, ihre Welten seien zu verschieden. Aber sie hatten gerade den Nachmittag gemeinsam vor dem Kamin verbracht und einander gelegentlich ein paar Sätze vorgelesen, sie hatten zusammen gekocht, gegessen, abgespült, einen Film angesehen und sich beide wohl gefühlt. Zu verschieden?

Er putzte seine Zähne mit einer solchen Wut, dass er seine linke Backe verletzte. Er setzte sich aufs Bett, hielt die Backe und tat sich leid. Er saß tatsächlich fest. Er hatte sich in Susan verliebt. Nur ein bisschen verliebt, sagte er sich. Denn was wusste er wirklich über sie? Was mochte er eigentlich an ihr? Wie sollte es mit der Verschiedenheit ihrer Leben und ihrer Welten gehen? Dreimal würde sie es vielleicht charmant finden, in dem kleinen italienischen Restaurant zu essen, das er sich leisten konnte. Sollte er sich danach von ihr einladen lassen? Oder sich mit Kreditkarten verschulden?

Er schlief nicht gut. Er wachte immer wieder auf, und als er um sechs merkte, dass er nicht mehr einschlafen würde, gab er auf, zog sich an und ging aus dem Haus. Der Himmel war voller dunkler Wolken, aber im Osten schimmerte es rot. Wenn Richard den Aufgang der Sonne über dem Meer nicht verpassen wollte, musste er sich beeilen und in den Straßenschuhen losrennen, die er statt der Laufschuhe angezogen hatte. Die Sohlen klatschten laut auf die Straße, scheuchten einmal einen Schwarm Krähen auf und einmal ein paar Hasen. Das Rot im Osten leuchtete breiter und stärker; Richard hatte schon ein ähnliches Abend-, aber noch nie ein solches Morgenrot gesehen. Vor Susans Haus gab er sich Mühe, leise zu sein.

Dann erreichte er den Strand. Die Sonne stieg golden empor, aus einem glühenden Meer in einen flammenden Himmel – einige Augenblicke lang, bis die Wolken alles auslöschten. Richard war, als sei es plötzlich nicht nur dunkler, sondern auch kälter.

Er hätte sich keine Mühe geben müssen, vor Susans Haus leise zu sein. Sie war auch schon auf. Sie saß am Fuß einer Düne, sah ihn, stand auf und kam. Sie ging langsam; bei den Dünen war der Sand tief und fiel das Gehen schwer. Richard ging ihr entgegen, aber nur, weil er höflich sein wollte. Er sah ihr lieber zu, wie sie ging, mit ruhigem Schritt, mit sicherer Haltung, den Kopf manchmal gesenkt und manchmal gehoben und bei gehobenem Kopf den Blick fest auf ihn gerichtet. Ihm war, als würden sie im Aufeinanderzugehen etwas miteinander verhandeln, aber er wusste nicht, was. Er verstand nicht, was ihr Gesicht fragte und was für Antworten sie in seinem fand. Er lächelte, aber sie erwiderte das Lächeln nicht, sondern sah ihn ernst an.

Als sie einander gegenüberstanden, nahm sie seine Hand. »Komm!« Sie führte ihn zum Haus und über die Treppe ins Schlafzimmer. Sie zog sich aus, legte sich ins Bett und sah zu, wie er sich auszog und ins Bett legte. »Ich habe so lange auf dich gewartet.«

7

So liebte sie ihn. Als hätte sie ihn lange gesucht und endlich gefunden. Als könnten sie und er nichts falsch machen.

Sie nahm ihn mit, und er ließ es geschehen. Er fragte sich nicht: Wie bin ich?, und fragte sie nicht: Wie war ich? Als sie danach beieinanderlagen, wusste er, dass er sie liebte. Diese kleine Person mit den zu kleinen Augen, dem zu kräftigen Kinn, der zu dünnen Haut und der Gestalt, die knabenhafter war als die Frauengestalten, die er bisher geliebt hatte. Die eine Sicherheit hatte, die sie, herumgeschubst von mäßig liebevollen Eltern zu einer lieblosen Tante, nicht hätte haben dürfen. Die mehr Geld zu haben schien, als ihr guttun konnte. Die in ihm sah, was er selbst nicht sah, und die es ihm damit gab.

Er hatte zum ersten Mal eine Frau geliebt, als gebe es keine Bilder davon, wie Liebe zu geschehen hat. Als seien sie ein Paar aus dem 19. Jahrhundert, dem Kino und Fernsehen noch nicht mit ihren Bildern vorschreiben konnten, wie richtig geküsst, richtig gestöhnt, dem Gesicht der richtige Ausdruck der Leidenschaft und dem Körper die richtige Zuckung der Lust gegeben wird. Ein Paar, das die Liebe und das Küssen und Stöhnen für sich erfand. Susan schien nie die Augen zu schließen. Wann immer er sie ansah, sah auch sie ihn an. Er liebte ihren Blick, selbstvergessen, vertrauensvoll.

Sie stützte sich auf und lachte ihn an. »Wie gut, dass ich dich, als du im Restaurant nicht wusstest, was du tun solltest, angelächelt habe. Ich dachte zuerst, es sei nicht nötig. Ich dachte, du kämst auf dem direktesten und schnellsten Weg zu mir.«

Er lachte fröhlich zurück. Ihnen kam nicht in den Sinn, was bei der Begegnung im Restaurant geknirscht und geholpert hatte, als Warnung zu nehmen. Sie nahmen es als Ungeschick, das von einem Lachen überwunden werden konnte.

Sie blieben bis zum Abend im Bett. Dann holten sie Susans Auto aus der Garage, einen gepflegten älteren BMW, und fuhren durch Nacht und Regen zu einem Supermarkt. Das Licht war grell, es roch chemisch sauber, die Musik klang synthetisch, und die wenigen Käufer schoben ihre Einkaufswagen müde durch die leeren Gänge. »Wir hätten im Bett bleiben sollen«, flüsterte sie ihm zu, und er war froh, dass sie von Licht und Geruch und Musik ebenso verstört war wie er. Sie seufzte, lachte, machte sich ans Einkaufen und hatte den Wagen bald voll. Manchmal tat auch er etwas hinein, Äpfel, Pfannkuchen, Wein. An der Kasse zahlte er mit seiner Kreditkarte und wusste, dass er im nächsten Monat zum ersten Mal die Abrechnung nicht würde zahlen können. Es beunruhigte ihn, aber mehr noch irritierte ihn, dass ihn an einem solchen Tag die Lappalie eines überzogenen Kreditkartenkontos beunruhigen konnte. Also kaufte er im Wein- und Spirituosenladen nebenan drei Flaschen Champagner.

Auf der Heimfahrt fragte sie: »Holen wir deine Sachen?«

»Vielleicht schlafen Linda und John schon. Ich will sie nicht wecken.«

Susan nickte. Sie fuhr schnell und sicher, und daran, wie sie die vielen Kurven nahm, merkte er, dass sie das Auto und die Strecke gut kannte. »Bist du mit dem Auto von Los Angeles gekommen?«

»Nein. Das Auto gehört hierher. Clark kümmert sich um Haus und Garten und auch ums Auto.«

»Du wohnst im großen Haus nur, wenn du Gäste hast?«

»Wollen wir morgen hochziehen?«

»Ich weiß nicht. Es ist…«

»Es ist für mich zu groß. Aber mit dir würde es Spaß machen. Wir würden in der Bibliothek lesen, im Billardzimmer spielen, im Musikzimmer würdest du Flöte üben, im kleinen Salon würde ich das Frühstück und im großen das Abendessen servieren lassen.« Sie redete immer fröhlicher, immer entschlossener. »Wir schlafen im großen Schlafzimmer, in dem meine Großeltern und Eltern geschlafen haben. Oder wir schlafen in meinem Zimmer in dem Bett, in dem ich als Mädchen von meinem Prinzen geträumt habe.«

Er sah ihr lächelndes Gesicht im matten Licht der Armaturen. Susan war an ihre Erinnerungen verloren. Zum ersten Mal, seit sie sich kannten, war sie weit weg. Richard wollte fragen, von welchem Schauspieler oder Sänger sie damals geträumt hatte, wollte alles über die Männer in ihrem Leben wissen, wollte hören, dass sie alle nur Propheten waren und er der Messias. Aber dann kam ihm seine Sorge um die anderen Männer ebenso kleinlich vor wie die um das überzogene Kreditkartenkonto. Er war müde und legte den Kopf an Susans Schulter. Sie strich ihm mit der Linken über den Kopf, drückte den Kopf an ihre Schulter, und er schlief ein.

8

Über die Männer in Susans Leben erfuhr er alles in den nächsten Tagen. Er erfuhr auch von ihrer Sehnsucht nach Kindern, mindestens zwei, am liebsten vier. Mit ihrem Mann hatte es zunächst nicht geklappt, dann hatte sie ihn nicht mehr geliebt und sich von ihm scheiden lassen. Er erfuhr, dass sie auf dem College Kunstgeschichte studiert hatte, auf die Business School gegangen war und eine Firma für Spielzeugeisenbahnen saniert hatte. Sie hatte die Firma von ihrem Vater geerbt und inzwischen mit den anderen Firmen, die sie geerbt hatte, verkauft. Er erfuhr, dass sie eine Wohnung in Manhattan hatte, die sie gerade renovieren ließ, weil sie von Los Angeles nach New York ziehen wollte. Er erfuhr auch, dass sie einundvierzig war, zwei Jahre älter als er.

Immer wieder mündete, was Susan von ihrem bisherigen Leben erzählte, in Pläne für eine gemeinsame Zukunft. Sie beschrieb ihre Wohnung in New York: die breite Treppe, die vom unteren Geschoss der Wohnung im sechsten Stock zum oberen im siebten führte, die breiten Flure, die großen, hohen Räume, die Küche mit dem Essensaufzug, den Blick auf den Park. Sie war in der Wohnung aufgewachsen, bis ihre Tante sie nach dem Tod der Eltern nach Santa Barbara holte. »Ich bin die Treppengeländer runtergerutscht und in den Fluren Rollschuh gelaufen, habe in den Essensaufzug gepasst, bis ich sechs war, und konnte vom Bett das Spiel der Baumwipfel vor dem Fenster sehen. Du musst dir die Wohnung anschauen!« Sie konnte sie ihm nicht zeigen, weil sie vom Cape nach Los Angeles fliegen und den Umzug der Stiftung und den eigenen Umzug vorbereiten musste. »Triffst du dich mit dem Architekten? Wir können noch alles ändern.«

Ihr Großvater hatte nicht nur die zweistöckige Wohnung, sondern das ganze Haus an der 5th Avenue günstig in der Wirtschaftskrise gekauft. Wie das Anwesen auf dem Cape und eines in den Adirondacks. »Auch das muss ich wieder herrichten. Hast du Spaß an Architektur? Am Bauen und Renovieren und Einrichten? Ich habe Pläne bekommen und mitgebracht – schaust du sie mit mir an?«

Sie erzählte von einem befreundeten Paar, das seit Jahren vergebens auf Kinder gehofft und seine Ferien gerade auf einer Fertility Farm verbracht hatte. Sie beschrieb die Diät und das Programm, das den beiden Schlaf- und Gymnastik- und Essenszeiten und auch die Zeiten vorgab, zu denen sie sich zu lieben hatten. Sie fand es lustig und war zugleich ein bisschen ängstlich. »Ihr Europäer kennt das nicht, habe ich gelesen. Ihr nehmt das Leben als Schicksal, an dem man nichts ändern kann.«

»Ja«, sagte er, »und wenn uns bestimmt ist, unsere Väter zu erschlagen und unsere Mütter zu beschlafen, dann gibt es nichts, was wir dagegen tun können.«

Sie lachte. »Dann könnt ihr eigentlich nichts gegen die Fertility Farm haben. Wenn sie eurer Bestimmung nicht hilft, kann sie ihr doch auch nicht schaden.« Sie zuckte entschuldigend die Schultern. »Es ist nur, weil es mit Robert damals nicht geklappt hat. Vielleicht lag es gar nicht an mir, vielleicht lag es an ihm, wir haben keine Tests gemacht. Trotzdem habe ich seitdem Angst.«

Er nickte. Auch er bekam Angst. Vor den mindestens zwei und höchstens vier Kindern. Davor, Susan auf der Fertility Farm bei bestimmter Diät zu bestimmten Zeiten lieben zu müssen. Vor dem lauten Ticken der biologischen Uhr, bis das vierte Kind kam oder keines mehr kommen konnte. Davor, dass die Hingabe und Leidenschaft, mit der Susan ihn liebte, nicht ihm galt.

»Du musst keine Angst haben. Ich sage einfach, was mich beschäftigt. Das heißt nicht, dass das mein letztes Wort ist. Du zensierst, was du sagst.«

»Das ist wieder europäisch.« Er wollte nicht über seine Angst reden. Sie hatte recht; er zensierte, was er sagte, sie sagte, was sie gerade dachte und fühlte. Nein, sie wollte nicht den Aufenthalt in der Fertility Farm mit ihm planen. Aber sie wollte die Zukunft mit ihm planen, und obwohl er das auch wollte, von Tag zu Tag mehr, hatte er so viel weniger einzubringen als sie, keine Wohnung, keine Häuser, kein Geld. Hätten er und die Frau am ersten Pult der zweiten Geigen sich ineinander verliebt, dann hätten sie zusammen eine Wohnung gesucht und zusammen entschieden, was von ihren und was von seinen Möbeln in die neue Wohnung kommt und was sie bei Ikea oder beim Trödel suchen müssen. Susan war sicher bereit, ein oder zwei Zimmer mit seinen Sachen einzurichten. Aber er wusste, dass es nicht stimmen würde.

Er konnte seine Flöte und seine Noten mitbringen und an dem Notenständer üben, den sie sicher unter ihren Möbeln hatte. Er konnte seine Bücher in ihre Regale stellen, seine Papiere in den Aktenschrank ihres Vaters legen und seine Briefe an dessen Schreibtisch schreiben. Seine Kleider hängte er am besten gleich in ihren Schrank hier auf dem Land; in der Stadt würde er in ihnen keine gute Figur an ihrer Seite machen. Sie würde ihm mit Freude und modischem Verstand neue Kleider kaufen.

Er übte viel. Meistens trocken, wie er es nannte, wenn er einfach den kleinen Finger beugte und streckte. Immer öfter auch an der Flöte. Sie wurde ein Stück von ihm, wie sie es bisher nicht gewesen war. Sie gehörte ihm, war viel wert, mit ihr schuf er Musik und verdiente Geld, er konnte sie überallhin mitnehmen, er war überall mit ihr zu Hause. Und er bot Susan mit seinem Spiel, was niemand sonst ihr bieten konnte. Wenn er improvisierte, fand er Melodien, die zu ihren Stimmungen passten.

9

Das Eckzimmer des großen Hauses war ihr Lieblingszimmer. Die vielen Fenster reichten bis zum Boden und wurden bei schönem Wetter zur Seite geschoben, bei rauhem durch Läden geschützt. Hier fühlten sie sich, wenn der Regen sie nicht am Strand wandern ließ, dem Meer, den Wellen, den Möwen, den gelegentlichen Schiffen doch nahe. Manchmal peitschte der Regen ihnen am Strand so kalt und scharf ins Gesicht, dass es weh tat.

Das Zimmer war mit Korbmöbeln ausgestattet, mit Liegen, Sesseln, Tischen und weichen Polstern auf dem harten Geflecht. »Schade«, sagte er, als sie ihn durchs Haus führte und er die Liegen sah, nur für eine Person breit genug. Zwei Tage später hielt, als sie im kleinen Salon frühstückten, ein Lastwagen, und zwei Männer in blauen Overalls trugen eine Doppelliege ins Haus. Sie passte zu den anderen Möbeln, und ihr Polster trug dasselbe Blumenmuster wie die anderen Polster.

Das Wetter sorgte dafür, dass ein Tag dem anderen glich. Es regnete Tag um Tag, manchmal steigerte der Regen sich zum Gewitter, manchmal setzte er für Stunden und manchmal nur für Minuten aus, manchmal riss der Himmel kurz auf, und die Dächer leuchteten blank. Wenn das Wetter es zuließ, wanderten Susan und Richard am Strand, wenn die Vorräte ausgingen, fuhren sie zum Supermarkt, sonst blieben sie im großen Haus. Susan hatte beim Wechsel vom kleinen ins große Haus Clarks Frau Mita angerufen, die jeden Tag für einige Stunden kam, sich ums Putzen und Waschen und Kochen kümmerte. Sie tat es so diskret, dass Richard ihr erst nach einigen Tagen begegnete.

Eines Abends luden sie Linda und John zum Essen ein. Susan und Richard kochten, hatten keine Ahnung vom Kochen und taten sich schon schwer, das Kochbuch zu lesen. Aber sie brachten schließlich Steaks mit Kartoffeln und Salat auf den Tisch und hatten das gute Gefühl, gemeinsam Krisen bestehen zu können. Sonst luden sie niemanden ein und besuchten niemanden. »Für unsere Freunde ist immer noch Zeit.«

Wenn die Dämmerung einsetzte, liebten sie sich. Ihnen genügte das Licht des Abends, bis es völlig dunkel war und sie eine Kerze anzündeten. Sie liebten sich so ruhig, dass Richard sich manchmal fragte, ob er Susan glücklicher machen würde, wenn er ihr und sich die Kleider vom Leib risse, über sie herfiele und sich ihr auslieferte. Er schaffte es nicht, und sie schien es nicht zu vermissen. Wir sind keine Wildkatzen, dachte er, wir sind Hauskatzen.

Bis zu ihrem großen Streit, dem ersten und einzigen, den sie hatten. Sie wollten zum Supermarkt fahren, und Susan ließ Richard im Auto warten, weil sie plötzlich ans Telefon musste und am Telefon kein Ende fand. Dass sie ihn ohne Erklärung warten ließ, dass sie ihn vergessen hatte oder einfach vernachlässigen konnte, machte ihn so wütend, dass er ausstieg, ins Haus ging und sie anfuhr, als sie gerade den Hörer auf die Gabel legte. »Ist das, was ich zu erwarten habe? Was du machst, ist wichtig, und was ich mache, nicht? Deine Zeit ist kostbar, meine nicht?«

Sie verstand ihn zunächst nicht. »Los Angeles hat angerufen. Der Vorstand ...«

»Warum hast du das nicht gesagt? Warum hast du mich ewig ...«

»Tut mir leid, dass ich dich ein paar Minuten habe warten lassen. Ich dachte, ein europäischer Mann sieht einer Frau ...«

»Die Europäer – ich kann's nicht mehr hören. Ich habe draußen eine halbe Stunde ...«

Jetzt wurde auch sie wütend. »Eine halbe Stunde? Ein paar Minuten waren es. Wenn sie dir zu lange werden, geh ins Haus, und lies die Zeitung. Du Primadonna, du ...«

»Primadonna? Ich? Wer von uns ...«

Sie warf ihm unverständliches, übertriebenes Getue vor. Er verstand nicht, was unverständlich und übertrieben daran sein sollte, dass er ebenso zählen wollte wie sie, er, der nichts hatte, wie sie, die alles hatte. Sie verstand nicht, dass er auf den abwegigen Gedanken kommen konnte, er zähle nicht. Schließlich schrien sie einander an, wütend, verzweifelt.

»Ich hasse dich!« Sie trat zu ihm, er wich zurück, sie blieb an ihm, und als er an der Wand stand und nicht weiterkonnte, schlug sie ihm mit den Fäusten auf die Brust, bis er sie in die Arme nahm und an sich drückte. Zuerst nestelte sie an den Knöpfen seines Hemds, dann riss sie es auf, er versuchte, ihr die Jeans auszuziehen, und sie ihm, aber es war zu mühsam und ging zu langsam, und so machten sie es selbst und zogen in einem Schwung Jeans und Unterhosen und Socken aus. Sie liebten sich auf dem Boden im Flur, hastig, drängend, leidenschaftlich.

Danach lag er auf dem Rücken und sie halb in seinem Arm, halb auf seiner Brust. »Also doch«, sagte er und lachte fröhlich. Sie machte eine kleine Bewegung, ein Kopfschütteln, ein Schulterzucken, und schmiegte sich enger an ihn. Er spürte, dass sie, anders als ihn, nicht die Leidenschaft des Streitens in die Leidenschaft des Liebens getragen hatte. Sie hatte sein Hemd nicht aufgerissen, weil sie seine Brust fühlen, sondern weil sie sein Herz finden wollte. Ihre Leidenschaft hatte der Rückkehr zur Ruhe gegolten, die sie im Streit verloren hatten.

Sie fuhren zum Supermarkt, und Susan füllte den Einkaufswagen, als blieben sie noch Wochen. Auf der Heimfahrt brach die Sonne durch die Wolken, und sie nahmen die nächste Straße ans Meer, nicht ans offene Meer, sondern an die Bay. Das Wasser war glatt und die Luft klar; sie sahen die Spitze des Cape und die andere Seite der Bay.

»Ich mag es, wenn vor dem Gewitter die Sicht so weit ist und die Konturen so scharf sind.«

»Gewitter?«

»Ja. Ich weiß nicht, ob die Feuchtigkeit oder die Elektrizität die Luft so klar macht, aber es ist die Luft vor dem Gewitter. Eine trügerische Luft; sie verspricht dir gutes Wetter, und was sie bringt, ist ein Gewitter.«

»Bitte entschuldige, dass ich dich vorhin angefahren habe. Nicht nur angefahren, ich habe dich angeschrien. Es tut mir aufrichtig leid.«

Er wartete, dass sie etwas sagte. Dann sah er, dass sie weinte, und blieb erschrocken stehen. Sie hob ihr tränennasses Gesicht und legte ihm die Arme um den Hals. »So was Schönes hat noch nie jemand zu mir gesagt. Dass ihm leidtut, was er zu mir gesagt hat. Mir tut es auch leid. Ich habe auch geschrien, ich habe dich beschimpft und geschlagen. Wir machen das nie wieder, hörst du, nie wieder.«

10

Dann war der letzte Tag da. Sie flog um halb fünf und er um halb sechs, und sie frühstückten in Ruhe, das erste Mal auf der Terrasse. Die Sonne schien so warm, als seien der Regen und die Kälte nur ein Infekt gewesen, von dem der Sommer sich wieder erholt hatte. Dann machten sie eine Wanderung am Strand.

»Es sind nur ein paar Wochen.«

»Ich weiß.«

»Denkst du morgen an den Termin mit dem Architekten?«

»Ja.«

»Und denkst du an die Matratze?«

»Ich habe nichts vergessen. Ich kaufe eine Matratze und Pappmöbel und Plastikgeschirr und -besteck. Wenn ich Zeit habe, gehe ich ins Möbellager und schaue, ob mir was von den Sachen deiner Eltern gefällt. Wir richten alles gemeinsam ein, Stück um Stück. Ich liebe dich.«

»Hier sind wir uns am ersten Tag begegnet.«

»Ja, auf dem Hinweg. Und auf dem Rückweg dort drüben.«

Sie redeten darüber, wie sie sich begegnet waren, wie unwahrscheinlich ihre Begegnungen waren, weil es doch für ihn nähergelegen hätte, in die eine Richtung zu gehen, und für sie, in die andere, wie sie sich am Abend im Fischrestaurant verfehlt hätten, wenn sie ihn nicht angelächelt, nein, wenn er nicht zu ihr hingesehen hätte, wie sie ihn gefunden hatte, nein, wie er sie.

»Wollen wir packen und dann im Eckzimmer die Fenster zur Seite schieben? Wir haben noch ein paar Stunden.«

»Du musst nicht viel packen. Lass deine Sommer- und Strandsachen hier, dann warten sie nächstes Jahr auf dich.«

Er nickte. Obwohl Linda und John ihm einen Teil des Geldes, das er vorab bezahlt hatte, zurückgezahlt hatten, war sein Kreditkartenkonto heillos überzogen. Aber die Vorstellung, sich für das, was er hier ließ, in New York neue Sachen kaufen und noch mehr verschulden zu müssen, schreckte ihn nicht mehr. So war das eben, wenn man über seine Verhältnisse liebte. Es würde sich schon eine Lösung finden.

Mit den gepackten Reisetaschen neben der Tür fühlte sich das Haus fremd an. Sie stiegen die Treppen hoch, wie sie es oft getan hatten. Aber sie traten sachte auf und redeten leise.

Sie schoben die Fenster zur Seite und hörten das Rauschen des Meers und die Schreie der Möwen. Immer noch schien die Sonne, aber Richard holte aus dem Schlafzimmer die Decke und breitete sie über die Doppelliege.

»Komm!«

Sie zogen sich aus und schlüpften unter die Decke.

»Wie soll ich ohne dich schlafen?«

»Und wie ich ohne dich?«

»Kannst du wirklich nicht mit mir nach Los Angeles fliegen?«

»Ich habe Probe. Kannst du nicht doch mit mir nach New York kommen?«

Sie lachte. »Soll ich das Orchester kaufen? Und du setzt die Proben an?«

»So schnell kannst du das Orchester nicht kaufen.«

»Soll ich anrufen?«

»Bleib!«

Sie hatten Angst vor dem Abschied, und zugleich versetzte sein Bevorstehen sie in eigentümliche Leichtigkeit. Sie waren nicht mehr im gemeinsamen und noch nicht im eigenen Leben, sie waren im Niemandsland. So liebten sie sich auch, zuerst ein bisschen scheu, weil sie sich wieder fremder wurden, und dann heiter. Wie immer sah sie ihn dabei an, selbstvergessen, vertrauensvoll.

Sie fuhren in Susans Auto zum Flughafen. Clark würde es abholen und zurückbringen. Sie tauschten aus, wann sie wo sein und telefonisch erreichbar sein würden, als hätten sie nicht beide ein Handy, über das sie jederzeit überall erreichbar waren. Sie beschrieben einander, was sie in den Tagen und Wochen bis zu ihrem Wiedersehen machen würden, und manchmal spielten sie damit, wie sie dieses und jenes in Zukunft zusammen machen würden. Je näher sie dem Flughafen kamen, desto stärker wurde Richards Bedürfnis, Susan zum Abschied etwas zu sagen, was sie begleiten würde. Aber ihm fiel nichts ein. »Ich liebe dich«, sagte er immer wieder, »ich liebe dich.«

II

Vom Flugzeug aus hätte er gerne noch einmal Haus und Strand gesehen. Aber sie lagen im Norden, und der Flug ging nach Südwesten. Er sah auf Meer und Inseln, dann auf Long Island und schließlich auf Manhattan. Das Flugzeug flog eine große Kehre bis an den Hudson, und er erkannte die Kirche, von der es zu seiner Wohnung nur wenige Schritte waren.

Er hatte sich nur schwer an sein Viertel gewöhnt. Es war laut, und am Anfang hatte er sich, wenn er auf dem nächtlichen Heimweg an coolen und toughen Kids vorbeikam, die vor den Häusern auf den Stufen saßen oder an den Geländern lehnten, tranken, rauchten und Musik dröhnen ließen, auch nicht sicher gefühlt. Manchmal redeten sie ihn an, und er verstand nicht, was sie von ihm wollten und warum sie ihm herausfordernd entgegensahen und spöttisch hinterherlachten. Einmal versperrten sie ihm den Weg und wollten seinen Flötenkasten – er dachte, sie wollten die Flöte stehlen, aber sie wollten sie nur sehen und hören. Sie stellten die Musik ab, und die plötzliche Stille machte sie ein bisschen verlegen. Auch er war verlegen und überdies immer noch ängstlich, und zuerst klang die Flöte dünn, aber dann wurde er mutiger und lockerer, und die Kids summten die

Melodie und klatschten den Rhythmus mit. Danach trank er ein Bier mit ihnen. Seitdem grüßten sie ihn, »hey, pipe« oder »hola, flauta«, und er grüßte zurück und lernte allmählich ihre Namen kennen.

Auch seine Wohnung war laut. Er hörte, wie seine Nachbarn sich stritten und schlugen und liebten, und kannte ihre Fernseh- und Radiovorlieben. Eines Nachts hörte er im Haus einen Schuss und sah im Treppenhaus ein paar Tage lang jeden misstrauisch an. Wenn ihn ein Nachbar zu einem Fest einlud, versuchte er, die Personen den Geräuschen zu-zuordnen: die Frau mit den dünnen Lippen zur keifenden Stimme, den Mann mit den Tätowierungen zu den Schlägen, die dralle Tochter mit ihrem Freund zu den Geräuschen der Liebe. Einmal im Jahr revanchierte er sich für die Einladungen mit einem eigenen Fest, bei dem sich die Nachbarn, die einander hassten, ihm zuliebe vertrugen. Nie hatte er wegen seines Flötenspiels Ärger; er konnte am frühen Morgen und am späten Abend üben und hätte auch um Mitternacht niemanden gestört. Er schlief immer mit Stöpseln im Ohr.

Über die Jahre veränderte sich das Viertel. Junge Paare renovierten heruntergekommene Häuser und verwandelten leerstehende Geschäfte in Restaurants. Richard traf Nachbarn, die Ärzte, Anwälte und Banker waren, und konnte seine Besucher zu einem ordentlichen Abendessen ausführen. Sein Haus gehörte zu denen, die blieben, wie sie waren; die Erbengemeinschaft, der es gehörte, war zu zerstritten, um es zu verkaufen oder zu verändern. Aber er mochte es so. Er mochte die Geräusche. Sie gaben ihm das Gefühl, in der ganzen Welt zu leben, nicht nur in einer Enklave des Reichtums.

Er merkte, dass er, als er Susan die nächsten Tage und Wochen beschrieben hatte, den zweiten Oboisten ausgelassen hatte. Sie trafen sich einmal in der Woche zum Abendessen beim Italiener an der Ecke, redeten über das Leben als Europäer in Amerika, berufliche Hoffnungen und Enttäuschungen, Orchestertratsch, Frauen – der Oboist stammte aus Wien und fand die amerikanischen Frauen ebenso schwierig, wie Richard sie bislang gefunden hatte. Er hatte auch den alten Mann ausgelassen, der in seinem Haus unter dem Dach wohnte und abends manchmal auf eine Partie Schach zu ihm kam und so einfallsreich und tiefsinnig spielte, dass es Richard nichts ausmachte, immer zu verlieren. Er hatte nicht von Maria erzählt, einem der Kids von der Straße, die irgendwie an eine Flöte gekommen war, sich von ihm beim Ansatz und bei den Griffen und beim Notenlesen helfen ließ und ihn zum Abschied umarmte, ihre Lippen auf seine gedrückt, ihren Körper an seinen gepresst. Er hatte ihr auch nicht vom Spanischunterricht bei dem salvadorianischen Lehrer im Exil erzählt, der eine Straße weiter wohnte, und nicht von dem gammeligen Fitnesscenter, in dem er sich wohl fühlte. Er hatte Susan nur die Orchesterproben und -aufführungen beschrieben, den Flötisten, der ab und zu mit ihm übte, die Kinder der Tante, die nach dem Krieg mit einem GI nach New Jersey ausgewandert war, dass er Spanisch lernte, aber nicht bei wem, und dass er ins Fitnesscenter ging, aber nicht wo. Er hatte ihr nichts verheimlichen wollen. Es hatte sich einfach so ergeben.

Das Taxi setzte ihn vor seinem Haus ab. Es war warm, Mütter mit Babys saßen auf den Stufen, Kinder spielten zwischen den parkenden Autos Versteck, alte Männer hatten Faltsessel aufgeschlagen und Bierdosen mitgebracht, ein paar Jungs gaben sich Mühe, wie Männer zu gehen, und ein paar Mädchen sahen ihnen kichernd zu. »Hola, flauta«, grüßte ihn der Nachbar, »zurück von der Reise?«

Richard sah die Straße hinauf und hinunter, setzte sich auf die Treppe, stellte die Reisetasche neben sich und stützte die Arme auf die Knie. Das war seine Welt: die Straße, die schmucken und die schäbigen Häuser, an der einen Ecke das italienische Restaurant, in dem er sich mit dem Oboisten traf, an der anderen Ecke die Straße mit Lebensmittelladen, Zeitungsstand und Fitnesscenter, und über die Häuser ragte der Turm der Kirche, neben der sein Spanischlehrer wohnte. Er hatte sich an diese Welt nicht nur gewöhnt. Er liebte sie. Seit er nach New York gekommen war, hatte er keine dauerhafte Beziehung zu einer Frau gehabt. Was ihn hielt, waren die Arbeit, die Freunde, die Menschen, die an der Straße und im Haus lebten, die Routine des Einkaufens, des Trainierens, des Essens in immer wieder denselben Restaurants. An einem Tag, an dem er morgens die Zeitung holte und mit Amir, dem Eigentümer des Zeitungsstands, drei Sätze über das Wetter wechselte, dann die Zeitung in dem Café las, in dem man gelernt hatte, ihm zum Frühstück zwei Eier im Glas mit Schnittlauch und getoastetem Vollkornbrot zu servieren, dann ein paar Stunden übte, dann die Wohnung putzte oder Wäsche wusch, dann im Fitnesscenter trainierte, dann Maria etwas beibrachte und von ihr umarmt wurde, dann beim Italiener Spaghetti Bolognese aß, dann eine Partie Schach spielte und dann sich schlafen legte, fehlte ihm nichts.

Er sah am Haus hoch zu den Fenstern seiner Wohnung. Die Clematis blühte; vielleicht hatte Maria sie tatsächlich gegossen. Er hatte mit Blumenkästen angefangen, inzwischen standen sie vor mehreren Fenstern. Ob Maria auch nach dem Eimer geschaut hatte, der die Tropfen aus dem kaputten Rohr auffing? Er musste sich um die Reparatur kümmern, vor der Abreise hatte er es nicht mehr geschafft.

Er stand auf und wollte hochgehen. Aber er setzte sich wieder. Die Post aus dem Kasten holen, die Treppen hochsteigen, die Tür aufschließen, die Wohnung lüften, die Reisetasche auspacken, die Post durchsehen und die eine und andere E-Mail beantworten, dann heiß duschen, die getragenen Sachen in den Wäschekorb werfen und frische Sachen aus dem Schrank nehmen, dann auf dem Anrufbeantworter die Frage des Oboisten finden, ob man sich heute Abend sehen wolle, und zurückrufen und zusagen – wenn er wieder in sein altes Leben träte, würde es ihn nicht mehr loslassen.

Was hatte er sich nur gedacht? Dass er sein altes Leben in das Leben mit Susan mitnehmen könnte? Dass er ein paar Mal in der Woche quer durch die Stadt ins Fitnesscenter und zum Spanischunterricht fahren würde? Dass er dann zufällig Maria und den Kids begegnete? Dass der alte Mann aus seinem Haus gelegentlich ein Taxi nehmen, in die zweistöckige Wohnung an der 5th Avenue fahren und mit ihm im Salon unter einem echten Gerhard Richter eine Partie spielen würde? Dass der Oboist sich in einem Restaurant an der

East Side wohl fühlen würde? Er hatte Susan die vielen Seiten seines Lebens, die er nicht in das gemeinsame Leben mitbringen konnte, mit Grund verschwiegen. Er hatte sich nicht der Tatsache stellen wollen, dass er das alte Leben für das neue aufgeben musste.

Na und? Er liebte Susan. In den Tagen auf dem Cape hatte er sie gehabt und hatte ihm nichts gefehlt. So würde er sie auch hier haben, und auch hier würde ihm nichts fehlen. Sie hatten es auf dem Cape doch nicht nur deshalb so schön gehabt, weil sein Leben weit weg war! Sein Leben konnte sich hier doch nicht zwischen sie drängen, nur weil es zwei Meilen vom Ort des neuen Lebens als Gestalt greifbar war!

Doch, es konnte. Also durfte er nicht hochgehen, sondern musste weg, das alte Leben hinter sich lassen, zum neuen aufbrechen, hier, jetzt. Ein Hotel finden. In Susans Wohnung zwischen Malerleitern und Farbeimern kampieren. Jemanden beauftragen, seine Sachen aus seiner Wohnung zu räumen und ihm zu bringen. Aber der Gedanke an das Hotelzimmer oder an Susans Wohnung machte ihm Angst, und er hatte Heimweh, obwohl er noch gar nicht aufgebrochen war.

Wenn er doch noch mit Susan auf dem Cape wäre! Wenn ihre Wohnung fertig und sie hier wäre! Wenn der Blitz in sein Haus schlüge und es in Flammen aufginge!

Er schloss eine Wette mit sich ab. Wenn in den nächsten zehn Minuten jemand ins Haus ginge, würde er auch ins Haus gehen, wenn nicht, würde er seine Reisetasche nehmen und in ein Hotel auf der East Side ziehen. Nach fünfzehn Minuten war niemand ins Haus gegangen, und er saß immer noch auf der Treppe. Er versuchte es noch einmal. Wenn in den nächsten fünfzehn Minuten ein leeres Taxi durch die

Straße führe, würde er es nehmen und zu einem Hotel auf der East Side fahren, wenn nicht, würde er in seine Wohnung gehen. Schon nach einer Minute kam ein leeres Taxi, er hielt es nicht an, ging aber auch nicht hoch.

Er gestand sich ein, dass er alleine nicht zurechtkam. Er war bereit, es auch Susan zu gestehen. Er brauchte ihre Hilfe. Sie musste zu ihm kommen und bei ihm bleiben. Sie musste ihm helfen, seine alte Wohnung zu räumen, und sie musste sich mit ihm in der neuen einrichten. Sie konnte danach nach Los Angeles fahren. Er rief sie an. Sie saß in Boston in der Lounge, war aber im Aufbruch.

»Ich steige gleich ins Flugzeug nach Los Angeles.«

»Ich brauche dich.«

»Ich brauche dich auch. Mein Liebster! Ich vermisse dich so sehr.«

»Nein, ich brauche dich wirklich. Ich komme mit meinem alten und unserem neuen Leben nicht zurecht. Du musst kommen und später nach Los Angeles fahren. Bitte!« Im Hörer rauschte es. »Susan? Hörst du mich?«

»Ich gehe gerade zum Gate. Du kommst nach Los Angeles?«

»Nein, Susan, komm du nach New York, ich bitte dich.«

»Ich würde so gerne kommen, ich wäre so gerne bei dir.« Er hörte, wie sie nach ihrer Bordkarte gefragt wurde. »Vielleicht können wir uns am nächsten Wochenende sehen, lass uns darüber telefonieren, ich muss ins Flugzeug, ich bin die Letzte. Ich liebe dich.«

»Susan!«

Aber sie hatte aufgelegt, und als er wieder anrief, wurde er mit der Mailbox verbunden.

13

Es wurde dunkel. Der Nachbar setzte sich zu ihm. »Probleme?«

Richard nickte.

»Frauen?«

Richard lachte und nickte wieder.

»Verstehe.« Der Nachbar stand auf und ging. Wenig später kam er noch mal, stellte eine Flasche Bier neben Richard und legte ihm die Hand auf die Schulter. »Trink!«

Richard trank und sah dem Treiben auf der Straße zu. Den Kids ein paar Häuser weiter, die rauchten und tranken und die Musik dröhnen ließen. Dem Dealer im Schatten der Treppe, der wortlos gefaltete Briefchen aushändigte und Geldscheine einsteckte. Dem Liebespaar im Hauseingang. Dem alten Mann, der seinen Faltsessel als Letzter noch nicht zusammengeklappt und hochgetragen hatte und manchmal eine Bierdose aus der Kühltasche holte. Es war immer noch warm; in der Luft lag nichts von der Schärfe, die an einem Spätsommerabend den nahen Herbst ankündigen kann, sondern das Versprechen eines langen, milden Sommerausklangs.

Richard war müde. Er hatte immer noch das Gefühl, er müsse sich für sein altes oder für das neue Leben entscheiden, er müsse nur den richtigen Einfall oder den nötigen Mut haben, dann werde er wie von selbst aufstehen und hochgehen oder davonfahren. Aber das Gefühl war müde, wie er müde war.

Warum sollte er heute mit einem Taxi zu einem Hotel auf der East Side fahren? Warum nicht morgen? Warum sollte er nicht im alten Leben bleiben, bis er sich auf das neue einließ? Wäre doch gelacht, wenn er in ein paar Wochen nicht schaffen würde, aus dem alten Leben ins neue zu wechseln. Er würde es auch jetzt schaffen. Wenn es sein müsste. Aber es musste nicht sein. Außerdem hinderte ihn, wenn er jetzt fuhr, nichts daran, morgen zurückzukommen. Wenn er später fuhr, würde er nicht mehr zurückkommen. Das neue Leben mit Susan würde ihn halten.

Wichtig war, dass er sich entschied. Und er hatte sich entschieden. Er würde sein altes Leben aufgeben und mit Susan ein neues beginnen. Sobald er es wirklich beginnen konnte. Jetzt konnte er es noch nicht. Er würde es tun, wenn es so weit war. Er würde es tun, weil er sich entschieden hatte. Er würde es tun. Nur nicht jetzt.

Als er aufstand, taten ihm die Glieder weh. Er streckte sich und sah sich um. Die Kids waren zu Hause und saßen vor dem Fernseher oder spielten am Computer oder schliefen. Die Straße war leer.

Richard nahm die Reisetasche, schloss die Haustür auf, holte die Post aus dem Kasten, stieg die Treppe hoch und schloss die Wohnungstür auf. Er ging durch die Zimmer und öffnete die Fenster. Der Eimer, der die Tropfen aus dem kaputten Rohr auffing, war fast leer, und auf dem Tisch stand ein Strauß Astern. Maria. Der Oboist fragte auf dem Anrufbeantworter, ob man sich heute Abend sähe. Der Spanischlehrer grüßte auf einer Postkarte aus dem Yogaurlaub in Mexiko. Richard machte den Computer an und wieder aus; die E-Mails konnten warten. Er packte die Reisetasche aus, zog sich aus und warf die getragenen Sachen in den Wäschekorb.

Er stand nackt im Zimmer und lauschte den Geräuschen des Hauses. Neben ihm war es still, über ihm lief leise ein Fernseher. Aus der Tiefe des Hauses unter ihm drang das Stimmengewoge einer Auseinandersetzung, bis krachend eine Tür zugeschlagen wurde. An ein paar Fenstern summte die Aircondition. Das Haus schlief.

Richard machte das Licht aus und legte sich ins Bett. Vor dem Einschlafen erinnerte er sich an Susan, die auf den Stufen zum Flugzeug stand und lachte und weinte.

Die Nacht in Baden-Baden

I

Er nahm Therese mit, weil sie darauf gehofft hatte. Weil sie sich darüber freute. Weil sie in ihrer Freude eine fröhliche Begleiterin war. Weil es keinen guten Grund gab, sie nicht mitzunehmen.

Es war die Premiere seines ersten Stücks. Er sollte in der Loge sitzen und am Schluss auf die Bühne kommen und sich mit den Schauspielern und dem Regisseur beklatschen oder ausbuhen lassen. Er fand zwar, dass er nicht verdiene, für eine Aufführung ausgebuht zu werden, die er nicht inszeniert hatte. Aber er wollte zu gerne auf der Bühne stehen und beklatscht werden.

Er hatte ein Doppelzimmer in Brenner's Park-Hotel gebucht, wo er noch nie gewesen war. Er freute sich auf den Luxus des Zimmers und des Bads und darauf, vor der Premiere noch durch den Park zu schlendern und auf der Veranda zu einem Earl Grey und einem Club Sandwich Platz zu nehmen. Sie fuhren am frühen Nachmittag los, kamen auf der Autobahn trotz des Freitagsverkehrs zügig voran und waren schon um vier Uhr in Baden-Baden. Zuerst badete sie in der Badewanne mit den goldenen Armaturen, dann er. Dann schlenderten sie durch den Park und tranken auf der Veranda nach Earl Grey und Club Sandwich noch Champagner. Das Zusammensein war angenehm entspannt.

Dabei wollte sie mehr von ihm, als er von ihr wollte und als er ihr geben konnte. Ein ganzes Jahr lang hatte sie ihn deshalb nicht sehen mögen, dann aber die gemeinsamen Abende mit Kino oder Theater und Essen vermisst und sich damit abgefunden, dass sie mit einem flüchtigen Kuss an ihrer Haustür endeten. Manchmal kuschelte sie sich im Kino an ihn, und manchmal legte er ihr dann den Arm um die Schultern. Manchmal nahm sie beim Gehen seine Hand, und manchmal hielt er dann ihre Hand fest in seiner. Sah sie darin das Versprechen, es sei zwischen ihnen mehr möglich? Er wollte es nicht genau wissen.

Sie gingen zum Theater und wurden vom Regisseur begrüßt, den Schauspielern vorgestellt und in die Loge geführt. Dann hob sich der Vorhang. Er erkannte sein Stück nicht wieder. Die Nacht, für die ein flüchtiger Terrorist bei seinen Eltern, seiner Schwester und seinem Bruder unterkommt, war auf der Bühne eine Groteske, bei der sich alle lächerlich machten, der Terrorist mit seinen Phrasen, die Eltern mit ihrer ängstlichen Rechtschaffenheit, der geschäftstüchtige Bruder und die moralisierende Schwester. Aber es funktionierte, und nach kurzem Zögern ließ er sich mit den Schauspielern und dem Regisseur auf der Bühne beklatschen.

Therese hatte das Stück nicht gelesen und freute sich unbefangen über seinen Erfolg. Das tat ihm gut. Beim Essen nach der Premiere lächelte sie ihn immer wieder so freundlich an, dass er, der sich bei gesellschaftlichen Ereignissen schwertat, seine Befangenheit verlor. Er merkte, dass der Regisseur sein Stück nicht zur Groteske gewendet, sondern als Groteske aufgefasst hatte. Sollte er akzeptieren, dass er, ohne es zu wissen und zu wollen, eine Groteske geschrieben hatte?

Sie gingen beschwingt zurück ins Hotel. Das Zimmer war für die Nacht gerichtet, die Vorhänge zugezogen und das Bett aufgeschlagen. Er bestellte eine halbe Flasche Champagner, sie setzten sich im Pyjama aufs Sofa, und er ließ den Korken knallen. Es gab nichts mehr zu sagen, aber das machte nichts. Auf der Kommode stand eine CD-Anlage und lagen ein paar CDs, darunter eine mit französischer Akkordeonmusik. Sie kuschelte sich an ihn, und er legte ihr den Arm um die Schultern. Dann waren die CD und der Champagner zu Ende, und sie gingen ins Bett und drehten einander nach einem flüchtigen Kuss den Rücken zu.

Am nächsten Tag ließen sie sich mit der Heimfahrt Zeit, besuchten in Baden-Baden die Kunsthalle, machten bei einem Winzer halt und gingen in Heidelberg aufs Schloss. Wieder war das Zusammensein leicht. Wenn er allerdings in der Hosentasche das Telefon fühlte, wurde ihm flau. Er hatte es ausgeschaltet – was mochte sich darauf angesammelt haben?

2

Nichts, wie er am Abend zu Hause feststellte. Seine Freundin Anne hatte ihm keine Nachricht hinterlassen. Ob unter den Anrufen, die er bekommen hatte, auch Anrufe von ihr waren, konnte er nicht sehen; vielleicht war die unterdrückte Nummer ihre, vielleicht nicht.

Er rief sie an. Es tue ihm leid, dass er sie am Abend nicht aus dem Hotel habe anrufen können. Es sei zu spät gewesen. Heute sei er früh aufgebrochen, früher, als er sie habe stören wollen. Ja, und sein Telefon habe er zu Hause vergessen. »Hast du mich zu erreichen versucht?«

»Es war seit Wochen der erste Abend, an dem wir nicht miteinander gesprochen haben. Du hast mir gefehlt.«

»Du mir auch.«

Es stimmte. Die letzte Nacht hatte sich falsch angefühlt. Die Nähe des geteilten Betts war zu viel gewesen. Ihr hatte keine innere Nähe entsprochen, durch Liebe gestiftet oder durch Begierde oder auch durch Sehnsucht nach Wärme oder Furcht vor Einsamkeit. Mit Anne hätte sich das geteilte Bett, mit ihr hätte sich die Nacht richtig angefühlt.

»Wann kommst du?« Sie fragte zärtlich und fordernd.

»Ich dachte, du kommst.« Hatte sie nicht versprochen, nach dem Kurs, den sie in Oxford gab, ein paar Wochen bei ihm zu verbringen – Wochen, vor denen er ebenso Angst hatte, wie er sich auf sie freute?

»Ja, aber das sind noch vier Wochen.«

»Ich versuche, am übernächsten Wochenende zu kommen.«

Sie schwieg. Als er fragen wollte, ob es am übernächsten Wochenende ein Problem gebe, sagte sie: »Du klingst anders.«

»Anders?«

»Anders als sonst. Was stimmt nicht?«

»Alles stimmt. Vielleicht habe ich nach der Premiere zu lange gefeiert und bin zu spät ins Bett und zu früh raus.«

»Was hast du heute den ganzen Tag gemacht?«

»Ich habe in Heidelberg recherchiert. Ich will dort eine Szene spielen lassen.« Ihm fiel so schnell nichts anderes ein. Jetzt musste er also eine Szene seines nächsten Stücks in Heidelberg spielen lassen.

Wieder schwieg sie, ehe sie sagte: »Das tut uns nicht gut. Du dort und ich hier. Warum schreibst du nicht hier, solange ich hier unterrichte?«

»Ich kann nicht, Anne, ich kann nicht. Ich treffe den Intendanten vom Konstanzer Theater und den Lektor vom Theaterverlag und habe Steffen versprochen, im Wahlkampf zu helfen. Du denkst, dass ich, anders als du, mir alles einrichten kann, wie ich will. Aber ich kann nicht alles stehen und liegen lassen.« Er ärgerte sich über sie.

»Wahlkampf...«

»Niemand hat dich gezwungen...« Er wollte sagen, niemand habe sie gezwungen, den Lehrauftrag in Oxford anzunehmen. Aber ihr Feld war nun einmal das schmale Feld der feministischen Rechtstheorie, mit dem sie keine feste Stelle, sondern nur Lehraufträge bekam. Sie hätte ihr Feld erweitern können. Aber sie wollte nichts anderes machen, und die Nachfrage nach ihren Kursen zeigte ihm, dass sie, was sie machte, gut machte. Nein, er wollte nicht gemein werden. »Wir müssen besser planen. Wir müssen einander sagen, wenn jemand was von einem von uns will. Wir müssen absprechen, was wir annehmen und was wir ablehnen.«

»Kannst du schon am Mittwoch kommen?«

»Ich versuch's.«

»Ich liebe dich.«

»Ich liebe dich auch.«

3

Er hatte ein schlechtes Gewissen. Er hatte Anne angelogen, hatte sich über sie geärgert, wäre beinahe gemein zu ihr gewesen und war froh, dass das Telefongespräch mit ihr vorbei war. Als er auf den Balkon trat und merkte, wie sommerwarm und -ruhig die Stadt war, setzte er sich. Manchmal fuhr auf der Straße unter dem Balkon ein Auto vorbei, manchmal klangen Schritte zu ihm hoch. Er hatte auch ein schlechtes Gewissen, weil er Therese nicht anrief und fragte, ob sie alles gut überstanden und alles gut angetroffen habe.

Dann war er das schlechte Gewissen leid. Er schuldete Therese nichts. Was er Anne verschwieg, musste er ihr verschweigen, weil sie darauf übertrieben eifersüchtig reagieren würde. Frühere Freundinnen hatten sich nicht daran gestört, wenn sie hörten, dass er auf einer Reise oder bei einem Besuch das Bett mit einer anderen Frau geteilt hatte, solange es nur das Bett war. Anne wäre außer sich. Warum musste sie wegen einer anderen Frau so ein Aufheben machen! Und dass sie meinte, er schreibe das Gesetz seines Lebens selbst und sei jederzeit verfügbar, während sie dem Gesetz ihrer Karriere gehorchen müsse – wie sollte er sich darüber nicht ärgern? Sie hatte ihren Weg gewählt wie er seinen.

Er war froh, dass das Telefongespräch vorbei war, und lebte doch schon in der Erwartung des nächsten. Sie kannten und liebten sich seit sieben Jahren und hatten noch immer nicht geschafft, dem gemeinsamen Leben eine verlässliche Gestalt zu geben. Anne hatte in Amsterdam eine Wohnung und einen Lehrauftrag, von dem sie nicht leben, den sie aber jederzeit ruhen lassen konnte, um in England oder Amerika oder Kanada oder Australien oder Neuseeland zu unterrichten. Dann besuchte er sie dort und blieb mal länger und mal kürzer. Dazwischen war sie für Tage oder Wochen bei ihm in Frankfurt und er für Tage oder Monate bei ihr in Amsterdam. Er fand sie in Frankfurt zu anspruchsvoll und sie ihn zu kleinlich, und in Amsterdam gab es weniger Spannungen, sei's weil sie großzügiger als er, sei's weil er bescheidener als sie war. Ein gutes Drittel des Jahres verbrachten sie gemeinsam. Für den Rest des Jahres war Annes Leben unstet, ein Leben aus Koffern und in Hotels, während seines in ruhiger Bahn lief – mit Veranstaltungen und Verabredungen, mit Schriftstellerverband und Partei, mit Freunden und, ja, Therese.

Nicht dass ihm das alles viel bedeutet hätte. Er war froh über jede Veranstaltung, die ausfiel, jede Verabredung, die abgesagt wurde, jede politische Einladung und Aufforderung, die nicht den Weg in seinen Briefkasten oder seine Inbox fand. Aber sich aus allem rausreißen und zu Anne nach Amsterdam und mit ihr in die Welt ziehen – nein, das ging nicht.

Es ging nicht, obwohl sie ihm oft körperlich schmerzhaft fehlte. Wenn er glücklich war und das Glück mit ihr hätte teilen wollen, wenn er traurig war und ihren Trost gebraucht hätte, wenn er mit ihr nicht über seine Gedanken und Projekte reden konnte. Wenn er alleine im Bett lag. Dabei redeten sie, wenn sie zusammen waren, kaum über seine Gedanken und Projekte, und beim Trösten war sie nicht so einfühlsam und im Glück nicht so überschwenglich, wie er sich's gewünscht hätte. Sie war eine entschlossen zupackende Frau, und als er sie das erste Mal sah, sah er diese zupackende Entschlossenheit in ihrem schönen bäuerlichen Gesicht mit den vielen Sommersprossen und dem rotblonden Haar und mochte sie sofort. Er mochte auch ihren schweren, kräftigen, verlässlichen Körper. Mit ihm einzuschlafen und aufzuwachen und ihn nachts im Bett zu finden – das war, wenn sie zusammen waren, genauso schön, wie er es phantasierte, wenn sie getrennt waren.

Sosehr sie sich nach einander sehnten, so schön sie es miteinander hatten – sie hatten zerstörerische Auseinandersetzungen. Weil er sich mit dem mehr getrennten als gemeinsamen Leben abgefunden hatte und sie nicht. Weil er nicht so beweglich und verfügbar war, wie er ihrer Meinung nach hätte sein können. Weil sie bei ihrer Karriere nicht die Kompromisse machte, die sie seiner Meinung nach hätte machen können. Weil sie in seinen Sachen spionierte. Weil er log, wenn kleine Lügen große Konflikte zu vermeiden versprachen. Weil er ihr nichts recht machen konnte. Weil sie sich oft respekt- und lieblos behandelt fühlte. Wenn sie wütend wurde, schrie sie ihn an und zog er sich in sich zurück. Manchmal stahl sich unter ihrem Geschrei ein täppisches Grinsen auf sein hilfloses Gesicht, das sie noch wütender machte.

Aber die Wunden der Auseinandersetzungen heilten rascher als die Schmerzen der Sehnsucht. Nach einer Weile blieb von den Auseinandersetzungen nur die Erinnerung, dass da etwas war, eine heiße Quelle, die immer wieder einmal blubberte und zischte und dampfte, die sie sogar tödlich verbrühen und verbrennen würde, wenn sie in sie hineinfielen. Aber sie konnten vermeiden, in sie hineinzufallen. Vielleicht würde sich eines Tages auch herausstellen, dass die heiße Quelle nur ein Spuk war. Eines Tages? Vielleicht schon beim nächsten Wiedersehen, nach dem sie sich sehnten und auf das sie sich freuten!

4

Er flog nicht am Mittwoch, sondern erst am Freitag. Als er am Montag beim italienischen Restaurant um die Ecke zu Abend aß, setzte sich ein Herr zu ihm, der eine Pizza bestellt hatte und abholen wollte. Sie kamen ins Gespräch, der andere stellte sich als Produzent vor, und sie redeten über Stoffe und Stücke und Filme. Beim Aufbruch lud der andere ihn für Donnerstag auf einen Kaffee in sein Büro ein. Es war sein erster Kontakt mit einem Produzenten; er hatte schon lange von Filmen geträumt, aber niemanden gehabt, dem er seine Träume anbieten konnte. Also buchte er von Mittwoch auf Freitag um.

Er flog nicht mit einem Drehbuch- oder Treatmentauftrag in der Tasche nach England, wie er gehofft hatte. Immerhin hatte der Produzent ihn eingeladen, zu dem einen oder anderen der Stoffe, über die sie gesprochen hatten, ein Exposé zu schreiben. War das schon ein Erfolg? Er wusste es nicht, er kannte sich in der Welt des Films nicht aus. Aber er saß gut gelaunt im Flugzeug und kam gut gelaunt an.

Er sah Anne nicht und rief sie an. Eine Stunde von Oxford nach Heathrow, eine Stunde auf dem Flughafen, eine Stunde zurück – sie musste einen Aufsatz fertigschreiben und war am Schreibtisch geblieben. Er wolle doch auch nicht, dass sie den ganzen Abend arbeiten müsse. Nein, das wollte er nicht.

Aber er fand, sie hätte sich früher an den Aufsatz machen können. Er sagte es nicht.

Das College hatte ihr eine kleine, zweistöckige Wohnung überlassen. Er hatte einen Schlüssel, schloss auf und ging hinein. »Anne!« Er stieg die Treppe hoch und fand sie am Schreibtisch. Sie blieb sitzen, schlang die Arme um seinen Bauch und lehnte den Kopf an seine Brust. »Gib mir noch eine halbe Stunde. Machen wir danach einen Spaziergang? Ich bin seit zwei Tagen nicht aus dem Haus gekommen.«

Er wusste, dass es bei der halben Stunde nicht bleiben würde, packte aus, richtete sich ein und machte Notizen über das Gespräch mit dem Produzenten. Als sie schließlich durch den Park an die Themse spazierten, stand die Sonne schon tief, leuchtete der Himmel in dunklem Blau, warfen die Bäume lange Schatten auf den kurzgeschorenen Rasen und hatten die Vögel das Singen bereits eingestellt. Eine geheimnisvolle Stille lag über dem Park, als sei er aus dem Getriebe der Welt gefallen.

Lange redete keiner von beiden. Dann fragte Anne: »Mit wem warst du in Baden-Baden?«

Was fragte sie da? Die Nacht in Baden-Baden, das Telefongespräch am nächsten Abend, die kleine Lüge, das schlechte Gewissen – er hatte gedacht, es liege alles hinter ihm.

»Mit wem?«

»Wie kommst du darauf, dass ich …«

»Ich habe in Brenner's Park-Hotel angerufen. Ich habe in vielen Hotels angerufen, aber im Brenner's haben sie gefragt, ob sie die Herrschaften wecken sollen.«

Auf welcher Seite des Betts hatte das Telefon gestanden?

Beim Gedanken, sie hätte sich durchstellen lassen, bekam er Panik. Aber sie hatte sich nicht durchstellen lassen. Wie redeten sie in Brenner's Park-Hotel? Sollen wir die Herrschaften wecken? »Die Herrschaften – das sagen die so, ob es um mehrere geht oder nur um einen. Es ist eine altertümliche Ausdrucksweise, die vornehme Hotels distinguiert finden. Warum hast du dich nicht in mein Zimmer durchstellen lassen?«

»Mir hat's gelangt.«

Er legte den Arm um sie. »Unsere sprachlichen Missverständnisse! Erinnerst du dich noch, wie ich dir geschrieben habe, ich würde gerne mit dir schmusen, und du dachtest, I wanted to schmooze with you und wollte dir dummes Gewäsch erzählen? Oder wie du mir gesagt hast, du kämst in principle zum Familientreffen, und ich es als grundsätzliche Zusage verstanden habe und du nur gemeint hast, dass du dir's überlegen willst?«

»Warum hast du mir nicht gesagt, dass du in Brenner's Park-Hotel abgestiegen bist? Ich habe sie gefragt, sie waren voll. Du musst also schon vorher gebucht haben. Sonst sagst du mir, wo du übernachtest, wenn du es vorher weißt.«

»Ich habe es vergessen. Ich hatte schon vor Wochen gebucht, habe mich am Freitag einfach ins Auto gesetzt und in Baden-Baden die Unterlagen mit der Adresse und der Zeit der Vorstellung und der Buchung angeschaut. Weil ich spät dran war, konnte ich nur noch einchecken und mich umziehen und dich nicht mehr anrufen. Nach dem Stück und der Feier wollte ich dich nicht aus dem Bett klingeln.«

»Ein Zimmer um die vierhundert Euro – das machst du doch sonst nicht.«

»Brenner's ist was Besonderes und eine Nacht dort ein alter Traum von mir. Ich …«

»Und dass du diesen alten Traum von dir gebucht hattest, hast du vergessen? Warum lügst du mich an?«

»Ich lüge dich nicht an.« Er erzählte ihr von dem Stress der letzten Wochen. Dass er auch sonst dies und das vergessen hatte, auch Sachen, die ihm wichtig waren und die er gerne gemacht hätte.

Sie blieb misstrauisch. »Brenner's ist ein alter Traum von dir, und du kommst so spät an und brichst so früh auf, dass du gar nichts vom Hotel hast? Das macht doch keinen Sinn.«

»Nein, es macht keinen Sinn. Aber ich war auch nicht bei Sinnen in den letzten Wochen.« Er redete weiter von Stress und Druck, Verträgen und Terminen, Treffen und Telefonaten. Er redete sich in eine Darstellung seines Lebens in den letzten Wochen, die übertrieben, aber nicht völlig abwegig war und die nicht zu glauben Anne keinen Grund und kein Recht hatte. Je länger er redete, desto sicherer wurde er. War es nicht empörend, dass Anne ohne Grund und Recht ihm misstraute und an ihm zweifelte? Und war es nicht lächerlich, dass sie ihn wegen einer Nacht mit einer Frau, mit der er nicht geschlafen und der er sich nicht einmal wirklich nahe gefühlt hatte, fertigmachte? Fertigmachte in einem Park, der sommerwarm und abendstill und unter dem Leuchten der ersten Sterne wie verwunschen lag?

5

Schließlich ging dem Streit die Kraft aus wie dem Auto das Benzin. Wie das Auto stockte er, ruckte, stockte wieder und blieb stehen. Die beiden gingen essen und machten Pläne. Mussten sie die Wochen, die Anne zu ihm kommen konnte, in Frankfurt verbringen? Konnten sie nicht nach Sizilien oder in die Provence oder in die Bretagne reisen, dort ein Haus oder eine Wohnung mieten und Tisch an Tisch schreiben?

In der Wohnung nahmen sie die Matratze vom ausgeleierten, durchhängenden Rost, legten sie auf den Boden und liebten sich. Mitten in der Nacht wachte er von Annes Weinen auf. Er nahm sie in die Arme. »Anne«, sagte er, »Anne.«

»Ich muss die Wahrheit wissen, immer. Ich kann nicht mit Lügen leben. Mein Vater hat meine Mutter belogen, und er hat sie betrogen, und er hat meinem Bruder und mir Versprechungen über Versprechungen gemacht, die er nicht gehalten hat. Wenn ich ihn gefragt habe, warum, wurde er wütend und hat mich angeschrien. Meine ganze Kindheit hatte ich keinen sicheren Boden unter den Füßen. Du musst mir die Wahrheit sagen, damit ich sicheren Boden unter den Füßen habe. Verstehst du das? Versprichst du es mir?«

Einen Augenblick lang dachte er daran, Anne die Wahrheit über die Nacht in Brenner's Park-Hotel zu sagen. Aber was für ein Theater würde das geben! Und würde die Wahrheit aufwiegen, dass er Anne eine ganze Stunde, ach was, zwei Stunden lang angelogen hatte? Und würde das späte Bekenntnis der Nacht mit Therese nicht mehr Gewicht geben, als sie hatte? In Zukunft, ja, in Zukunft würde er Anne die Wahrheit sagen. Für die Zukunft wollte und konnte er es ihr versprechen. »Es ist alles gut, Anne. Ich verstehe dich. Du musst nicht mehr weinen. Ich verspreche dir, die Wahrheit zu sagen.«

6

Drei Wochen später fuhren sie in die Provence. In Cucuron fanden sie am Marktplatz ein billiges, altes Hotel, in dem man ihnen das große Zimmer mit großer Loggia im obersten Stock gerne für vier Wochen überließ. Es gab kein Frühstück und kein Abendessen und kein Internet, und die Betten wurden nur gelegentlich gemacht. Aber sie bekamen einen zweiten Tisch und einen zweiten Stuhl und konnten im Zimmer oder auf der Loggia Tisch an Tisch arbeiten, wie sie es sich vorgestellt hatten.

Sie fingen voller Eifer an. Aber dann schien die Arbeit jeden Tag weniger drängend, weniger wichtig zu werden. Nicht weil es zu heiß gewesen wäre; die dicken Wände und dicken Decken des alten Baus hielten das Zimmer und die Loggia kühl. Die Arbeit – bei ihr an einem Buch über Geschlechterdifferenz und Äquivalenzrechte und bei ihm an einem Stück über die Finanzkrise – stimmte einfach nicht. Am rechteckigen, mauergefassten Dorfteich vor der Bar de l'Etang sitzen, einen Espresso trinken und in die Platanen und aufs Wasser schauen stimmte. Oder in die Berge fahren. Oder auf einem Weingut neue Rebsorten kennenlernen. Oder auf dem Friedhof von Lourmarin Blumen auf das Grab von Camus legen. Oder in Aix durch die Stadt bummeln und sich in der Bibliothek um die E-Mails kümmern. Ohne E-Mails hätte der Bummel noch besser gestimmt, aber Anne wartete auf eine Zusage für eine Stelle und er auf einen Auftrag für ein Stück.

»Es ist das Licht«, sagte er. »In diesem Licht lässt sich's auf dem Feld oder im Weinberg oder im Olivenhain arbeiten, und vielleicht lässt sich's sogar schreiben, aber über die Liebe und das Gebären und Sterben und nicht über Banken und Börsen.«

»Das Licht und der Geruch. Wie intensiv alles riecht! Der Lavendel und die Pinien und der Fisch und der Käse und die Früchte auf dem Markt. Die Gedanken, die ich meinen Lesern in die Köpfe bringe – was sind sie gegen diesen Geruch?«

»Ja«, lachte er, »aber mit dem Geruch in der Nase will niemand mehr die Welt ändern. Deine Leser sollen die Welt ändern.«

»Sollen sie das?«

Sie saßen auf der Loggia, die Laptops vor sich. Er sah sie erstaunt an. Wollte sie nicht die Welt ändern, und lehrte und schrieb sie nicht, damit ihre Studenten und Leser sie ebenfalls ändern wollten? Hatte sie nicht deshalb abgelehnt, Kompromisse zu machen und ihre Karriere den Bedürfnissen der Universitäten anzupassen? Sie sah über die Dächer, Tränen in den Augen. »Ich möchte ein Kind.«

Er stand auf, ging zu ihr, hockte sich neben ihren Stuhl und lächelte sie an. »Das lässt sich machen.«

»Wie soll das gehen? Wie soll ich bei meinem Leben ein Kind haben?«

»Du ziehst zu mir. Für die ersten Jahre lässt du das Unterrichten und konzentrierst dich aufs Schreiben. Danach sehen wir weiter.«

»Danach laden mich die Universitäten nicht mehr ein. Sie laden mich ein, weil ich verlässlich verfügbar bin. Und ich bin nicht so gut im Schreiben wie im Unterrichten. An meinem Buch arbeite ich seit Jahren.«

»Die Universitäten laden dich ein, weil du eine großartige Lehrerin bist. Und damit sie dich während der ersten Jahre nicht vergessen, ist es vielleicht gar nicht schlecht, wenn du statt des Buchs ein paar Aufsätze schreibst. Weißt du, in ein paar Jahren sieht die Welt schon wieder anders aus und gibt es neue Berufsprofile und neue Studiengänge und für dich neue Stellen. Es verändert sich so vieles so schnell.«

Sie zuckte die Schultern. »Es vergisst sich auch schnell.«

Er legte die Arme um sie. »Ja und nein. Hast du mir nicht erzählt, dass die Dekanin in Williams dich eingeladen hat, weil ihr vor zwanzig Jahren im selben Seminar gesessen seid und sie von dir beeindruckt war? Dich vergisst niemand so schnell.«

Am Abend fanden sie in Bonnieux ein Restaurant mit Terrasse und weitem Blick ins Land. Die große Gruppe australischer Touristen, die fröhlich lärmend die meisten Tische besetzt hatte, brach früh auf, und in der Dunkelheit waren sie für sich. Unter ihrem erstaunten, fragenden Blick bestellte er Champagner.

»Worauf stoßen wir an?« Sie drehte das Glas zwischen Daumen und Zeigefinger.

»Auf unsere Hochzeit!«

Sie drehte weiter. Dann sah sie ihn mit traurigem Lächeln an. »Ich habe immer gewusst, was ich wollte. Ich weiß auch, dass ich dich liebe. Wie ich weiß, dass du mich liebst. Und ich will Kinder und will sie mit dir. Und Kinder und heiraten gehören zusammen. Aber wir haben heute das erste Mal darüber gesprochen – lass mir ein bisschen Zeit.« Ihr Lächeln wurde fröhlich. »Magst du mit mir auf deinen Antrag anstoßen?«

7

Ein paar Tage später gingen sie am Nachmittag ins Bett und liebten sich und schliefen ein. Als er aufwachte, war Anne weg. Auf einem Zettel las er, dass sie losgefahren war und in Aix in der Bibliothek nach ihren E-Mails sah.

Das war um vier. Um sieben war er verwundert, dass sie noch nicht wieder zurück war, um acht besorgt. Sie hatten ihre Mobiltelefone zwar auf die Reise mitgenommen, aber abgeschaltet und in die Kommode gelegt. Er sah nach, da lagen sie. Um neun hielt er es in der Wohnung nicht mehr aus und ging zum Dorfteich, an dem sie ihr Auto parkten.

Es stand, wo es immer stand. Er sah sich um und sah Anne; sie saß an einem Tisch vor der dunklen, geschlossenen Bar de l'Etang und rauchte. Sie hatte das Rauchen vor Jahren aufgegeben.

Er ging hinüber und blieb vor dem Tisch stehen. »Was ist los? Ich habe mir Sorgen gemacht.«

Sie sah nicht auf. »Du warst mit Therese in Baden-Baden.«

»Wie kommst du …«

Jetzt sah sie ihn an. »Ich habe deine E-Mails gelesen. Die

Bestellung des Doppelzimmers. Die Verabredung mit Therese. Den Gruß danach: Es war schön mit dir, und ich hoffe, du hast die Reise gut überstanden und zu Hause alles gut angetroffen.« Sie weinte. »Es war schön mit dir.«

»Du hast in meinen E-Mails spioniert? Spionierst du auch in meinem Schreibtisch und meinem Schrank? Glaubst du, du hast das Recht…«

»Du bist ein Lügner, ein Betrüger, du machst, was dir passt – ja, ich habe jedes Recht, mich vor dir zu schützen. Ich muss mich vor dir schützen. Von dir kriege ich die Wahrheit nicht, ich muss sie selbst finden.« Sie weinte wieder. »Warum hast du das gemacht? Warum hast du mir das angetan? Warum hast du mit ihr geschlafen?«

»Ich habe nicht mit ihr geschlafen.«

Sie schrie ihn an. »Hör endlich auf, mich anzulügen, hör endlich auf. Du fährst mit dieser Frau in ein romantisches Hotel und teilst das Zimmer und das Bett mit ihr und willst mich für dumm verkaufen? Zuerst denkst du, ich bin zu dumm, hinter deine Lügen zu kommen, und jetzt denkst du, ich bin so dumm, dass ich mir die Wahrheit wieder ausreden lasse? Du Schwätzer, du Ficker, du Dreck, du …« Sie zitterte vor Empörung.

Er setzte sich ihr gegenüber. Er wusste, dass es ihm egal sein sollte, ob Fenster aufgingen und Leute rausschauten und sie sich zum Gespött machten. Aber es war ihm nicht egal. Sich anschreien lassen war erniedrigend genug, sich vor anderen anschreien lassen war doppelt erniedrigend. »Kann ich was sagen?«

»Kann ich was sagen?« Sie äffte ihn nach. »Der kleine Bub fragt die Mama, ob er was sagen darf? Weil die Mama ihn ständig unterdrückt und ihm nicht einmal erlaubt, was zu sagen? Spiel nicht das Opfer! Übernimm endlich Verantwortung für das, was du sagst und tust! Du bist ein Lügner und ein Betrüger – steh wenigstens dazu!«

»Ich bin kein ...«

Sie schlug ihm mit der Hand über den Mund, und weil sie in seinen Augen einen Abscheu las, der sie erschreckte, schrie sie weiter. Sie beugte sich vor, ihre Spucke traf ihn ins Gesicht, und dass er zurückwich, machte sie noch wütender und noch lauter. »Du Dreck, du Arsch, du Nichts! Nein, du kannst nichts sagen. Wenn du redest, lügst du, und weil ich deine Lügen satthabe, habe ich auch dein Reden satt. Hast du das verstanden?«

»Ich ...«

»Hast du das verstanden?«

»Es tut mir leid.«

»Was tut dir leid? Dass du ein Lügner und ein Betrüger bist? Dass du mit anderen Frauen ...«

»Ich habe nichts mit anderen Frauen gehabt. Was mir leidtut, ist ...«

»Fick dich selbst mit deinen Lügen!« Sie stand auf und ging.

Zuerst wollte er ihr folgen, dann blieb er sitzen. Ihm fiel die Autofahrt ein, auf der ihm eine Freundin eröffnete, dass sie neben ihm noch andere Männer hatte. Sie fuhren auf einer kurvigen Straße durch das Elsass, und nach ihrer Eröffnung fuhr er einfach geradeaus weiter, von der Straße auf einen Waldweg, vom Waldweg durch Gesträuch vor einen Baum. Es passierte nichts, es ging nur nicht weiter. Er legte die Hände auf das Lenkrad und den Kopf auf die

Hände und war traurig. Er hatte nicht das Bedürfnis, seine Freundin anzugreifen. Er hoffte, dass sie, was sie getan hatte, ihm so erklären würde, dass er es verstünde. Dass er damit seinen Frieden machen könnte. Warum ließ Anne sich nichts erklären?

8

Er stand auf und ging an den Teich. Es begann zu regnen; er hörte die ersten Tropfen leise ins Wasser klatschen und sah sie die Fläche kräuseln, noch ehe er sie spürte. Dann war er auch schon nass. Der Regen rauschte in den Platanen und auf dem Kies, es schüttete, als wolle der Regen alles hinwegwaschen, was keinen Bestand verdiente.

Er wäre gerne mit Anne im Regen gestanden, hätte gerne von hinten die Arme um sie gelegt und unter den nassen Kleidern ihren Körper gespürt. Wo mochte sie sein? War sie auch draußen? Genoss sie den Regen ebenso wie er, und verstand sie, dass ihr dummer Streit keinen Bestand vor ihm hatte? Oder hatte sie eine Taxe bestellt und packte im Hotel ihre Sachen?

Nein, als er ins Hotel kam, waren ihre Sachen noch da. Sie war nicht da. Er zog seine nassen Kleider aus und legte sich ins Bett. Er wollte wach bleiben, auf sie warten, mit ihr reden. Aber draußen rauschte der Regen, und er war müde vom Tag und erschöpft vom Streit und schlief ein. Mitten in der Nacht wachte er auf. Der Mond schien ins Zimmer. Neben ihm lag Anne. Sie lag auf dem Rücken, die Arme hinter dem Kopf verschränkt und die Augen offen. Er stützte sich auf und sah ihr ins Gesicht. Sie sah ihn nicht an. Auch er legte sich auf den Rücken.

»Das Gefühl, dass ich einer Frau nicht widersprechen, ihr nichts abschlagen darf, dass ich ihr gegenüber aufmerksam und zuvorkommend sein, mit ihr flirten muss – ich denke, es hat mit meiner Mutter zu tun. Ich habe es immer, und ich verhalte mich automatisch so, ob mir die Frau gefällt oder nicht, ob ich was von ihr will oder nicht. Dadurch wecke ich Erwartungen, die ich nicht erfüllen kann; eine Weile versuche ich's trotzdem, aber dann wird es mir zu viel, und ich stehle mich davon, oder die Frau wird es leid und zieht sich zurück. Das ist ein dummes Spiel, und ich sollte lernen, es zu lassen. Sollte ich mit einem Therapeuten über mich und meine Mutter reden? Wie auch immer – seine Grenze hat das Spiel nicht erst beim Zusammen-Schlafen, sondern schon bei Zärtlichkeiten. Vielleicht lege ich den Arm um die Frau oder drücke ihr die Hand, aber das ist auch alles. Ob auch die Grenze mit meiner Mutter zu tun hat? Ich will der Frau nichts schulden, und wenn ich mit ihr schliefe, würde ich ihr was schulden. Ich habe in meinem ganzen Leben nur mit Frauen geschlafen, die ich geliebt oder in die ich mich immerhin verliebt hatte. Ich liebe Therese nicht und bin auch nicht verliebt in sie. Es konnte schön mit ihr sein, auf eine Weise leicht, anspruchslos, entspannt, auf die es zwischen uns fast nie leicht ist. Aber ich habe mich nie gefragt, ob's das wäre und ob ich dich verlassen und mit ihr leben wollte.

Das ist das eine, was ich dir sagen wollte. Das andere ist, dass es …«

Sie unterbrach ihn. »Was habt ihr am nächsten Tag gemacht?«

»Wir waren in Baden-Baden in der Kunsthalle, bei einem Winzer und in Heidelberg auf dem Schloss.«

»Warum hast du sie von hier aus angerufen?«

»Wie kommst du …« Ihm fiel ein, dass er ebenso angesetzt hatte, als sie ihn nach der Reise mit Therese gefragt hatte, und ebenso wurde er unterbrochen.

»Ich habe es auf deinem Telefon gesehen. Du hast sie vor drei Tagen angerufen.«

»Sie hatte eine Biopsie wegen Verdachts auf Brustkrebs, und ich habe sie gefragt, wie es war.«

»Ihre Brüste …« Sie sagte es, als schüttele sie den Kopf. »Weiß sie, dass du mit mir hier bist? Weiß sie überhaupt, dass wir zusammen sind? Seit sieben Jahren? Was weiß sie von mir?«

Er hatte Anne vor Therese nicht verschwiegen, aber das Nähere im Ungefähren gelassen. Wenn er zu ihr fuhr, fuhr er nach Amsterdam oder London oder Toronto oder Wellington, um dort zu schreiben. Er erwähnte, dass er Anne dort traf, und schloss nicht aus, dass er dort mit ihr lebte, stellte es aber auch nicht klar. Er redete mit Therese nicht über die Schwierigkeiten, die er mit Anne hatte, und sagte sich, das wäre Verrat. Er redete aber auch nicht über das Glück mit Anne. Er sagte Therese, dass er sie, so gerne er sie habe, nicht liebe, aber er sagte ihr nicht, dass er Anne liebte. Umgekehrt hatte er auch Therese nicht vor Anne verschwiegen. Allerdings hatte er ihr auch nicht gesagt, wie oft er sie sah.

Richtig war das nicht, er wusste es und fühlte sich manchmal wie ein Bigamist, der die eine Familie in Hamburg und die andere in München hat. Wie ein Bigamist? Das war denn doch zu streng. Er präsentierte niemandem ein falsches Bild. Er präsentierte Skizzen statt Bilder, und Skizzen sind nicht falsch, weil sie bloße Skizzen sind. Zum Glück hatte er Therese gesagt, dass auch Anne in der Provence sein würde. »Sie weiß, dass wir seit Jahren zusammen sind und dass wir zusammen hier sind. Was sie sonst weiß – ich rede mit Freunden und Bekannten nicht viel über dich.«

Anne entgegnete nichts. Er wusste nicht, ob das ein gutes oder ein schlechtes Zeichen war, aber nach einer Weile ließ seine Spannung nach. Er merkte, wie müde er war. Er kämpfte, um wach zu bleiben und zu hören, was Anne noch sagen mochte. Ihm fielen die Augen zu, und zuerst dachte er, er könne auch mit geschlossenen Augen wach bleiben, dann merkte er, dass er einschlief, nein, dass er schon eingeschlafen und wieder aufgewacht war. Was hatte ihn geweckt? Hatte Anne etwas gesagt? Er stützte sich wieder auf; sie lag mit offenen Augen neben ihm, sah ihn aber wieder nicht an. Der Mond schien nicht mehr ins Zimmer.

Dann redete sie. Draußen graute schon der Tag, er war also doch eingeschlafen. »Ich weiß nicht, ob ich, was geschehen ist, wegstecken kann. Aber ich weiß, dass ich es nicht wegstecken kann, wenn du mir weiter vormachen willst, da sei nichts gewesen. Es sieht aus wie eine Ente, es quakt wie eine Ente, und du willst mir weismachen, es sei ein Schwan? Ich hab deine Lügen satt, ich hab sie satt, ich hab sie satt. Wenn ich bei dir bleiben soll, dann nur in der Wahrheit.« Sie schlug die Bettdecke zurück und stand auf. »Ich halte es für das Beste, wenn wir uns erst heute Abend wiedersehen. Ich würde das Zimmer und Cucuron gerne für mich haben. Nimm das Auto, und fahr weg.«

9

Als sie im Badezimmer war, zog er sich an und ging. Die Luft war noch kühl, die Straßen waren noch leer, nicht einmal der Bäcker und das Café hatten auf. Er setzte sich ins Auto und fuhr los.

Er fuhr zu den Bergen des Luberon und nahm an den Gabelungen und Kreuzungen einfach die Straße, die höher in die Berge zu führen versprach. Als es nicht höher ging, stellte er das Auto ab und folgte eingefahrenen, zugewachsenen Wagenspuren über die Höhe und entlang dem Hang.

Warum sagte er nicht einfach, er habe mit Therese geschlafen? Was war es, das sich in ihm so dagegen sträubte? Dass es nicht die Wahrheit war? Er hatte sich sonst mit dem Lügen leichtgetan, wenn es galt, einen Konflikt zu vermeiden. Warum tat er sich jetzt schwer? Weil er sonst die Welt nur ein bisschen gefälliger machte und jetzt sich selbst schlechter machen sollte, als er war?

Ihm kam in den Sinn, wie seine Mutter ihm als kleinem Jungen, wenn er etwas getan hatte, was er nicht hätte tun sollen, keine Ruhe ließ, bis er die schlechten Wünsche bekannte, die ihn zur schlechten Tat getrieben hatten. Später las er über das Ritual von Kritik und Selbstkritik in der Kommunistischen Partei, bei dem, wer von der Linie der Partei abgewichen war, bearbeitet wurde, bis er seine bürgerlichen Neigungen bereute – so war das, was seine Mutter mit ihm gemacht hatte, und so war, was Anne jetzt mit ihm machte. Hatte er in Anne seine Mutter wieder gesucht und gefunden?

Also kein falsches Bekenntnis. Schluss mit Anne. Stritten

sie nicht ohnehin zu oft? Hatte er nicht satt, dass sie ihn anschrie? Satt, dass sie in seinem Laptop und Telefon und Schreibtisch und Schrank spionierte? Satt, dass sie erwartete, wenn sie ihn brauche, müsse er für sie da sein? War ihm nicht auch Annes Innigkeit zu viel? So schön es war, mit ihr zu schlafen – musste es so gefühls- und bedeutungsschwer sein? Könnte es mit einer anderen leichter, spielerischer, körperlicher sein? Und die Reisen – am Anfang hatte es seinen Reiz gehabt, im Frühjahr drei, vier Wochen in einem College im amerikanischen Westen und im Herbst in einer Universität an der australischen Küste zu verbringen und dazwischen mehrere Monate in Amsterdam zu leben, jetzt war es ihm eigentlich lästig. Die Brötchen mit frischem Hering, die es in Amsterdam an Straßenständen zu kaufen gab, waren lecker. Aber sonst?

Er kam an den Grundmauern eines Stalls oder einer Scheune vorbei und setzte sich. Wie hoch in den Bergen er war! Vor ihm neigte sich ein mit Olivenbäumen bewachsener Abhang in ein flaches Tal, dahinter lagen niedrige Berge, dahinter die Ebene mit kleinen Städten, von denen eine Cucuron sein mochte. Ob von hier bei klarem Wetter das Meer zu sehen war? Er hörte das Zirpen der Zikaden und das Blöken von Schafen, nach denen er vergebens Ausschau hielt. Die Sonne stieg und wärmte seine Glieder und ließ den Rosmarin duften.

Anne. Was auch immer nicht mit ihr stimmte – wenn sie sich am Nachmittag liebten, zuerst im hellen Tageslicht und dann noch mal in der Dämmerung, konnten sie sich nicht satt aneinander sehen und nicht satt aneinander fühlen, und wenn sie erschöpft und befriedigt beieinanderlagen, machte das Reden sich von selbst. Und wie gerne er sie schwimmen sah, in einem See oder im Meer, kompakt und kräftig und geschmeidig wie ein Seeotter. Wie gerne er sie mit Kindern und Hunden spielen sah, welt- und selbstvergessen, dem Augenblick hingegeben. Wie glücklich er war, wenn sie sich auf einen Gedanken von ihm einließ und mit Leichtigkeit und Sicherheit den Punkt fand, an dem er sich verrannt hatte. Wie stolz er war, wenn er mit ihr unter ihren oder seinen Freunden war und sie mit ihrem Geist und ihrem Witz funkelte. Wie geborgen er sich fühlte, wenn sie einander hielten.

Ihm fiel ein Bericht über deutsche, japanische und italienische Soldaten in russischer Kriegsgefangenschaft ein. Die Russen versuchten, die Gefangenen zu indoktrinieren und mit ihnen auch das Ritual von Kritik und Selbstkritik einzuüben. Die Deutschen, Führung gewohnt, aber ihrer Führer beraubt, machten beim Ritual mit, die Japaner ließen sich lieber erschlagen, als mit dem Feind zu kollaborieren. Die Italiener spielten mit, nahmen aber die Veranstaltung nicht ernst, sondern bejubelten und beklatschten sie wie eine Opernaufführung. Sollte auch er bei Annes Kritik- und Selbstkritikveranstaltung mitspielen, ohne sie ernst zu nehmen? Sollte er lachenden Herzens alles zugeben, was sie zugegeben haben wollte?

Aber mit dem Zugeben würde es nicht getan sein. Sie würde wissen wollen, wie es dazu kommen konnte. Sie würde nicht ruhen, bis sie herausgefunden hatte, was mit ihm nicht stimmte. Bis auch er es eingesehen hatte. Und die gewonnenen Einsichten würden immer wieder zur Erklärung dienen und für Anklagen benutzt werden.

10

Erst jetzt merkte er, wie weit er gelaufen war und wie lange er auf der Mauer gesessen hatte. Beim Rückweg erwartete er bei jeder Biegung des Wegs, dahinter werde die Straße liegen und sein Auto stehen, aber es kam noch eine Biegung und noch eine. Als er das Auto schließlich erreichte und auf die Uhr sah, war es zwölf, und er hatte Hunger.

Er fuhr weiter in die Berge und fand im nächsten Dorf ein Restaurant mit Tischen an der Straße und Blick auf Kirche und Rathaus. Es gab Sandwiches, und er bestellte eines mit Schinken und eines mit Käse und dazu Wein und Wasser und Milchkaffee. Die Bedienung war jung und hübsch und hatte keine Eile; gelassen genoss sie seine Bewunderung und erklärte ihm, was für Schinken sie in der Metzgerei um die Ecke holen könne und was für Käse sie hatte. Als Erstes brachte sie den Wein und das Wasser, und bevor die Sandwiches vor ihm lagen, war er schon ein bisschen betrunken.

Er blieb der einzige Gast. Als die Karaffe mit Wein leer war, fragte er, ob sich im Keller eine Flasche Champagner fände. Sie lachte, sah ihn vergnügt und verschwörerisch an, und als sie sich vorbeugte und das Geschirr vom Tisch räumte, zeigte der Ausschnitt ihrer Bluse den Ansatz ihrer Brüste. Er sah ihr nach und rief: »Bringen Sie zwei Gläser!«

Sie lachte gerne. Darüber, dass er aufstand und ihr den Stuhl zurechtrückte. Dass er den Champagnerkorken knallen ließ. Dass er mit ihr anstieß. Dass er sie so vorsichtig nach dem Leben als attraktive Frau in einem gottverlassenen Dorf in den Bergen fragte. Sie half im Sommer ihren Großeltern im Restaurant. Sonst studierte sie in Marseille Fotografie, reiste viel, hatte in Amerika und Japan gelebt und schon veröffentlicht. Sie hieß Renée.

»Von drei bis fünf mache ich zu.«

»Machst du einen Mittagsschlaf?«

»Das wäre das erste Mal.«

»Was gibt's mittags Schöneres als …«

»Ich wüsste was.« Sie lachte.

Er lachte zurück. »Du hast recht – ich auch.«

Sie sah auf die Uhr. »Heute schließt das Restaurant bereits um halb drei.«

»Gut.«

Sie standen auf und nahmen den Champagner mit. Er folgte ihr durch den Gastraum und die Küche. Er war vom Champagner und von der Aussicht auf die Liebe berauscht, und als Renée vor ihm die dunkle Treppe hochstieg, hätte er ihr gleich hier die Kleider vom Leib reißen mögen. Aber er hatte die Flasche und die Gläser in den Händen. Zugleich gingen ihm Anne und ihr Streit durch den Kopf – gab es nicht ein Prinzip, nach dem man für eine Tat, die man nicht begangen hat, für die man aber verurteilt wurde, nicht bestraft werden darf, wenn man sie schließlich doch begeht? Double jeopardy? Anne hatte ihn für etwas bestraft, das er nicht getan hatte. Jetzt durfte er es tun.

Auch im Bett lachte Renée viel. Lachend nahm sie den blutigen Tampon heraus und legte ihn neben das Bett auf den Boden. Sie machte Liebe mit der Sachlichkeit und Gewandtheit, mit der man Sport treibt. Erst als sie beide erschöpft waren, wurde sie zärtlich und mochte ihn küssen und von ihm geküsst werden. Beim zweiten Mal hielt sie ihn fester als beim ersten, aber als es vorbei war, sah sie bald auf

die Uhr und schickte ihn weg. Es war halb fünf. Ihre Großeltern würden bald zurück sein. Und er müsse nicht wiederkommen; in drei Tagen sei ihre Zeit in dem, wie habe er gesagt, gottverlassenen Dorf in den Bergen vorbei.

Sie begleitete ihn an die Treppe. Von unten sah er noch
mal hoch: Sie lehnte am Geländer, und er konnte im Dunkel
den Ausdruck ihres Gesichts nicht erkennen.

»Es war schön mit dir.«

»Ja.«

»Ich mag dein Lachen.«

»Mach, dass du fortkommst.«

II

Er hätte sich über ein Sommergewitter gefreut, aber der
Himmel war blau, und die Hitze stand in der engen Straße.
Als er im Auto saß, sah er einen Mercedes vor dem Restau-
rant halten und ein altes Paar aussteigen. Renée trat aus der
Tür, begrüßte die beiden und half ihnen, Lebensmittel ins
Haus zu tragen.

Er fuhr langsam, um Renée noch ein bisschen im Rückspiegel zu haben. Ihn überkam eine plötzliche, heftige Sehnsucht nach einem ganz anderen Leben, einem Leben mit
dem Winter in der Stadt am Meer und dem Sommer im
Dorf in den Bergen, einem Leben des stetigen, verlässlichen
Rhythmus, in dem man immer wieder dieselben Strecken
fuhr, in demselben Bett schlief, dieselben Leute traf.

Er wollte laufen, wo er am Morgen gelaufen war, fand die
Stelle aber nicht. Er hielt an einer anderen Stelle, stieg aus,

konnte sich aber nicht zum Laufen entschließen, sondern setzte sich an die Böschung, riss einen Grashalm ab, stützte die Arme auf die Knie und nahm den Grashalm zwischen die Zähne. Wieder sah er über Hänge und niedrige Berge in die Ebene. Seine Sehnsucht kreiste nicht um Renée und nicht um Anne. Es ging nicht um diese oder jene Frau, sondern um Stetigkeit und Verlässlichkeit des Lebens überhaupt.

Er träumte davon, sie alle aufzugeben, Renée, die ihn ohnehin nicht haben wollte, Therese, die an ihm nur mochte, was einfach war, Anne, die erobert werden, aber nicht erobern wollte. Aber dann hätte er niemanden mehr.

Er würde Anne am Abend sagen, was sie hören wollte. Warum auch nicht? Ja, sie würde, was er sagen würde, später immer wieder aufgreifen und verwenden. Was machte das schon? Was konnte es ihm anhaben? Was konnte ihm irgendetwas anhaben? Er fühlte sich unverletzbar, unberührbar und lachte – das musste der Champagner sein.

Es war zu früh, um nach Cucuron und zu Anne zu fahren. Er blieb sitzen und sah in die Ebene. Manchmal kam ein Auto vorbei, manchmal hupte es. Manchmal sah er in der Ebene etwas aufblitzen – das Sonnenlicht, das sich im Fenster eines Hauses oder in der Scheibe eines Autos brach.

Er träumte vom Sommer im Dorf in den Bergen. Renée oder Chantal oder Marie oder wie sie auch immer heißen mochte und er würden im Mai hochziehen und das Restaurant aufmachen, nicht für Mittags-, sondern nur für Abendgäste, zwei oder drei Gerichte, einfache ländliche Küche, Weine aus der Gegend. Ein paar Touristen würden kommen, ein paar ausländische Künstler, die alte Häuser gekauft und renoviert hatten, ein paar Einheimische. Am frühen Morgen würde er auf den Markt fahren und einkaufen, am frühen Nachmittag würden sie Liebe machen, am späten zusammen in die Küche gehen und das Essen vorbereiten. Am Montag und Dienstag wäre Ruhetag. Im Oktober würden sie das Restaurant zumachen, die Läden und die Tür verschließen und in die Stadt fahren. In der Stadt würden sie – ihm fiel nicht ein, was sie in der Stadt machen würden. Eine Kunst- oder eine Buchhandlung? Schreibwaren? Tabakwaren? Ein Geschäft nur im Winter? Wie sollte das gehen? Wollte er überhaupt ein Geschäft führen? Ein Restaurant betreiben? Es waren alles leere Träume. Die Liebe am frühen Nachmittag, die war's, und es war egal, ob in einer Stadt am Meer oder am Fluss oder in einem Dorf in den Bergen oder in der Ebene.

Er sah in die Ebene und kaute am Grashalm.

12

Er war um sieben in Cucuron, parkte das Auto, fand Anne nicht vor der Bar de l'Etang und ging ins Hotel. Sie saß auf der Loggia, eine Flasche Rotwein auf dem Tisch und zwei Gläser, ein volles und ein leeres. Wie sah sie ihn an? Er wollte es gar nicht wissen. Er sah auf den Boden.

»Ich will nicht viel sagen. Ich habe mit Therese geschlafen, und es tut mir leid, und ich hoffe, dass du mir verzeihen kannst und wir es hinter uns lassen können, nicht heute, ich weiß, und nicht morgen, aber bald und so, dass wir einander gut bleiben. Ich liebe dich, Anne, und ...«

»Willst du dich nicht setzen?«

Er setzte sich, redete weiter und sah weiter auf den Boden.

»Ich liebe dich, und ich will dich nicht verlieren. Ich hoffe, ich habe dich nicht schon verloren durch etwas, das so wenig Gewicht hat. Ich verstehe, dass es für dich großes Gewicht hat, und weil das so ist und weil ich es hätte wissen können, hätte es auch für mich großes Gewicht haben und hätte ich es nicht tun sollen. Das verstehe ich. Aber es hat wirklich wenig Gewicht. Ich weiß, dass …«

»Komm erst mal an. Willst du …«

»Nein, Anne, lass mich bitte alles sagen. Ich weiß, dass Männer immer wieder sagen, und Frauen sagen es auch, dass der Seitensprung nichts zu bedeuten hatte, dass er nur so passiert ist, dass die Gelegenheit ihn gemacht hat oder die Einsamkeit oder der Alkohol, dass nichts von ihm geblieben ist, keine Liebe, keine Sehnsucht, kein Verlangen. Sie sagen es so oft, dass es ein Klischee geworden ist. Aber Klischees sind Klischees, weil sie stimmen, und wenn es mit dem Seitensprung auch manchmal anders sein mag – oft ist es so, und bei mir war es so. Therese und ich in Baden-Baden – das hatte nichts zu bedeuten. Du magst …«

»Kannst du mich …«

»Du kannst gleich alles sagen, was du sagen willst. Ich will nur noch sagen, dass ich dich verstehe, wenn du einen, dem ein Seitensprung nichts bedeutet, nicht willst. Aber der Teil von mir, dem der Seitensprung nichts bedeutet, ist nur ein kleiner Teil von mir. Der große Teil ist der, dem du mehr bedeutest als alle anderen in der Welt, der dich liebt, mit dem du die Jahre zusammen gewesen bist. Vor Baden-Baden habe ich auch noch nie …«

»Schau mich an!«

Er sah auf und sah sie an.

»Es ist gut. Ich habe mit Therese telefoniert, und sie hat bestätigt, dass nichts war. Du willst vielleicht wissen, warum ich dir nicht geglaubt habe und ihr glaube – ich höre in der Stimme einer Frau besser, ob sie die Wahrheit sagt oder lügt, als in der eines Manns. Sie fand, dass du ihr und mir gegenüber nicht ehrlich warst, und wenn sie gewusst hätte, wie lange und wie eng du und ich zusammen sind, hätte sie dich nicht so oft sehen wollen. Aber das ist eine andere Geschichte. Geschlafen habt ihr jedenfalls nicht miteinander.«

»Oh!« Er wusste nicht, was er sagen sollte. Er las in Annes Gesicht Verletztheit, Erleichterung, Liebe. Er sollte aufstehen, zu ihr gehen und sie umarmen. Aber er blieb sitzen und sagte nur: »Komm!«, und sie stand auf und setzte sich auf seinen Schoß und lehnte ihren Kopf an seine Schulter. Er legte die Arme um sie und sah über ihren Kopf und über die Dächer zum Kirchturm. Sollte er vom Nachmittag mit Renée erzählen?

»Warum schüttelst du den Kopf?«

Weil ich gerade beschlossen habe, dir nicht von dem anderen Seitensprung zu erzählen, den ich heute Nachmittag … »Ich habe gerade daran gedacht, dass nur wenig gefehlt hat, und wir hätten …«

»Ich weiß.«

13

Sie redeten nicht mehr über Baden-Baden, nicht über Therese und nicht über Wahrheit und Lüge. Es war nicht so, als sei nichts gewesen. Wäre nichts gewesen, hätten sie unbefangen miteinander gestritten. So passten sie auf, nicht aneinanderzustoßen. Sie bewegten sich vorsichtig. Sie arbeiteten mehr als am Anfang, und am Ende hatte sie ihren Aufsatz über Geschlechterdifferenz und Äquivalenzrechte fertig und er ein Stück über zwei Banker, die ein Wochenende in einem Aufzug festsitzen. Wenn sie miteinander schliefen, blieben sie beide ein bisschen reserviert.

Am letzten Abend waren sie noch mal im Restaurant in Bonnieux. Von der Terrasse sahen sie, wie die Sonne unterging und die Nacht anbrach. Das dunkle Blau des Himmels wurde zu tiefem Schwarz, die Sterne funkelten, und die Zikaden lärmten. Die Schwärze, das Funkeln, das Lärmen – es war eine festliche Nacht. Aber der bevorstehende Abschied machte sie melancholisch. Überdies ließ ihn der gestirnte Himmel an das moralische Gesetz und an die Stunden mit Renée denken.

»Trägst du mir nach, dass ich Therese nicht mehr über dich und dir nicht mehr über Therese erzählt habe?«

Sie schüttelte den Kopf. »Es hat mich traurig gemacht. Aber ich trage es dir nicht nach. Und du? Trägst du mir nach, dass ich dich verdächtigt und erpresst habe? Das war's ja, was ich gemacht habe: dich erpresst, und weil du mich liebst, hast du dich erpressen lassen.«

»Nein, ich trage es dir nicht nach. Mir macht Angst, wie schnell alles eskaliert ist. Aber das ist etwas anderes.«

Sie legte ihre Hand auf seine, sah aber nicht ihn an, sondern ins Land. »Warum sind wir so … Ich weiß nicht, wie ich es nennen soll. Du weißt, was ich meine? Wir sind anders geworden.«

»Gut anders oder schlecht anders?«

Sie nahm ihre Hand von seiner, lehnte sich zurück und

musterte ihn. »Auch das weiß ich nicht. Wir haben etwas verloren und etwas gewonnen, nicht wahr?«

»Die Unschuld verloren? Nüchternheit gewonnen?«

»Was, wenn Nüchternheit gut und trotzdem der Tod der Liebe ist und es ohne den einfältigen Glauben an den anderen nicht geht?«

»Ist die Wahrheit, von der du sagst, du brauchst sie als Boden unter den Füßen, nicht immer nüchtern?«

»Nein, die Wahrheit, die ich meine und brauche, ist nicht nüchtern. Sie ist leidenschaftlich, manchmal schön, manchmal hässlich, sie kann dich glücklich machen und kann dich quälen, und immer macht sie dich frei. Wenn du es nicht sofort merkst, dann nach einer Weile.« Sie nickte. »Ja, sie kann dich wirklich quälen. Dann schimpfst du und wünschtest, du wärst ihr nicht begegnet. Aber dann wird dir klar, dass nicht sie dich quält, sondern das, wovon sie die Wahrheit ist.«

»Das verstehe ich nicht.« Die Wahrheit und das, wovon sie die Wahrheit ist – was meinte Anne? Zugleich fragte er sich, ob er ihr von Renée erzählen sollte, jetzt, weil es später zu spät wäre. Aber warum wäre es später zu spät? Und wenn es auch später ginge, warum musste es dann überhaupt sein?

»Vergiss es.«

»Ich möchte aber gerne verstehen, was …«

»Vergiss es. Sag mir lieber, wie es weitergehen soll.«

»Du wolltest ein bisschen Zeit, um dir das Heiraten zu überlegen.«

»Ja, ich glaube, ich sollte mir Zeit nehmen. Brauchst du nicht auch Zeit?«

»Auszeit?«

»Auszeit.«

14

Sie wollte nicht darüber diskutieren. Nein, er habe nichts falsch gemacht. Nichts, was sie benennen könne. Nichts, was sie mit einem Paartherapeuten besprechen wolle.

Das Essen kam. Sie aß mit Lust. Ihm war flau, und er stocherte mit der Gabel in der Dorade herum. Als sie im Bett lagen, wies sie ihn nicht ab, begehrte ihn aber auch nicht, und er hatte das Gefühl, sie brauche keine Zeit mehr, sie habe sich schon entschieden, und er habe sie schon verloren.

Am nächsten Morgen fragte sie ihn, ob es ihm etwas ausmache, sie nach Marseille zum Flughafen zu bringen. Es machte ihm etwas aus, aber er brachte sie hin und versuchte, sie so zu verabschieden, dass sie seinen Schmerz, aber auch seine Bereitschaft sah, ihre Entscheidung zu respektieren. Dass sie ihn in guter Erinnerung behielte und wiedersehen und wiederhaben wollte.

Dann fuhr er durch Marseille, hoffte, er würde auf dem Bürgersteig plötzlich Renée sehen, wusste aber, dass er nicht halten würde. Auf der Autobahn dachte er daran, wie sein Leben in Frankfurt ohne Therese werden würde. Was er arbeiten würde. Der Auftrag für ein neues Stück, auf den er gehofft hatte, war nicht gekommen. Er konnte sich an das Exposé für den Produzenten machen. Aber das konnte er überall. Eigentlich zog ihn nichts nach Frankfurt.

Wie hatte Anne gesagt? Wenn du der Wahrheit begegnest und sie quälend findest, ist nicht sie es, die dich quält, sondern das, wovon sie die Wahrheit ist. Und immer macht sie dich frei. Er lachte. Die Wahrheit und das, wovon sie die Wahrheit ist – er verstand noch immer nicht. Und ob sie einen frei macht – vielleicht ist es umgekehrt, und man muss frei sein, damit man mit der Wahrheit leben kann. Aber nichts sprach mehr dagegen, es mit der Wahrheit zu versuchen. Irgendwo würde er die Autobahn verlassen und sich in einem Hotel einmieten, in den Cevennen, im Burgund, in den Vogesen, und Anne alles schreiben.

Das Haus im Wald

I

Manchmal war ihm, als sei dies schon immer sein Leben gewesen. Als habe er immer schon in diesem Haus im Wald gewohnt, an der Wiese mit den Apfelbäumen und den Fliederbüschen, am Teich mit der Trauerweide. Als habe er immer schon seine Frau und seine Tochter um sich gehabt. Und sei von ihnen verabschiedet worden, wenn er wegfuhr, und willkommen geheißen, wenn er zurückkam.

Einmal in der Woche standen sie vor dem Haus und winkten ihm nach, bis sie sein Auto nicht mehr sahen. Er fuhr in die kleine Stadt, holte die Post, brachte etwas zum Reparieren, holte Repariertes oder Bestelltes ab, machte beim Therapeuten Übungen für seinen Rücken, kaufte im General Store ein. Dort stand er vor der Rückfahrt noch eine Weile an der Theke, trank einen Kaffee, redete mit einem Nachbarn, las die *New York Times*. Länger als fünf Stunden war er nicht weg. Er vermisste die Nähe seiner Frau. Und er vermisste die Nähe seiner Tochter, die er nicht mitnahm, weil ihr beim Fahren übel wurde.

Sie hörten ihn von weitem. Kein anderes Auto nahm den schmalen, geschotterten Weg, der durch ein langes, waldiges Tal zu ihrem Haus führte. Sie standen wieder vor dem Haus, Hand in Hand, bis er auf die Wiese bog, Rita sich von Kate losriss und losrannte und ihm, der gerade noch den Motor abstellen und aus dem Auto steigen konnte, in die Arme flog. »Papa, Papa!« Er hielt sie, überwältigt von der Zärtlichkeit, mit der sie ihre Arme um seinen Hals schlang und ihr Gesicht an seines schmiegte.

An diesen Tagen gehörte Kate ihm und Rita. Gemeinsam luden sie aus, was er aus der Stadt gebracht hatte, machten sich am Haus oder im Garten zu schaffen, sammelten im Wald Holz, fingen im Teich Fische, legten Gurken oder Zwiebeln ein, kochten Marmelade oder Chutney, backten Brot. Rita, voller Familienseligkeit und Lebenslust, rannte vom Vater zur Mutter und von der Mutter zum Vater und redete und redete. Nach dem Abendessen spielten sie zu dritt, oder er und Kate erzählten Rita mit verteilten Rollen eine Geschichte, die sie sich beim Kochen ausgedacht hatten.

An den anderen Tagen verschwand Kate morgens aus dem Schlafzimmer in ihr Arbeitszimmer. Wenn er ihr Kaffee und Obst zum Frühstück brachte, sah sie vom Computer auf und lächelte ihn freundlich an, und wenn er ein Problem mit ihr besprach, gab sie sich Mühe, es zu verstehen. Aber sie war mit den Gedanken anderswo, und sie war es auch, wenn sie zu dritt zum Mittag- und zum Abendessen um den Tisch saßen. Sogar wenn sie sich nach der Gutenachtgeschichte und dem Gutenachtkuss für Rita zu ihm setzte und sie zusammen Musik hörten oder einen Film sahen oder ein Buch lasen, war sie mit den Gedanken bei den Gestalten, über die sie gerade schrieb.

Er beschwerte sich nicht. Sie im Haus zu wissen, ihren Kopf im Fenster zu sehen, wenn er im Garten arbeitete, ihre Finger auf den Tasten des Computers zu hören, wenn er vor ihrer Tür stand, sie beim Essen gegenüber und am Abend neben sich zu haben, sie nachts zu spüren, zu riechen, ihren Atem zu hören – es machte ihn glücklich. Und er konnte von ihr nicht mehr erwarten. Sie hatte ihm gesagt, sie könne nur schreibend leben, und er hatte ihr gesagt, er akzeptiere es.

Ebenso akzeptierte er, dass er tagein, tagaus mit Rita alleine war. Er weckte sie, wusch sie und zog sie an, frühstückte mit ihr, ließ sie beim Kochen und Waschen und Putzen, bei der Gartenarbeit, beim Reparieren von Dach und Heizung und Auto zusehen und helfen. Er beantwortete ihre Fragen. Er lehrte sie lesen, viel zu früh. Er tollte mit ihr herum, obwohl ihm der Rücken weh tat, weil er fand, sie müsse herumtollen.

Er akzeptierte, was war. Aber er wünschte sich mehr Familiengemeinsamkeit. Er wünschte sich, die Tage mit Kate und Rita wären nicht nur einmal in der Woche sein Leben, sondern morgen wie heute und gestern.

Alles Glück will Ewigkeit? Wie alle Lust? Nein, dachte er, es will Stetigkeit. Es will in die Zukunft dauern und schon das Glück der Vergangenheit gewesen sein. Fantasieren Liebende nicht, dass sie sich schon als Kinder begegnet sind und gefallen haben? Dass sie auf demselben Spielplatz gespielt oder dieselbe Schule besucht oder mit den Eltern am selben Ort Ferien gemacht haben? Er fantasierte keine frühen Begegnungen. Er träumte, dass Kate und Rita und er hier Wurzeln geschlagen hatten und jedem Wind, jedem Sturm trotzten. Immer und schon immer.

2

Sie waren vor einem halben Jahr hierhergezogen. Er hatte letztes Jahr im Frühling mit der Suche nach einem Haus auf dem Land angefangen und den Sommer über gesucht. Kate war zu beschäftigt, um auch nur Bilder von Häusern im Internet anzuschauen. Sie sagte, sie wolle ein Haus in der Nähe von New York. Aber wollte sie nicht weg von den Anforderungen, die in New York an sie gestellt wurden? Die sie nicht zum Schreiben und nicht zur Familie kommen ließen? Die sie gerne abgelehnt hätte, aber nicht ablehnen konnte, weil zu einem Leben als berühmte Schriftstellerin in New York einfach gehört, erreichbar und verfügbar zu sein?

Im Herbst fand er das Haus: fünf Stunden von New York, an der Grenze zu Vermont, ab von größeren Städten, ab von größeren Straßen, verwunschen mit Teich und Wiese im Wald gelegen. Er fuhr ein paar Mal alleine und verhandelte mit Makler und Eigentümer. Dann kam Kate mit.

Sie hatte anstrengende Tage hinter sich, schlief ein, als sie auf dem Highway fuhren, und wachte erst auf, als sie auf die Landstraße wechselten. Das Schiebedach war offen, und Kate sah über sich blauen Himmel und bunte Blätter. Sie lächelte ihren Mann an. »Schlaftrunken, farbentrunken, freiheitstrunken – ich weiß nicht, wo ich bin und wo wir hinfahren. Ich habe vergessen, wo ich herkomme.« Die letzte Stunde der Fahrt ging durch die leuchtende Herbstlandschaft des Indian Summer, zuerst auf Landstraßen mit, dann auf Gemeindestraßen ohne gelben Streifen in der Mitte, zuletzt auf dem holprigen Weg, der zum Haus führte. Als sie aus dem Auto stieg und sich umsah, wusste er, dass sie das

Haus mochte. Ihr Blick schweifte über den Wald, die Wiese, den Teich, kam beim Haus zur Ruhe und verweilte bei einem Detail nach dem anderen: der Tür unter dem von zwei dünnen Säulen getragenen Vordach, den Fenstern, weder in Linie über- noch in Linie nebeneinander, dem schiefen Schornstein, der offenen Veranda, dem Anbau. Das mehr als zweihundert Jahre alte Haus hatte, obwohl vom Lauf der Zeit geschunden, Würde bewahrt. Kate stieß ihn an und zeigte mit dem Blick auf die Eckfenster im ersten Stock, zwei dem Teich und eines der Wiese zugewandt. »Ist das ...«

»Ja, das ist dein Zimmer.«

Der Keller war trocken, die Böden waren stabil. Vor dem ersten Schnee wurde das Dach neu gedeckt und die neue Heizung eingebaut, so dass der Fliesenleger, der Elektriker, der Schreiner und der Maler auch im Winter arbeiten konnten. Beim Einzug im Frühling waren die Dielen noch nicht abgeschliffen, der offene Kamin noch nicht gemauert, die Küchenmöbel noch nicht aufgehängt. Aber schon am Tag nach dem Einzug führte er Kate in ihr fertiges Arbeitszimmer. Er hatte, als alles ausgeladen und der Wagen abgefahren war, noch am Abend die Dielen abgeschliffen und am nächsten Morgen Schreibtisch und Regale hochgebracht. Sie setzte sich an den Schreibtisch, streichelte die Platte, zog die Schublade auf und schob sie wieder zu, sah durch das linke Fenster auf den Teich und durch das rechte auf die Wiese. »Du hast den Schreibtisch richtig gestellt – ich mag mich weder für das Wasser noch für das Land entscheiden. Also schaue ich, wenn ich geradeaus schaue, in die Ecke. In alten Häusern kommen die Geister aus den Ecken und nicht durch die Türen.«

An Kates Arbeitszimmer grenzten das gemeinsame Schlaf-zimmer und Ritas Zimmer, zur Rückseite des Hauses lagen das Badezimmer und eine kleine Kammer, in die gerade ein Tisch und ein Stuhl passten. Im Erdgeschoss ging es von der Eingangstür in den großen, durch einen offenen Kamin und tragende Holzpfeiler gegliederten Koch-, Ess- und Wohn-bereich.

»Sollen Rita und du nicht tauschen? Sie ist nur zum Schla-fen in ihrem Zimmer, und die kleine Kammer ist für dich zum Schreiben viel zu eng.« Er sagte sich, Kate meine es gut. Viel-leicht hatte sie ein schlechtes Gewissen, weil es, seit sie sich kannten, mit ihrer Schriftstellerkarriere aufwärts- und mit seiner abwärtsgegangen war. Sein erster Roman, in Deutsch-land ein Bestseller, hatte in New York einen Verleger und in Hollywood einen Produzenten gefunden. So hatte er Kate kennengelernt, ein junger deutscher Autor auf Lesereise in Amerika, hier noch nicht erfolgreich, aber vielversprechend, mit Plänen für den nächsten Roman. Aber über dem Warten auf den Film, der nie gedreht wurde, über den Reisen mit Kate, die bald weltweit eingeladen wurde, und über der Sorge für Rita hatte er sich für den nächsten Roman nur ein paar Notizen gemacht. Nach seinem Beruf gefragt, sagte er weiter-hin, er sei Schriftsteller. Aber er hatte kein Projekt, auch wenn er es Kate nicht eingestand und manchmal sich selbst vor-machte, es sei anders. Was also sollte er in einem größeren Zimmer? Noch stärker spüren, dass er auf der Stelle trat?

Den nächsten Roman verschob er auf später. Wenn er ihn dann noch interessieren sollte. Immer öfter beschäftigte ihn mehr als alles andere, ob Rita in den Kindergarten sollte. Dann würde sie ihm nicht mehr gehören.

3

Natürlich liebten beide Eltern Rita. Aber Kate hatte sich ein Leben ohne Kinder vorstellen können, er nicht. Als sie schwanger wurde, tat sie, als sei nichts. Er drang darauf, dass sie zum Arzt und in die Schwangerschaftsgymnastik ging. Er heftete die Ultraschallbilder an die Pinnwand. Er streichelte den dicken Bauch, redete mit ihm, las ihm Gedichte und spielte ihm Musik vor, von Kate belustigt geduldet.

Kate liebte sachlich. Ihr Vater, Professor für Geschichte in Harvard, und ihre Mutter, als Pianistin oft auf Tournee, hatten die vier Kinder mit der Effizienz aufgezogen, mit der man einen Betrieb führt. Die Kinder hatten eine gute Kinderfrau, gingen auf gute Schulen, hatten guten Sprach- und guten Musikunterricht und wurden von den Eltern in allem unterstützt, was sie sich in den Kopf setzten. Sie traten in das Leben mit dem Bewusstsein, sie würden erreichen, was sie erreichen wollten, ihre Männer oder Frauen würden im Beruf, im Haus und im Bett funktionieren und ihre Kinder würden so selbstverständlich mitlaufen, wie sie selbstverständlich mitgelaufen waren. Liebe war das Fett, das diese Familienmaschine schmierte.

Für ihn waren Liebe und Familie die Erfüllung eines Traums, den er zu träumen begann, als die Ehe seiner Eltern, der Vater ein Verwaltungsangestellter und die Mutter eine Busfahrerin, immer tiefer in einen Strudel von Gehässigkeit, Geschrei und Gewalt gezogen wurde. Auch ihn schlugen seine Eltern manchmal. Aber wenn es geschah, akzeptierte er es als Reaktion auf eine Torheit, die er begangen hatte. Wenn seine Eltern zuerst einander anschrien und dann aufeinander einschlugen, war ihm und seinen Schwestern, als breche das Eis unter ihren Füßen. Sein Traum von Liebe und Familie war dickes Eis, auf dem man fest auftreten und sogar tanzen konnte. Zugleich hielt man sich in seinem Traum so fest, wie er und seine Schwestern sich festgehalten hatten, wenn der Sturm losbrach.

Kate war das Versprechen des dicken Eises. Bei einem Dinner auf der Buchmesse in Monterey hatte der Gastgeber sie nebeneinandergesetzt: die junge amerikanische Autorin, deren erster Roman gerade nach Deutschland verkauft worden war, und den jungen deutschen Autor, gerade mit seinem ersten Roman in Amerika angekommen. *If I can make it there, I'll make it anywhere* – seit er sein Buch in New York in den Buchhandlungen gesehen hatte, fühlte er sich großartig, und er erzählte seiner Tischnachbarin begeistert von seinen Erfolgen und seinen Plänen. Dabei war er tapsig wie ein kleiner Welpe. Sie war belustigt und gerührt und gab ihm das Gefühl der Sicherheit. Dass ältere, erfolgreiche Frauen sich zu ihm hingezogen fühlten und seiner annehmen wollten, kannte und hasste er. Kate nahm sich seiner an und war weder ganz so alt wie er noch ganz so erfolgreich. Das Urteil der Leute schien sie nicht zu kümmern. Als er zum Befremden des Gastgebers plötzlich aufstand und sie aufforderte, lachte sie und tanzte mit ihm.

Er verliebte sich an diesem Abend in sie. Sie schlief verwirrt ein. Als sie sich auf dem Buchfest in Paso Robles wieder trafen und Kate ihn mit aufs Zimmer nahm, war er nicht der unbeholfene Junge, den sie sich vorgestellt hatte, sondern ein Mann von leidenschaftlicher Hingabe. So hatte noch keiner sie geliebt. So hatte sich im Schlaf auch noch keiner an sie geschmiegt, gedrängt, geklammert. Es war eine rückhaltlose, vereinnahmende Art von Liebe, die sie nicht kannte und die sie erschreckte und reizte. Als sie wieder in New York waren, blieb er und warb linkisch und hartnäckig um sie, bis sie ihn bei sich einziehen ließ. Ihre Wohnung war groß genug. Weil das Zusammenleben gut lief, heirateten sie nach einem halben Jahr.

Das Zusammenleben änderte sich. Am Anfang arbeiteten beide Tisch an Tisch, zu Hause oder in der Bibliothek, und traten gemeinsam auf. Dann kam Kates zweites Buch und wurde ein Bestseller. Jetzt trat nur noch sie auf. Nach ihrem dritten Buch ging sie weltweit auf Reisen. Er begleitete sie oft, mochte an den offiziellen Ereignissen aber nicht mehr teilnehmen. Zwar stellte Kate ihn immer als den bekannten deutschen Schriftsteller vor. Aber niemand kannte seinen Namen oder sein Buch, und er hasste die Höflichkeit, mit der man ihm begegnete, nur weil er Kates Mann war. Er spürte ihre Angst, er sei auf ihren Erfolg neidisch. »Ich bin nicht neidisch. Du verdienst deinen Erfolg, und ich liebe deine Bücher.«

Die Schnittmenge zwischen ihren beiden Leben wurde kleiner. »So geht es nicht weiter«, sagte er, »du bist zu viel weg, und wenn du da bist, zu erschöpft – zu erschöpft zum Reden und zu erschöpft für die Liebe.«

»Ich leide selbst unter dem Trubel. Ich lehne schon fast alles ab. Was soll ich machen? Ich kann nicht alles ablehnen.«

»Wie soll es erst mit Kind gehen?«

»Kind?«

»Ich habe den Test mit den zwei roten Streifen gefunden.«

»Das sagt noch nichts.«

Kate wollte dem ersten Schwangerschaftstest nicht glauben und machte einen zweiten. Als sie Mutter wurde, wollte sie zuerst auch nicht glauben, dass sie ihr Leben ändern müsste, und lebte wie vor der Geburt. Aber wenn sie abends nach Hause kam und ihre Tochter aufnahm, wand Rita sich in ihren Armen und streckte sich nach dem Vater. Dann wurde Kate von der Sehnsucht nach einem anderen Leben überwältigt, einem Leben mit Kind und Mann und Schreiben und nichts sonst. Im Getriebe des nächsten Tages verging die Sehnsucht. Aber sie kam wieder, je älter Rita wurde, desto stärker, und jedes Mal erschrak Kate mehr.

Eines Abends sagte er vor dem Einschlafen: »Ich mag so nicht mehr leben.«

Plötzlich bekam sie Angst, ihn und Rita zu verlieren, und das Leben mit den beiden erschien ihr als das Kostbarste überhaupt. »Ich auch nicht. Ich bin die Reisen leid und die Lesungen, Vorträge, Empfänge. Ich will mit euch sein und schreiben und nichts sonst.«

»Ist das wahr?«

»Wenn ich schreiben kann, brauche ich nur euch. Ich brauche all das andere nicht.«

Sie versuchten, anders zu leben. Nach einem Jahr sahen sie ein, dass es ihnen in New York nicht gelingen würde. »Das Leben hier frisst dich auf. Du liebst doch Wiesen und Bäume und Vögel – ich suche uns ein Haus auf dem Land.«

4

Als sie ein paar Monate auf dem Land gelebt hatten, sagte er: »Es sind nicht nur die Wiese und die Bäume und die Vögel. Wie alles wird und wächst – das Haus ist fast fertig, Rita ist gesünder als in der Stadt, und auf den Apfelbäumen, die Jonathan und ich beschnitten haben, wächst eine gute Ernte.«

Sie standen im Garten. Er legte den Arm um Kate, und sie lehnte sich an ihn. »Nur mein Buch ist noch lange nicht fertig. Im Winter oder im Frühling.«

»Das ist bald! Und geht das Schreiben nicht leichter als in der Stadt?«

»Im Herbst habe ich eine erste Fassung. Magst du sie lesen?«

Sie hatte immer vertreten, woran man schreibe, dürfe man niemandem zeigen, man dürfe auch mit niemandem darüber reden, es bringe Unglück. Er freute sich über ihr Vertrauen. Er freute sich auf die Apfelernte und auf den Most, den er aus den Äpfeln keltern würde. Er hatte einen großen Kessel bestellt.

Der Herbst kam früh, und der frühe Frost färbte den Ahorn flammend rot. Rita konnte sich an den Farben der Bäume nicht sattsehen und auch nicht daran, wie im Kamin an kühlen Abenden aus Papier und Holz ein wärmendes Feuer entstand. Er ließ sie selbst das Papier knüllen, die Späne und Scheite schichten und das Streichholz anzünden und dranhalten. Trotzdem sagte sie: »Schau, Papa, schau!« Es blieb für sie ein Wunder.

Wenn sie zu dritt vor dem Kamin saßen, servierte er heißen Apfelmost, mit einem Blatt grüner Minze für Rita und einem Schuss Calvados für Kate und für ihn. Vielleicht lag es am Calvados, dass sie seinem Werben im Bett öfter nachgab. Vielleicht lag es an ihrer Erleichterung darüber, dass die erste Fassung fertig war.

Er wollte jeden Tag ein bisschen lesen und erklärte Rita, sie müsse jeden Tag eine Weile alleine spielen. Am ersten Tag klopfte sie nach zwei Stunden stolz an seine Tür, ließ sich loben und versprach, am nächsten Tag noch länger alleine zu bleiben. Aber am nächsten Tag hatte es sich erledigt. Er war nachts aufgestanden und hatte zu Ende gelesen.

Kates erste drei Romane hatten das Leben einer Familie zur Zeit des Vietnamkriegs geschildert, die späte Heimkehr des Sohns aus der Gefangenschaft zu seiner großen Liebe, die verheiratet ist und eine Tochter hat, und das Schicksal dieser Tochter, deren Vater nicht der Mann ist, mit dem ihre Mutter verheiratet und bei dem sie aufgewachsen ist, sondern der Heimkehrer. Jeder Roman stand für sich, aber zusammen waren sie das Bild einer Epoche.

Kates neuer Roman spielte in der Gegenwart. Ein junges Paar, beide berufstätig, beide erfolgreich, das keine eigenen Kinder haben kann, möchte Kinder adoptieren und sucht im Ausland. Dabei gerät es von einer Komplikation in die andere, steht vor medizinischen, bürokratischen und politischen Hürden, begegnet engagierten Helfern und korrupten Händlern, findet sich in komischen und gefährlichen Situationen. In Bolivien vor die Wahl gestellt, ein reizendes Zwillingspaar zu adoptieren oder die kriminellen Hintermänner auffliegen zu lassen und die Adoption aufs Spiel zu setzen, geraten Mann und Frau in Streit. Die Bilder, die sie von sich selbst und vom anderen hatten, ihre Liebe, ihre Ehe – nichts stimmt mehr. Am Ende scheitert die Adoption und liegt die Zukunft, die sie sich vorgestellt hatten, in Scherben. Aber ihr Leben ist offen für Neues.

Es war noch dunkel, als er die letzte Seite auf den Stoß der gelesenen Seiten legte. Er machte das Licht aus und das Fenster auf, atmete die kühle Luft und sah den Reif auf der Wiese. Er mochte das Buch. Es war spannend, bewegend und mit einer Leichtigkeit erzählt, die für Kate neu war. Die Leser würden das Buch lieben; sie würden mithoffen und mitleiden und gerne das offene Ende weiterdenken.

Aber hatte Kate ihm das Manuskript aus Vertrauen gegeben? Das Paar, dessen Leben offen ist für Neues – sollten das Kate und er sein? Wollte sie ihn warnen? Wollte sie ihm sagen, dass ihr altes Leben nicht mehr stimmt, und ihn auffordern, sich auf ein neues Leben einzustellen? Er schüttelte den Kopf und seufzte. Nur das nicht. Aber vielleicht war es auch ganz anders. Vielleicht feierte sie mit dem Ende des Buchs, dass er und sie ein neues Leben angefangen hatten. Sie waren nicht das Paar, dessen Leben in Scherben lag. Sie waren das Paar, dessen Leben in Scherben gelegen hatte und das sein neues Leben bereits begonnen hat.

Er hörte die ersten Vögel. Dann wurde es hell; die schwarze Masse des Walds hinter der Wiese verwandelte sich in einzelne Bäume. Der Himmel verriet noch nicht, ob der Tag sonnig oder wolkig werden würde. Sollte er mit Kate reden? Sie fragen, ob das Manuskript eine Botschaft für ihn enthielt? Sie würde die Stirn runzeln und ihn irritiert anschauen. Er musste sich schon selbst einen Reim auf das Ende der Suche des jungen Paars machen. Schwelte ein Konflikt unter dem Leben, das Kate und er führten? Kate war angestrengt. Aber wie sollte sie nicht angestrengt sein! Sie hatte den selbstgesetzten Termin für die erste Fassung einhalten wollen und in den letzten Wochen bis in die Nacht geschrieben.

Nein, unter ihrem Leben schwelte kein Konflikt. Seit dem dummen Streit um die Buchmesse in Paris, zu der Kate, ohne mit ihm zu reden, zugesagt hatte, aber schließlich absagte, hatten sie nicht mehr gestritten. Sie schliefen wieder öfter zusammen. Er war nicht eifersüchtig auf ihren Erfolg. Sie liebten ihre Tochter. Wenn sie zu dritt waren, lachten sie viel und sangen sie oft. Sie wollten einen schwarzen Labrador und hatten sich beim Züchter für den nächsten Wurf angemeldet.

Er stand auf und reckte sich. Eine Stunde konnte er noch schlafen. Er zog sich aus und ging vorsichtig die knarrende Treppe hoch. Auf Zehenspitzen trat er ins Schlafzimmer und blieb stehen, bis Kate, die vom Öffnen und Schließen der Tür unruhig geworden war, wieder ruhig schlief. Dann schlüpfte er zu ihr unter die Decke und schmiegte sich an sie. Nein, kein Konflikt.

5

Bei der nächsten Fahrt in die kleine Stadt kaufte er für den Winter ein. Es war eigentlich nicht nötig; länger als einen Tag hatte es im letzten Winter nie gedauert, bis die Straße vom Schnee geräumt war. Aber die Kartoffeln im Sack, die Zwiebeln in der Kiste, das Kraut im Fass und die Äpfel auf dem Regal würden den Keller für Rita zu einem heimeligen

Ort machen. Sie würde sich freuen, hinunterzusteigen, Kartoffeln abzuzählen und hochzubringen.

Bei der Farm, die auf dem Weg lag, bestellte er Kartoffeln, Zwiebeln und Sauerkraut. Der Farmer bat: »Können Sie meine Tochter in die Stadt mitnehmen und auf der Rückfahrt wieder absetzen? Wenn Sie Ihre Sachen holen?« Also nahm er die sechzehnjährige Tochter mit, die Bücher aus der Bücherei holen wollte und ihn, den neuen Nachbarn, neugierig ausfragte. Seine Frau und er hatten genug von der Stadt? Sie suchten auf dem Land Ruhe? Was hatten sie in der Stadt gemacht? Sie ließ nicht nach, bis sie erfuhr, dass er und seine Frau schrieben, und fand es aufregend. »Wie heißt Ihre Frau? Kann ich was von ihr lesen?« Er wich aus.

Danach ärgerte er sich. Warum hatte er seine Frau nicht zur Übersetzerin oder Webdesignerin gemacht? Sie waren nicht aus New York geflohen, um auf dem Land in den nächsten Rummel um Kate zu geraten. Dann fand er in der *New York Times* auch noch den Hinweis, dass in wenigen Tagen der National Book Award verliehen würde. Jedes von Kates drei Büchern war für den Preis im Gespräch gewesen. In diesem Jahr war zwar kein neues Buch von ihr erschienen. Aber erst in diesem Jahr hatte die Kritik die drei Bücher als Bild einer Epoche erkannt und gefeiert. Er konnte sich nicht vorstellen, dass Kate nicht im Gespräch war. Wenn sie den Preis bekam, ging es wieder los.

Er fuhr zur Bücherei und hupte. Die Tochter stand mit anderen Mädchen vor dem Eingang; sie winkte, und die anderen schauten. Auf der Rückfahrt erzählte sie ihm, wie spannend ihre Freundinnen fänden, dass seine Frau und er Schriftsteller seien und in der Gegend lebten. Ob seine Frau oder er mal in die Schule kämen und was über das Schreiben erzählten? Sie hätten schon Besuch von einer Ärztin und einem Architekten und einer Schauspielerin gehabt. »Nein«, sagte er schroffer als nötig, »so was machen wir nicht.«

Als er sie abgesetzt und seine Sachen geladen hatte und wieder alleine im Wagen saß, fuhr er bis zu dem Aussichtspunkt, an dem er bisher immer vorbeigefahren war, und hielt auf dem leeren Parkplatz. Vor ihm senkte sich der bunte Wald in ein weites Tal, stieg dahinter an und leuchtete noch bis zur ersten Bergkette. Bei der zweiten wurden die Farben matt, und in der Ferne verschmolzen Wald und Berge mit dem blassen blauen Himmel. Über dem Tal kreiste ein Habicht.

Der Farmer, der sich für die örtliche Geschichte interessierte, hatte ihm einmal vom überraschenden Wintereinbruch 1876 erzählt, von dem Schnee, der mitten im Indian Summer fiel, zunächst leicht und den Kindern zur Freude, dann dichter und dichter, bis alles eingeschneit und die Wege unpassierbar und die Häuser unerreichbar waren. Wer unterwegs vom Schnee überrascht wurde, hatte keine Chance, aber auch von denen, die in ihren Häusern eingeschlossen wurden, erfroren manche. Es gab Häuser fernab von allen Straßen, von denen erst mit der Schneeschmelze im Frühling wieder jemand ins Dorf fand.

Er sah in den Himmel. Ah, wenn es jetzt schneite! Zuerst leicht, so dass, wer unterwegs war, noch nach Hause käme, und dann so dicht, dass für Tage kein Auto mehr fahren könnte. Wenn unter der Last des Schnees ein Zweig bräche und die neue Telefonleitung herunterrisse. Wenn niemand Kate vom Gewinn des Preises benachrichtigen und zur Verleihung des Preises einladen, niemand sie in die Stadt holen und mit Interviews, Talkshows und Empfängen belästigen könnte. Mit der Schneeschmelze würde der Preis seinen Weg zu Kate finden, und sie würde sich nicht weniger freuen als jetzt. Aber der Trubel wäre vorbei, und ihre Welt bliebe heil.

Als die Sonne untergegangen war, fuhr er weiter. Er fuhr von der großen Straße auf die kleine und auf dem geschotterten Weg das lange Tal hinauf. Bis er anhielt und ausstieg. Neben der Straße lief an neuen, noch hellen Masten in drei Meter Höhe die Telefonleitung. Ihretwegen waren ein paar Bäume gefällt, ein paar Äste gekappt worden. Aber andere Bäume standen nahe der Leitung.

Er fand eine Kiefer mit leerem Geäst, hoch, schief, tot. Er schlang das Arbeitsseil um den Baum und die Anhängerkupplung, schaltete den Vierradantrieb ein und fuhr an. Der Motor heulte auf und erstarb. Er fuhr noch mal an, und noch mal heulte der Motor auf und erstarb. Beim dritten Versuch drehten die Räder durch. Er stieg aus, nahm aus dem Pannenwerkzeug den Klappspaten, stocherte am Fuß des Baums im Erdreich und stieß auf Fels, in dessen Spalten die Wurzeln sich krallten. Er versuchte, sie zu lockern, und grub, rüttelte, stemmte. Sein Hemd, sein Pullover, seine Hose – alles war schweißnass. Wenn er doch mehr sähe! Es wurde dunkel.

Er setzte sich wieder ins Auto, fuhr an, bis das Seil straff spannte, ließ das Auto zurückrollen und fuhr wieder an. Anfahren, zurückrollen, anfahren, zurückrollen – Schweiß lief ihm in die Augen und Tränen der Wut auf den Baum, der nicht fallen, und auf die Welt, die ihn und Kate nicht in Ruhe lassen wollte. Er fuhr an, rollte zurück, fuhr an, rollte zurück. Hoffentlich hörten Kate und Rita ihn nicht. Hoffentlich rief Kate nicht den Farmer an oder den General Store. Er war noch nie so spät nach Hause gekommen. Hoffentlich rief sie auch sonst niemanden an.

Ohne dass der Baum es durch allmähliches Nachgeben angekündigt hätte, kippte er. Er schlug auf die Leitung gleich neben einem Mast, und Baum und Mast neigten sich, bis die Leitung riss. Dann krachten sie auf den Boden.

Er stellte den Motor ab. Es war still. Er war erschöpft, ausgepumpt, leer. Aber dann wuchs in ihm das Gefühl des Triumphs. Er hatte es geschafft. Er würde auch alles andere schaffen. Was für eine Kraft in ihm steckte! Was für eine Kraft!

Er stieg aus, löste das Seil, lud Seil und Spaten ein und fuhr nach Hause. Er sah von weitem die hellen Fenster – sein Haus. Seine Frau und seine Tochter standen vor dem Haus, wie stets, und wie stets flog Rita ihm in die Arme. Alles war gut.

6

Kate fragte ihn erst am nächsten Abend, warum Telefon und Internet nicht funktionierten. Sie ließ sich morgens und am frühen Nachmittag durch nichts vom Schreiben abhalten und kümmerte sich erst am späten Nachmittag um ihre E-Mails.

»Ich sehe nach.« Er stand auf, machte sich an den Telefon- und Computerbuchsen und -kabeln zu schaffen und fand nichts. »Ich kann morgen in die Stadt fahren und den Techniker kommen lassen.«

»Dann verliere ich wieder einen halben Tag – warte noch. Manchmal renkt sich die Technik von selbst ein.«

Als sich die Technik nach ein paar Tagen nicht eingerenkt hatte, drängte Kate: »Und wenn du morgen fährst, dann frag auch, ob es nicht doch ein Netz gibt, das wir hier kriegen können. Es geht einfach nicht ohne Handy.«

Sie hatten sich zusammen gefreut, dass sie in ihrem Haus und auf ihrem Grundstück keinen Handy-Empfang hatten. Dass sie nicht mehr jederzeit erreichbar und verfügbar waren. Dass sie auch das andere Telefon zu bestimmten Zeiten nicht abnahmen und keinen Anrufbeantworter hatten. Dass sie sich die Post nicht bringen ließen, sondern holten. Und jetzt wollte Kate ein Handy?

Sie lagen zusammen im Bett, und Kate machte das Licht aus. Er machte es an. »Willst du wirklich, dass es wieder wird wie in New York?« Als sie nichts sagte, wusste er nicht, ob sie seine Frage nicht verstanden hatte oder nicht beantworten mochte. »Ich meine…«

»Sex war in New York besser als hier. Wir waren hungriger aufeinander. Hier… wir sind wie ein altes Paar, zärtlich, aber nicht mehr leidenschaftlich. Als ob uns die Leidenschaft abhandengekommen wäre.«

Er ärgerte sich. Ja, ihr Sex war ruhiger geworden, ruhiger und inniger. Gierig und hastig waren sie in New York oft übereinander hergefallen, und das hatte seinen Reiz gehabt wie das gierige und hastige Leben in der Stadt. Ihr Sex war wie ihr Leben, hier wie dort, und wenn Kate sich nach Gier und Hast sehnte, dann womöglich nicht nur beim Sex. Hatte sie die Ruhe nur gebraucht, um ihr Buch zu schreiben? War sie jetzt, wo sie mit dem Buch fertig wurde, auch mit dem

Leben auf dem Land fertig? Er ärgerte sich nicht mehr. Er hatte Angst. »Ich würde gerne öfter mit dir schlafen. Ich würde gerne in dein Zimmer platzen und dich auf meine Arme nehmen, und du würdest mir deine Arme um den Hals legen, und ich würde dich ins Bett tragen. Ich...«

»Ich weiß. Ich habe, was ich gesagt habe, nicht so gemeint. Wenn das Buch fertig ist, wird's wieder besser. Mach dir keine Sorgen.«

Kate kam in seine Arme, und sie schliefen miteinander. Als er am nächsten Morgen aufwachte, war sie schon wach und schaute ihn an. Sie sagte nichts, und auch er legte sich auf die Seite und sah sie an, ohne etwas zu sagen. Er konnte in ihren Augen nicht lesen, was sie fühlte oder dachte, und versuchte, auch mit seinem Blick nicht seine Angst zu verraten. Er hatte ihr gestern nicht geglaubt, dass sie, was sie gesagt hatte, nicht so gemeint hatte, und er glaubte es ihr heute nicht. Seine Angst war voller Sehnsucht und Verlangen. Ihr Gesicht mit der hohen Stirn, den hochmütig geschwungenen Brauen über den dunklen Augen, der langen Nase, dem großzügigen Mund und dem Kinn, das glatt oder geballt oder gefurcht Kates Stimmung ausdrückte – es war die Landschaft, in der seine Liebe zu Hause war. Sie war freudig zu Hause, wenn das Gesicht sich ihm öffnete und zuwandte, ängstlich, wenn es sich verschloss und ihn abwies. Ein Gesicht, dachte er, nicht mehr, und ist doch alle Vielfalt, die ich brauche und die ich ertrage. Er lächelte. Sie schaute weiter stumm und ernst, legte ihm aber den Arm auf den Rücken und zog ihn an sich.

7

Auf der Fahrt in die Stadt hielt er beim gestürzten Baum und Mast und der zerrissenen Leitung. Beim Durchdrehen hatten die Räder seines Autos auf der Straße Spuren hinterlassen. Er verwischte sie.

Alles sah aus, als sei es einfach so passiert. Er konnte in die Stadt fahren und die Telefongesellschaft benachrichtigen. Noch war ihm nichts vorzuwerfen. Aber auch wenn er die Telefongesellschaft nicht benachrichtigte, war ihm nichts vorzuwerfen. Er hatte den gestürzten Baum und Mast und die zerrissene Leitung nicht gesehen. Wieso hätte er sie sehen sollen? Der Techniker, der in ihrem Haus die Kabel verlegt und die Computer installiert hatte und den er zu benachrichtigen versprochen hatte, mochte auf seiner Fahrt zu ihnen sehen, was passiert war. Oder nicht.

Der Techniker war nicht in seiner Werkstatt. An der Tür hing ein Zettel, er besuche einen Kunden und komme bald zurück. Aber der Zettel war vergilbt, und durch die schmutzigen Fenster war nicht auszumachen, ob die Werkstatt in Betrieb war oder für einen Urlaub oder den Winter geschlossen. Telefone und Computer standen auf den Tischen, Kabel, Stecker, Schraubenzieher.

Im General Store war er der einzige Kunde. Der Eigentümer sprach ihn an und erzählte vom Stadtfest am nächsten Samstag. Ob er nicht kommen wolle? Und seine Frau und Tochter mitbringen? Er war mit Kate und Rita nie im General Store gewesen und auch sonst in keinem Laden oder Restaurant. Sie waren manchmal durch die Stadt gefahren, das war alles. Was wusste der Eigentümer noch von ihnen?

Dann sah er Kates Bild in der *New York Times*. Sie hatte den Preis bekommen. Dass sie zur Preisverleihung nicht erschienen war, wurde berichtet, dass ihre Agentin den Preis entgegengenommen hatte und dass Kate für einen Kommentar nicht erreicht werden konnte.

Las der Eigentümer die Zeitung nicht? Hatte er Kate auf dem Bild nicht erkannt? Hatte er sie, als sie mit ihm durch die Stadt fuhr, nicht genau genug gesehen? Hatten andere Kate, als sie mit ihm durch die Stadt fuhr, genauer gesehen und auf dem Bild erkannt? Würden sie die *New York Times* anrufen und melden, wo Kate erreicht werden konnte? Oder würden sie den Herausgeber des *Weekly Herald* benachrichtigen, in dem wöchentlich neben Werbung kleine Berichte über Verbrechen und Unfälle, Eröffnungen und Einweihungen, Jubiläen, Hochzeiten, Geburts- und Todesfälle standen?

Noch drei *New York Times* lagen neben der Theke. Er hätte gerne alle drei gekauft, damit sonst niemand sie kaufte und läse. Aber das hätte den Eigentümer aufmerken lassen. Also kaufte er nur eine. Außerdem kaufte er eine kleine Flasche Whisky, die ihm der Eigentümer in eine braune Papiertüte einpackte. Auf dem Weg zum Auto kam er an aufgeschichteten blauen Böcken und Police-Line-Balken vorbei, mit denen die Polizei die Hauptstraße für das Stadtfest absperren würde. Er fuhr noch mal zur Werkstatt des Technikers und traf ihn wieder nicht an. Er konnte sagen, er habe es versucht.

Die Post, die er aus dem Postfach nahm, sah er gar nicht an. Er steckte sie in das aufgeplatzte Futter der Sonnenblende. Er fuhr wieder zum Aussichtspunkt, parkte und trank. Der Whisky brannte in Mund und Kehle, er verschluckte sich und rülpste. Er sah auf die braune Papiertüte mit Flasche in seiner Hand und dachte an die Stadtstreicher, die in New York mit braunen Papiertüten auf den Bänken im Central Park saßen und tranken. Weil sie ihre Welt nicht zusammengehalten hatten.

Als er das letzte Mal hier gesessen war, hatte der Wald noch bunt geleuchtet. Heute waren die Farben matt, vom Herbst verbraucht und vom Dunst gedämpft. Er kurbelte das Fenster runter und atmete kühle, feuchte Luft. Er hatte sich so auf den Winter gefreut, den ersten Winter im neuen Haus, auf Abende am Kamin, gemeinsames Basteln und Backen, Adventskranz und Weihnachtsbaum, Bratäpfel und Glühwein. Auf Kate, die mehr Zeit für Rita und ihn haben würde.

Auch auf die New Yorker Freunde, die sie im Winter endlich einmal einladen wollten. Die echten Freunde, Peter und Liz und Steve und Susan, nicht die Meute von Agentur-, Verlags- und Medienleuten, mit denen sie sich auf irgendwelchen Empfängen und Partys getroffen hatten. Peter und Liz schrieben, Steve unterrichtete, und Susan machte Schmuck – sie waren die Einzigen, mit denen sie über die Gründe ihres Umzugs aufs Land ernsthaft gesprochen hatten. Sie waren auch die Einzigen, denen sie ihre neue Adresse gegeben hatten.

Ja, sie hatten ihre neue Adresse. Was, wenn sie kämen? Weil sie die *New York Times* gelesen und gefolgert hatten, die gute Nachricht habe Kate noch nicht erreicht, und weil sie deren Überbringer sein wollten?

Er nahm wieder einen Schluck. Er durfte sich nicht betrinken. Er musste einen klaren Kopf behalten und sich überlegen, was er zu tun hatte. Die Freunde anrufen? Dass Kate vom Preis wisse, dass ihr nur nicht nach dem Rummel gewesen sei? Die Freunde kannten Kate, wussten, wie gerne sie sich feiern ließ, würden ihm nicht glauben und erst recht kommen.

Panik stieg in ihm auf. Wenn morgen die Freunde vor der Tür stünden, wäre Kate übermorgen in New York, und alles würde wieder losgehen. Wenn er das nicht wollte, musste er sich was einfallen lassen. Mit welchen Lügen konnte er die Freunde fernhalten?

Er stieg aus dem Auto, trank die Flasche aus und warf sie in hohem Bogen in den Wald. So war's in seinem Leben immer gewesen: Wenn er zu wählen hatte, dann zwischen zwei schlechten Alternativen. Zwischen dem Leben mit der Mutter und dem mit dem Vater, als die beiden sich schließlich trennten. Zwischen einem Studium, für das er Geld verdienen musste, was ihn alle freie Zeit kostete, und einer Arbeit, die er hasste, die ihm aber Zeit zum Schreiben ließ. Zwischen Deutschland, in dem er sich immer fremd gefühlt hatte, und Amerika, wo er ebenfalls fremd blieb. Er wollte es endlich auch einmal so gut wie andere haben. Er wollte zwischen guten Alternativen wählen können.

Er rief die Freunde nicht an. Er fuhr nach Hause, berichtete vom erfolglosen Besuch beim Techniker und dass er es am nächsten Tag noch mal versuchen wolle, notfalls bei einem anderen Techniker in der Nachbarstadt und bei der Telefongesellschaft. Kate war ärgerlich, nicht über ihn, aber über das Leben auf dem Land, dessen Infrastruktur mit der in New York nicht mithalten konnte. Als sie merkte, dass ihm das weh tat, lenkte sie ein. »Lass uns in die Infrastruktur investieren und einen Mast auf dem Berg hinter dem Haus bauen. Wir können's uns leisten. Dann sind wir von den Technikern und Telefongesellschaften immerhin ein bisschen unabhängiger.«

8

Mitten in der Nacht wachte er auf. Es war kurz vor zwei. Er stand leise auf und sah zwischen den Vorhängen aus dem Fenster. Der Himmel war klar, und auch ohne Mond waren Wiese, Wald und Weg deutlich zu sehen. Mit einem Griff nahm er seine Kleider vom Stuhl und ging auf Zehenspitzen aus dem Zimmer und die knarrende Treppe hinunter. In der Küche zog er sich an, über Jeans und Sweatshirt die wattierte Jacke, eine Wollmütze auf den Kopf und Stiefel an die Füße. Es war kalt draußen; er hatte den Reif auf der Wiese gesehen.

Die Haustür ließ sich leise öffnen und schließen. Die paar Schritte zum Auto ging er wieder auf Zehenspitzen. Er steckte den Schlüssel ins Zündschloss und entriegelte das Lenkrad. Dann stemmte er sich in die offene Tür und schob und lenkte das Auto von der Wiese auf den Weg. Es ging schwer, und er seufzte und schwitzte. Auf dem Gras war von dem rollenden Auto nichts zu hören. Auf dem Weg knirschte der Kies unter den Rädern und machte, so kam es ihm vor, einen Höllenlärm. Aber bald neigte sich der Weg und gewann das Auto Fahrt. Er sprang hinein, war nach ein paar Kurven außer Hörweite und ließ den Motor an.

Auf der Fahrt in die Stadt begegneten ihm ein paar Autos, aber, soweit er sehen konnte, keines, das er kannte. In der Stadt brannte in wenigen Fenstern Licht; es waren Wohnhäuser, und er stellte sich die Mutter am Bett des kranken Kindes oder den Vater mit geschäftlichen Sorgen oder den Alten vor, der keinen Schlaf mehr brauchte.

An der Hauptstraße waren alle Fenster dunkel. Er fuhr sie entlang und sah niemanden, keinen Betrunkenen auf einer der Bänke, kein Liebespaar in einem der Eingänge. Er fuhr beim Büro des Sheriffs vorbei; auch es war dunkel, und vor dem Parkplatz mit den zwei Polizeiautos hing eine Kette. Er schaltete seine Scheinwerfer aus, fuhr langsam zurück und hielt neben den aufgeschichteten blauen Böcken und Police-Line-Balken. Er wartete, ob sich etwas regte, stieg leise aus und legte behutsam drei Böcke und zwei Balken auf die Ladefläche. Er stieg leise wieder ein, wartete wieder eine Weile und fuhr mit ausgeschalteten Scheinwerfern, bis er die Stadt hinter sich hatte.

Er machte das Radio an. »*We Are The Champions*« – er hatte das Lied als Junge geliebt und lange nicht gehört. Er sang mit. Wieder erfüllte ihn das Gefühl des Triumphs. Wieder hatte er es geschafft. Es steckte mehr in ihm, als die anderen sahen. Als Kate sah. Als er selbst sich meistens zutraute. Wieder hatte er es so geschickt eingefädelt, dass niemand ihm etwas anhängen konnte. Ein Versehen, ein Streich – wer konnte wissen, wie die Absperrung an den Weg gekommen war? Wer wollte es wissen?

Er fuhr und überlegte, wo er die Absperrung aufstellen würde. Der Weg zu seinem Haus zweigte von der Straße im Winkel von neunzig Grad ab, machte eine scharfe Kurve und lief dann zunächst beinahe parallel zur Straße. Gleich an der Abzweigung war die Absperrung zu auffällig, in der Kurve tat sie den gleichen Dienst.

Es ging schnell. Er hielt hinter der Kurve, stellte die Böcke auf und legte die Balken auf die Böcke. Der Weg war gesperrt.

Noch ehe er die Steigung vor dem Haus ganz geschafft hatte, stellte er den Motor ab und schaltete das Licht aus. Der Schwung reichte. Leise und dunkel rollte der Wagen vom Weg auf die Wiese. Es war halb fünf.

Er blieb sitzen und lauschte. Er hörte den Wind in den Bäumen und manchmal den Laut eines Tiers oder das Brechen eines Asts. Aus dem Haus kam kein Geräusch. Bald würde der Morgen grauen.

Kate fragte: »Wo warst du?« Aber sie wachte nicht auf. Als sie ihm am nächsten Morgen sagte, ihr wäre in der Nacht gewesen, als sei er gegangen und gekommen, zuckte er die Schultern. »Ich war mal auf dem Klo.«

9

In den nächsten Tagen war er glücklich. Ein bisschen Angst war dem Glück beigemischt. Wie, wenn der Sheriff die Absperrung fand, wenn ein Nachbar sie sah und meldete, wenn die Freunde sich von ihr nicht abhalten ließen? Aber niemand kam.

Einmal am Tag nahm er einen Balken ab, rückte einen Bock zur Seite und fuhr mit dem Auto durch. Er fuhr nochmals zur verschlossenen Werkstatt. Er fuhr in die Nachbarstadt und fand einen Techniker, den er aber nicht bestellte. Er rief auch die Telefongesellschaft nicht an. Jedes Mal fühlten sich das Abnehmen und Auflegen des Balkens und das Hin- und Herrücken des Bocks gut an. Als sei er ein Schlossherr, der das Tor auf- und zuschließt.

So schnell er konnte, war er von seinen Fahrten wieder zu Hause. Kate wollte an ihren Schreibtisch, und er wollte seine Welt genießen: die Sicherheit, dass Kate oben saß und schrieb, die Freude, dass Rita um ihn war, die Vertrautheit der häuslichen Abläufe. Weil Thanksgiving bevorstand, erzählte er Rita von den Pilgervätern und den Indianern, und sie malten ein großes Bild, auf dem alle zusammen feierten, die Pilger, die Indianer, Kate, Rita und er.

»Kommen sie zu uns? Die Väter und die Indianer?«

»Nein, Rita, sie sind schon lange tot.«

»Aber ich möchte, dass jemand kommt!«

»Ich auch.« Kate stand in der Tür. »Ich bin fast fertig.«

»Mit dem Buch?«

Sie nickte. »Mit dem Buch. Und wenn ich fertig bin, feiern wir. Und laden die Freunde ein. Und meine Agentin und meine Lektorin. Und die Nachbarn.«

»Fast fertig – was heißt das?«

»Am Ende der Woche. Freust du dich nicht?«

Er ging zu ihr und nahm sie in die Arme. »Klar freue ich mich. Es ist ein fantastisches Buch. Es wird tolle Besprechungen kriegen, bei Barnes & Noble in großen Stapeln bei den Bestsellern liegen und ein toller Film werden.«

Sie hob den Kopf von seiner Schulter, lehnte sich zurück und lächelte ihn an. »Du bist ein Schatz. Du warst so geduldig. Du hast dich um mich gekümmert und um Rita und um das Haus und den Garten, und es war tagein, tagaus das Gleiche, und du hast dich nie beschwert. Jetzt geht das Leben wieder los, ich versprech's dir.«

Er sah durch das Fenster auf den Küchengarten, den Holzstoß, den Komposthaufen. Der Teich war am Ufer ein bisschen gefroren, bald würden sie Schlittschuh laufen können. War das kein Leben? Wovon redete sie?

»Am Montag fahre ich in die Stadt – ich muss ins Internetcafé und außerdem telefonieren. Wollen wir Thanksgiving mit den Freunden feiern?«

»So kurzfristig können wir sie nicht einladen. Und was soll Rita unter so vielen Erwachsenen?«

»Jeder wird sich freuen, wenn er Rita vorlesen oder mit ihr spielen darf. Sie ist genauso ein Schatz wie du.«

Was sagte sie da? Er war genauso ein Schatz wie seine Tochter?

»Ich kann Peter und Liz auch fragen, ob sie ihre Neffen mitbringen wollen. Wahrscheinlich wollen ihre Eltern sie an Thanksgiving bei sich haben, aber fragen kann nicht schaden. Und meine Lektorin hat einen Sohn in Ritas Alter.«

Er hörte ihr nicht weiter zu. Sie hatte ihn betrogen. Winter oder Frühling hatte sie versprochen, und stattdessen wollte sie jetzt fertig werden. In ein paar Monaten würde die Agentin den Preis ohne Aufwand zu Hause bei einem Glas Champagner übergeben haben. Jetzt würde der volle Rummel um den Preis ablaufen, nur mit ein bisschen Verspätung. Konnte er etwas dagegen tun? Was hätte er bis Winterende oder Frühlingsanfang gemacht? Hätte er Kate überreden können, mit der Reparatur der Technik so lange zu warten und sich damit zu begnügen, dass er ihre E-Mails aus dem

Internetcafé in der Stadt mitbrachte? Sie traute ihm mit der Post, warum nicht auch mit den E-Mails? Vielleicht hätte es zu schneien begonnen und nicht mehr aufgehört, wie 1876, und sie hätten sich durch den Winter geschrieben, gelesen, gespielt, gekocht, geschlafen, ohne sich für die Welt draußen zu interessieren.

»Ich gehe hoch. Wir drei feiern am Sonntag schon mal, ja?«

10

Sollte er aufgeben? Aber Kate war noch nie so ruhig gewesen und hatte noch nie so leicht geschrieben wie im letzten halben Jahr. Sie brauchte das Leben hier. Auch Rita brauchte es. Er würde seinen Engel nicht dem Verkehr und den Verbrechen und den Drogen in der Stadt aussetzen. Wenn er es schaffte, Kate noch ein Kind zu machen oder lieber zwei, würde er sie zu Hause unterrichten. Bei einem Kind kam es ihm pädagogisch fragwürdig vor, aber bei zweien oder dreien war es okay. Vielleicht war es auch bei einem okay. War Rita bei ihm nicht allemal besser aufgehoben als in einer schlechten Schule?

Am Sonntag stand Kate früh auf und war am späten Nachmittag fertig. »Ich bin fertig«, rief sie, rannte die Treppe hinunter, nahm Rita auf den einen Arm und ihn in den anderen und tanzte mit ihnen um die Holzpfeiler. Dann band sie sich die Schürze um. »Wollen wir kochen? Was haben wir zu Hause? Worauf habt ihr Lust?«

Kate und Rita waren beim Kochen und Essen von überbordender Ausgelassenheit und lachten über alles und jedes. Aus dem Lächle wird's Bächle – so hatte seine Großmutter die Enkel vor den Tränen gewarnt, die auf übermäßiges Lachen folgen, und so wollte er Kate und Rita auch warnen. Dann fand er es sauertöpfisch und ließ es bleiben. Aber er wurde immer finsterer. Die Ausgelassenheit der beiden kränkte ihn.

»Eine Geschichte, eine Geschichte«, bettelte Rita nach dem Essen. Kate und er hatten sich beim Kochen keine ausgedacht, aber eigentlich genügte es, dass einer anfing und der andere fortfuhr und sie einander aufmerksam zuhörten. Heute druckste er rum, bis er Kate und Rita die Freude an der Geschichte verdorben hatte. Als es ihm leidtat, schaffte er nicht, die Stimmung noch mal zu wenden. Außerdem gehörte Rita ins Bett.

»Ich bringe sie«, sagte Kate. Er hörte Rita im Badezimmer lachen und im Bett tollen. Als es still wurde, erwartete er, sie werde ihn zum Gutenachtkuss rufen. Aber sie tat es nicht.

»Sie ist sofort eingeschlafen«, sagte Kate, als sie sich zu ihm setzte. Über seine finstere Laune verlor sie kein Wort. Sie war immer noch beschwingt, und bei dem Gedanken, sie bemerke nicht einmal, dass es ihm schlechtging, ging es ihm noch schlechter. Sie strahlte, wie sie lange nicht mehr gestrahlt hatte; ihre Wangen glühten, und ihre Augen leuchteten. Und wie sicher sie sich hielt und bewegte! Sie weiß, wie schön sie ist und dass sie zu schön ist für das Leben auf dem Land und nach New York gehört. Er dachte es und wurde mutlos.

»Ich fahre morgen nach dem Frühstück in die Stadt – soll ich was besorgen?«

»Das geht nicht. Ich habe Jonathan versprochen, bei der Reparatur des Scheunendachs zu helfen, und brauche das Auto. Du hattest gesagt, du wirst am Wochenende fertig, und da dachte ich, du könntest morgen bei Rita bleiben.«

»Aber ich hatte gesagt, dass ich morgen in die Stadt will.«

»Was ich will, zählt nicht?«

»Das habe ich nicht gesagt.«

»Es hat sich aber so angehört.«

»Das tut mir leid.« Sie wollte keinen Streit, sondern das Problem lösen. »Ich setze dich bei Jonathan ab und fahre weiter in die Stadt.«

»Und Rita?«

»Nehme ich mit.«

»Du weißt, dass ihr beim Fahren übel wird.«

»Dann setze ich sie mit dir ab; bis zu Jonathan sind's nur zwanzig Minuten.«

»Zwanzig Minuten im Auto sind für Rita zwanzig Minuten zu viel.«

»Rita ist zwei Mal übel geworden, das ist alles. Sie ist ohne Probleme in New York Taxe gefahren und mit dem Auto von New York hierhergezogen. Es ist eine fixe Idee von dir, dass sie nicht fahren kann. Lass uns immerhin versuchen…«

»Du willst mit Rita ein Experiment veranstalten? Geht es ihr schlecht, oder kommt sie zurecht? Nein, Kate, du veranstaltest keine Experimente mit meiner Tochter.«

»Deine Tochter, deine Tochter… Rita ist meine Tochter wie deine. Rede von unserer Tochter oder von Rita, aber spiele nicht den besorgten Vater, der seine Tochter gegen die böse Mutter schützen muss.«

»Ich spiele gar nichts. Ich kümmere mich mehr um Rita

als du – das ist alles. Wenn ich sage, dass sie nicht Auto fährt, fährt sie nicht.«

»Warum fragen wir sie morgen nicht? Sie weiß ziemlich gut, was sie will.«

»Sie ist ein kleines Kind, Kate. Was, wenn sie fahren will, aber das Fahren nicht verträgt?«

»Dann nehme ich sie auf den Arm und trage sie nach Hause.«

Er schüttelte nur den Kopf. Was sie sagte, war so töricht, dass er sich fühlte, als müsse er tatsächlich mit Jonathan das Scheunendach reparieren. Er stand auf. »Wie wär's mit der halben Flasche Champagner, die im Kühlschrank liegt?« Er küsste sie auf den Scheitel, brachte die Flasche und zwei Gläser und schenkte ein. »Auf dich und dein Buch!«

Sie rang sich ein Lächeln ab, hob ihr Glas und trank. »Ich glaube, ich werfe noch einen Blick auf mein Buch. Warte nicht auf mich.«

11

Er wartete nicht und ging ohne sie ins Bett. Aber er lag wach, bis sie sich neben ihn legte. Es war dunkel, er sagte nichts, atmete gleichmäßig, und nachdem sie eine Weile auf dem Rücken gelegen hatte, als überlege sie, ob sie ihn wecken und mit ihm reden solle, drehte sie sich auf die Seite.

Als er am nächsten Morgen aufwachte, war das Bett neben ihm leer. Er hörte Kate und Rita in der Küche, zog sich an und ging runter.

»Papa, ich darf Auto fahren!«

»Nein, Rita, das macht dich krank. Damit warten wir, bis du größer und stärker bist.«

»Aber Mama hat gesagt ...«

»Mama hat später gemeint, nicht heute.«

»Sag du mir nicht, was ich meine.« Kate sagte es beherrscht. Aber plötzlich war die Beherrschung verbraucht, und Kate schrie ihn an. »Was für einen Scheiß du redest! Du sagst, du willst Jonathan bei der Scheune helfen, und schläfst bis in den Morgen? Du sagst, du willst mit Rita im Winter Ski fahren, und findest Autofahren zu gefährlich? Du willst mich zur Mutti am Herd machen, die wartet, bis der Mann ihr gnädig das Auto lässt? Wir fahren jetzt entweder zu dritt, und ich setze dich bei Jonathan ab, oder ich und Rita fahren alleine.«

»Ich will dich zur Mutti am Herd machen? Was bin ich, wenn ich nicht einmal der Vati am Herd bin? Nur ein gescheiterter Schriftsteller? Der auf deine Kosten lebt? Der sich um die Tochter kümmern, aber nichts bestimmen darf? Kindermädchen und Putzfrau?«

Kate hatte sich wieder unter Kontrolle. Sie sah ihn mit gehobener Braue an. »Du weißt, dass ich nichts von alledem meine. Ich fahre jetzt los – kommst du mit?«

»Du fährst nicht!«

Aber sie zog sich und Rita Jacke und Schuhe an und ging zur Tür. Als er den beiden die Eingangstür verstellte, nahm Kate Rita auf den Arm und ging über die Veranda. Er zögerte, lief Kate nach, erwischte sie, hielt sie fest. Da fing Rita an zu weinen, und er ließ los. Er folgte Kate, als sie von der Veranda über die Wiese zum Auto ging.

»Mach das bitte nicht!«

Kate antwortete nicht, setzte sich auf den Fahrer- und Rita auf den Beifahrersitz, zog die Tür zu und ließ das Auto an.

»Doch nicht auf den Vordersitz!« Er wollte die Tür öffnen, aber Kate drückte die Verriegelung. Er schlug gegen die Tür, packte den Griff, wollte das Auto festhalten. Es fuhr los. Er rannte nebenher, sah, dass Rita sich auf den Vordersitz kniete und ihn mit tränenüberströmtem Gesicht erschrocken ansah. »Den Sicherheitsgurt«, rief er, »leg Rita den Sicherheitsgurt an!« Aber Kate reagierte nicht, das Auto nahm Fahrt auf, und er musste loslassen.

Er rannte hinter dem Auto her, holte es aber nicht ein. Kate fuhr auf dem geschotterten Weg nicht schnell und fuhr ihm doch davon, auf jedem Stück Wegs zwischen zwei Kurven wurde der Abstand größer. Dann war das Auto verschwunden, und er hörte es weiter und weiter weg.

Er rannte weiter. Er musste hinter dem Auto herrennen, auch wenn er es nicht mehr einholen konnte. Er musste rennen, um an seiner Frau, seiner Tochter, seinem Leben dranzubleiben. Er musste rennen, um nicht in das leere Haus zurückzugehen. Er musste rennen, um nicht stehen zu bleiben.

Schließlich konnte er nicht mehr. Er beugte sich vor und stützte die Hände auf die Knie. Als er wieder ruhiger wurde und nicht mehr nur seinen Atem hörte, hörte er weit weg das Auto. Er richtete sich auf, konnte es aber nicht sehen. Das ferne Geräusch blieb, wurde langsam leiser, und er wartete darauf, dass es verlöschen würde. Stattdessen hörte er ein fernes Krachen. Dann war es still.

Er rannte wieder los. Er stellte sich das Auto vor, das gegen Balken und Bock gefahren war oder gegen einen Baum, weil Kate noch das Steuer zur Seite gerissen hatte, er sah

Kates und Ritas blutige Köpfe an der zerborstenen Windschutzscheibe, Kate, die mit Rita auf dem Arm zur Straße taumelte, Autos, die achtlos vorbeifuhren, er hörte Rita schreien und Kate schluchzen. Oder waren beide eingeklemmt und konnten nicht raus, und jeden Moment entzündete sich das Benzin und explodierte das Auto? Er rannte weiter, obwohl die Beine ihn nicht mehr tragen wollten und es in Brust und Seite stach.

Dann sah er das Auto. Gottlob, es brannte nicht. Es war leer, und Kate und Rita waren nirgends zu sehen, nicht beim Auto und nicht an der Straße. Er wartete, winkte, wurde aber nicht mitgenommen. Er ging zurück zum Auto, sah, dass es gegen Balken und Bock gefahren war und dass der Bock sich so mit Stoßstange und Wagenboden verkeilt hatte, dass es nicht weiterfahren konnte. Die Tür stand auf, und er setzte sich auf den Fahrersitz. Die Windschutzscheibe war nicht zerborsten, aber an einer Stelle blutverschmiert, nicht vor dem Fahrer-, sondern vor dem Beifahrersitz.

Der Zündschlüssel steckte, aber wenn er das Auto zurücksetzte, schleifte es den verkeilten Bock mit. Er band den Bock mit dem Seil an einem Baum fest, fuhr rückwärts und rollte vorwärts, rückwärts und vorwärts, wieder und wieder. Es kam ihm wie die Strafe für die Zerstörung der Telefonleitung vor, und als der Wagen sich schließlich vom Bock löste, war er völlig erschöpft, wie damals. Er legte die Balken und die Böcke auf die Ladefläche und fuhr zum Krankenhaus. Ja, seine Frau und Tochter waren vor einer halben Stunde hergebracht worden. Er ließ sich den Weg zeigen.

12

Die Gänge waren gefälliger, als er es von deutschen Krankenhäusern kannte, breit, mit Ledersesseln und Blumenarrangements. Im Aufzug verkündete ein Plakat, dass das Krankenhaus wieder Krankenhaus des Jahres geworden sei, zum vierten Mal in Folge. Er wurde in einen Warteraum gebeten, der Arzt werde gleich kommen, setzte sich, stand auf, betrachtete die bunten Fotografien an den Wänden, fand die Ruinen kambodschanischer und mexikanischer Tempel deprimierend, setzte sich. Nach einer halben Stunde ging die Tür auf, und der Arzt begrüßte ihn. Er war jung, energisch, fröhlich.

»Glück im Unglück. Ihre Frau hat den rechten Arm vor ihre Tochter gehalten«, er streckte den rechten Arm aus, »und, als ihre Tochter mit aller Wucht dagegenstieß, gebrochen. Aber der Bruch ist glatt, und ihrer Tochter hat es vielleicht das Leben gerettet. Ihre Frau hat außerdem drei gebrochene Rippen und ein Schleudertrauma. Aber das heilt. Wir behalten sie nur ein paar Tage.« Er lachte. »Es ist eine Ehre, die Trägerin des National Book Award zur Patientin zu haben, und es war mir eine besondere Freude, der Überbringer der guten Nachricht zu sein. Ich habe sie gleich erkannt, hätte mich aber fast nicht getraut, sie darauf anzusprechen – und dann wusste sie noch gar nichts und hat sich gefreut.«

»Was ist mit meiner Tochter?«

»Sie hat eine Platzwunde an der Stirn, die wir geschlossen haben, und ruht. Wir passen heute Nacht auf sie auf, und wenn nichts ist, können Sie sie morgen nach Hause nehmen.«

Er nickte. »Kann ich zu meiner Frau?«

»Ich bringe Sie hin.«

Sie lag im Einzelzimmer, Hals und rechten Arm in weißem Kunststoff. Der Arzt ließ beide allein.

Er rückte einen Stuhl ans Bett. »Herzlichen Glückwunsch zum Preis.«

»Du hast es gewusst. Du warst fast jeden Tag in der Stadt, und wenn du in der Stadt bist, liest du die *New York Times*. Warum hast du nichts gesagt? Weil du kein erfolgreicher Schriftsteller bist, darf ich es auch nicht sein?«

»Nein, Kate, ich wollte nur unsere Welt hier zusammenhalten. Ich bin nicht eifersüchtig. Du kannst so viele Bestseller …«

»Ich finde mich nicht besser als dich. Du verdienst den gleichen Erfolg, und mir tut es leid, dass die Welt nicht gerecht ist und dir nicht den gleichen Erfolg gibt. Aber ich kann darum nicht aufs Schreiben verzichten. Ich kann mich nicht kleinmachen.«

»So klein wie ich?« Er schüttelte den Kopf. »Ich wollte nicht, dass der Rummel wieder losgeht, die Interviews und Talkshows und Partys und was weiß ich. Dass es wieder wird, wie es war. Das halbe Jahr hier hat uns so gutgetan.«

»Ich halte es nicht aus, wenn von mir nur noch der Schatten bleibt, der morgens an den Schreibtisch verschwindet und abends mit dir vor dem Kamin sitzt und einmal in der Woche Familie spielt.«

»Wir sitzen nicht vor dem Kamin, wir reden, und wir spielen nicht Familie, wir sind es.«

»Du weißt, was ich meine. Was ich im letzten halben Jahr für dich war, hätte jede Frau sein können, die sich mit sich selbst beschäftigt, nicht viel redet und nachts gerne kuschelt. Ich kann nicht mit einem Mann leben, der vor lauter Eifersucht nur das von mir übriglassen will. Oder der nur das liebt.«

»Was soll das heißen?«

»Wir verlassen dich. Wir ziehen ...«

»Ihr? Du und Rita? Rita, die ich gewickelt und gewaschen und für die ich gekocht und der ich lesen und schreiben beigebracht habe? Die ich gepflegt habe, wenn sie krank war? Kein Richter wird Rita dir zusprechen.«

»Nach deinem Anschlag heute?«

»Meinem Anschlag ...« Er schüttelte wieder den Kopf. »Das war kein Anschlag. Ich habe nur versucht, alles abzusperren, das Telefon und das Internet und eben auch die Straße.«

»Es war ein Anschlag, und der Fahrer, der mich hergebracht hat, wird den Sheriff benachrichtigen.«

Er hatte mit gebeugtem Rücken und gesenktem Kopf auf dem Stuhl gesessen. Jetzt richtete er sich auf. »Ich habe unser Auto flottgemacht, ich bin damit hierhergefahren, und die Absperrung ist weg. Alles, was der Sheriff herausfinden wird, ist, dass du mit unserer Tochter ohne Kindersitz und ohne Sicherheitsgurt gefahren bist.« Er sah seine Frau an. »Kein Richter wird dir Rita geben. Du musst schon bei mir bleiben.«

Wie sah sie zurück? Hasserfüllt? Das konnte nicht sein. Begriffsstutzig. Nicht der gebrochene Arm und die gebrochenen Rippen taten ihr weh. Was ihr weh tat, war, dass er ihr einen Strich durch die Rechnung machte. Sie wollte nicht begreifen, dass sie ihre Rechnungen nicht ohne ihn machen konnte. Es wurde Zeit, dass sie es endlich lernte. Er stand auf. »Ich liebe dich, Kate.«

Mit welchem Recht sah sie ihn entsetzt an? Mit welchem Recht sagte sie zu ihm: »Du bist verrückt geworden.«

13

Er fuhr auf der Hauptstraße durch die Stadt. Er hätte die Balken und Böcke gerne unauffällig auf die Stöße zurückgelegt, aber das Stadtfest war vorbei, und die Stöße waren weggeräumt.

Vom General Store aus rief er die Telefongesellschaft an und meldete die beschädigte Leitung. Sie versprach, noch am Nachmittag eine Reparaturmannschaft zu schicken.

Zu Hause ging er von Zimmer zu Zimmer. Im Schlafzimmer öffnete er Vorhang und Fenster, machte das Bett und faltete Nachthemd und Schlafanzug. Bei Kates Arbeitszimmer blieb er in der Tür stehen. Sie hatte aufgeräumt; der Schreibtisch war bis auf Computer und Drucker und einen Stoß bedruckten Papiers leer, und die Bücher und Papiere, die auf dem Boden gelegen hatten, lagen in den Regalen. Es sah aus, als habe sie nicht nur das Buch, sondern auch einen Abschnitt ihres Lebens abgeschlossen, und er wurde traurig. Ritas Zimmer duftete nach kleinem Mädchen; er schloss die Augen, schnupperte und roch ihren Bären, den er nicht waschen durfte, ihr Shampoo, ihren Schweiß. In der Küche räumte er Geschirr und Töpfe in die Spülmaschine und ließ sonst alles liegen: den Pullover, als könne Kate jeden Augenblick reinkommen und ihn überziehen, die Malfarben, als würde Rita sich gleich an den Tisch setzen und weitermalen. Ihm war kalt, und er stellte die Heizung höher.

Er trat vor die Tür. Kein Richter würde ihm Rita wegnehmen. Im schlimmsten Fall würde die richtige Anwältin ihm einen reichlichen Unterhalt verschaffen. Dann würde er eben alleine mit Rita hier in den Bergen leben. Dann würde Rita eben mit einer Mutter aufwachsen, die fünf Autostunden entfernt lebte. Kate will die Sache auf die Spitze treiben? Sie wird schon sehen, was sie davon hat.

Er sah zum Wald, auf die Wiese mit den Apfelbäumen und den Fliederbüschen, auf den Teich mit der Trauerweide. Kein gemeinsames Schlittschuhlaufen auf dem gefrorenen Teich? Kein gemeinsames Schlittenfahren am Hang am anderen Ufer? Auch wenn Rita emotional ohne ihre Mutter und er finanziell ohne Kate zurechtkäme – er wollte die Welt nicht verlieren, die sich im Sommer manchmal angefühlt hatte, als sei sie schon immer seine gewesen und werde immer seine sein.

Er würde sich einen Plan überlegen, wie er sein Leben zusammenhalten würde. Wäre doch gelacht, wenn er das mit seinen guten Karten nicht schaffen würde! Morgen würde er Rita abholen. In ein paar Tagen würden Rita und er vor dem Krankenhaus stehen und auf Kate warten. Mit Blumen. Mit einem Schild »Willkommen zu Hause«. Mit ihrer Liebe.

Er ging zum Auto, lud die Balken und Böcke ab und trug sie zu dem Platz hinter der Küche, an dem er das Holz für den Kamin zersägte und zerhackte. Er arbeitete bis in die Dunkelheit, zog die Nägel aus den Böcken und zersägte und zerhackte die Balken und Streben zu Scheiten. Im Licht, das aus der Küche auf den Platz fiel, räumte er das Holz in den

Stoß; er trug einen Teil dessen ab, was er schon für den Winter gelagert hatte, und packte die neuen Scheite dazwischen.

Er füllte neue und alte Scheite in den Korb und trug ihn zum Kamin. Das Telefon klingelte; die Telefongesellschaft rief an, die Leitung funktioniere wieder. Er fragte im Krankenhaus nach und erfuhr, dass Kate und Rita schliefen und er sich keine Sorgen machen müsse.

Dann brannte das Feuer. Er setzte sich davor und sah zu, wie die Scheite Feuer fingen, brannten, glühten und zerfielen. Auf einem blauen Scheit konnte er in weißer Schrift »LINE« lesen, Teil der Aufschrift »POLICE LINE DO NOT CROSS«. Das Feuer schmolz die Farbe, verwischte die Schrift und zehrte sie auf. So wollte er in ein paar Wochen mit Kate und Rita vor dem Kamin sitzen. Kate würde auf einem Scheit »NOT« oder »DO« lesen und sich an den heutigen Tag erinnern. Sie würde verstehen, wie sehr er sie liebte, und zu ihm rücken und sich an ihn schmiegen.

Der Fremde in der Nacht

I

Sie haben mich erkannt, nicht wahr?« Kaum hatte er sich neben mich gesetzt, sprach er mich an. Er war der letzte Passagier; hinter ihm schlossen die Stewardessen die Türen.

»Wir haben ...« Wir hatten mit anderen Passagieren in der Lounge an der Bar gestanden. Der Regen schlug gegen die Scheiben, der Flug von New York nach Frankfurt wurde mehrfach verschoben, und wir vertrieben uns die Zeit und den Ärger mit Champagner und Geschichten von verspäteten Flügen und verpassten Gelegenheiten.

Er ließ mich nicht ausreden. »Ich habe es in Ihren Augen gesehen. Ich kenne den Blick: zuerst fragend, dann wissend, dann entsetzt. Woher wissen Sie ... Dumme Frage, am Ende war meine Geschichte in allen Zeitungen und auf allen Kanälen.«

Ich sah zu ihm hinüber. Er mochte fünfzig sein, war groß und schlank, hatte ein angenehmes, intelligentes Gesicht, viel Grau im schwarzen Haar. An der Bar hatte er keine Geschichte zum Besten gegeben; mir war nur sein weich fallender, weich knitternder Anzug aufgefallen.

»Es tut mir leid« – warum sagte ich, es tut mir leid –, »ich habe Sie nicht erkannt.« Das Flugzeug hob ab und stieg steil hoch. Ich mag die Minuten, in denen es den Rücken gegen die Lehne presst und im Bauch zieht und der Körper spürt, dass er fliegt. Durch das Fenster sah ich auf das Lichtermeer der Stadt. Dann machte das Flugzeug einen großen Bogen, ich sah nur den Himmel, und schließlich lag unter mir das Meer, auf dem das Mondlicht glänzte.

Mein Nachbar lachte leise. »Immer wieder hat mich jemand angesprochen und habe ich mich verleugnet. Jetzt wollte ich den Stier bei den Hörnern packen, aber da ist kein Stier.« Er lachte weiter und stellte sich vor. »Werner Menzel. Auf einen guten Flug!«

Beim Aperitif wechselten wir Belanglosigkeiten, beim Abendessen sahen wir verschiedene Filme. Nichts bereitete mich darauf vor, dass er sich, als die Kabinenbeleuchtung ausgeschaltet war, mir zuwandte. »Sind Sie sehr müde? Ich weiß, dass ich kein Recht habe, Sie zu belästigen, aber wenn ich Ihnen meine Geschichte erzählen dürfte … Es wird nicht lange dauern.« Er stockte, lachte wieder leise. »Doch, es wird lange dauern, aber ich wäre Ihnen sehr dankbar. Wissen Sie, bisher haben die Medien meine Geschichte erzählt. Aber es war nicht meine Geschichte, es war ihre. Meine Geschichte gibt es noch nicht. Ich muss erst lernen, sie zu erzählen. Wie könnte ich es besser lernen, als wenn ich sie einem erzähle, der noch nichts von ihr gehört hat, dem Fremden in der Nacht.«

Ich gehöre nicht zu denen, die im Flugzeug nicht schlafen können. Aber ich wollte nicht unfreundlich sein. Außerdem lag in der Art, in der er vom Fremden in der Nacht sprach, eine ironische Zärtlichkeit, die mich berührte und verführte.

2

»Die Geschichte fängt vor dem Irakkrieg an. Ich hatte eine Stelle im Wirtschaftsministerium angetreten und wurde in einen Kreis von jungen Kollegen aus dem Innenministerium, dem Auswärtigen Amt und der Universität eingeladen. Ein Lese- und Gesprächskreis – damals wurde in Berlin der Salon wieder Mode. Wir trafen uns alle vier Wochen um acht, diskutierten, leerten die eine und andere Flasche Wein, und oft kamen um elf die Freundinnen dazu, auf dem Heimweg von Arbeit, Konzert oder Theater, mit Spott über unseren Bücherernst und Freude an unseren ausklingenden Gesprächen. Am Schluss wurde es oft besonders lebendig.

Manchmal luden unsere Diplomaten uns zu ihren Empfängen ein, nicht den wichtigen, aber denen mit ausländischen Dichtern oder Künstlern. Zuerst hielt ich mich mit meiner Freundin an die Leute, die wir schon kannten. Dann merkten wir, dass die anderen sich freuten, wenn wir sie ansprachen. Klar, es gab die, die zu bedeutend waren, als dass wir interessant für sie gewesen wären, und die, die so taten. Es waren Ausnahmen. Ich hätte es nicht gedacht – auf Empfängen kann man richtig Spaß haben.

Ich hätte merken können … ich habe gemerkt, dass der Attaché der kuwaitischen Botschaft mit meiner Freundin flirtete. Hätte ich deshalb den Kontakt meiden sollen? Er flirtete spielerisch, er bewunderte mehr ihre Schönheit, als dass er um sie geworben hätte. So flirte ich auch, wenn mir eine Frau gefällt – um es sie wissen zu lassen, nicht um sie zu kriegen. Meine Freundin flirtete zurück; sie hat ihn nicht wirklich ermutigt, sondern ihm einfach ihre Freude über seine Komplimente gezeigt.«

Er hatte sich beim Sprechen auf die Armlehne gestützt. Jetzt lehnte er sich zurück. »Sie war wunderschön. Wie habe ich ihr blondes Haar geliebt! Seine hellen und dunklen Strähnen, die Wellen, in denen es auf ihre Schultern fiel, das Licht, in dem es ihr Gesicht leuchten ließ. ›Mein Engel‹, hätte ich ständig sagen mögen, ›mein Engel.‹ Und ihre Gestalt!« Ich hörte ihn wieder leise lachen. »Sie wissen, wie gehässig Frauen sich selbst betrachten können. Vielleicht waren ihre Waden tatsächlich ein bisschen plump. Aber ich mochte sie. Sie gaben ihrer blonden Schönheit Bodenständigkeit. Sie passten dazu, dass ihr Großvater Bauer und ihr Vater Eisenbahner und dass sie eine zupackende Ärztin war. Ich mochte auch, dass die Verbindung zwischen ihrer Nase und ihrer Oberlippe aus einer Laune der Natur ein bisschen kurz geraten war und sie den Mund oft einen kleinen Spalt offen stehen ließ. Sie hatte dabei einen Ausdruck von verwunschenem Liebreiz, wie ein Kind, das über die Welt staunt. Aber wenn sie sich konzentrierte und die Lippen schloss, zeigte ihr Gesicht ihre ganze Entschlossenheit. Ah, und ihr Gang – kennen Sie das Chanson, in dem es heißt: ›*Elle ne marche pas, elle danse*‹?« Er summte leise eine Melodie.

»Wir hätten die Einladung des Attachés nicht annehmen sollen. Aber meine Freundin fuhr gerne in ferne Länder, und ich, der nicht gerne reist … Ist das nicht verrückt? Ich reise nicht gerne, wäre auch damals lieber nicht gereist und muss, weil ich damals gereist bin, jetzt um mein Leben reisen. Also ich meinte, ich schuldete ihr die Reise, und freute mich, dass wir immerhin nicht dumme Touristen sein, sondern einen

Ansprechpartner und eine Anlaufstelle haben würden. Niemand hat uns gewarnt, warum auch. Wir haben die Einladung angenommen und sind an Ostern geflogen.

Wir wohnten im Hotel und nicht in der Anlage von Häusern und Höfen und Gärten, in denen der Attaché mit seinem Clan wohnte. Ich fand schon genug, dass er sich um uns kümmerte. Wir waren immer mit ihm unterwegs, oft auch mit seinen Brüdern und Freunden. Wir fuhren in die Wüste, auf die Ölfelder und mit den Fischern aufs Meer, besichtigten die Universität und das Parlament und wetteten und gewannen bei Kamelrennen. Es war kein Abenteuer-, sondern ein Reiche-Leute-Urlaub; die Infrastruktur ist wie in Florida, die Restaurants haben französische Köche, die Picknicks werden an Tischen mit Tischdecken, Porzellan und Silber serviert, und wir wurden in großen Autos chauffiert. Es war beeindruckend. Aber ich war froh, wenn wir abends in unserer Suite waren. Oder wenn wir morgens auf dem Balkon saßen und die Sonne aufgehen sahen. Ob am Mittelmeer oder an der Nordsee – wir hatten die Sonne schon oft im Meer versinken, aber noch nie daraus aufsteigen sehen.«

3

Er legte mir die Hand auf den Arm. »Sie sind sehr geduldig. Wollen wir einen Roten trinken? Sie hatten den Bordeaux, aber der Pinot Noir aus dem Russian River Valley ist besser.« Er wartete meine Antwort nicht ab, klingelte und überredete die Stewardess, uns die ganze Flasche zu überlassen. Er klang munter, als belebe ihn das Erinnern und Erzählen.

»An einem Morgen konnte man uns nicht abholen, und wir wollten eine Taxe nehmen. An der Auffahrt sprachen uns zwei Herren an, die einen Tisch weiter gefrühstückt und mit denen wir die Zeitungen getauscht hatten. Ob sie uns in die Stadt mitnehmen sollten? Wir stiegen ein, meine Freundin vorne, ich hinten, fuhren los, und an einer roten Ampel bat mich der Fahrer, rasch einen Brief in den Kasten zu werfen. Warum mich, werden Sie fragen, warum hat er nicht den anderen Herren gebeten oder ist selbst ausgestiegen. Der andere Herr hinkte, das war mir gleich aufgefallen, und der Fahrer saß links, und der Kasten war rechts, fast hätte ich aus dem Fenster reichen und den Brief einwerfen können. Also stieg ich aus, und die Ampel wurde grün, und das Auto fuhr los. Es gab viel Verkehr, ich dachte, der Fahrer will ihn nicht aufhalten und fährt ums Quadrat und kommt gleich wieder.«

Er redete nicht weiter. Er machte die kleinen Lampen aus, die von der Decke auf seinen und auf meinen Sitz schienen. Wollte er mich seinen Schmerz nicht sehen lassen? Ich sagte nichts, fasste seine Hand und drückte sie kurz.

»Ja, er kam nicht wieder. Ich stand und rief nach einer halben Stunde den Attaché an. Der hat mit dem Minister telefoniert, und der Minister hat sofort die Polizei losgeschickt und die Straßen gesperrt und die Flughafenkontrollen verstärkt und die Küstenwache alarmiert. Ich wurde aufs Polizeipräsidium gebracht und bekam Hunderte von Bildern gezeigt. Ich erkannte keinen der beiden Männer wieder. Der deutsche Botschafter und seine Frau holten mich ab und nahmen mich mit in ihre Residenz; sie wollten mich in der Situation nicht alleine lassen. Alle waren aufmerksam, freundlich, bemüht.

Ich habe in der ersten Nacht nicht geschlafen. Aber mit dem neuen Tag kommt doch ein neuer Mut, und ich bin voller Hoffnung aufgestanden. Ich bin auch in den nächsten Tagen voller Hoffnung aufgestanden. Bis ich mir eingestehen musste, dass es schlecht aussah. Der Botschafter erzählte mir, was er über den Handel mit europäischen Frauen im Vorderen Orient wusste. Als ich wieder in Deutschland war, las ich alles, was ich darüber finden konnte. Früher gab es Umschlagplätze, wenn Sie's so nennen wollen, wo die geraubten Frauen verkauft wurden und wo man versuchen konnte, seine Frau wiederzuersteigern. Heute werden heimlich Videos von den Frauen gemacht, die Interessenten schauen sich die Videos im Internet an, bieten und bestellen übers Internet. Erst dann wird die Frau geraubt. Wenn ihr Mann oder Freund oder die Polizei es merkt, sind alle Spuren längst beseitigt.

Was aus den Frauen wird, werden Sie wissen wollen. Wir reden über Spitzenfrauen und Spitzenpreise. Wenn die Frauen mitspielen, geht es ihnen gut. Wenn sie nicht mitspielen, wechseln sie ein paarmal die Hände und enden in einem Bordell in Mombasa.«

Ich versuchte, mich in seine Situation zu versetzen. Wie trauert man um die geliebte Frau, für die man nur hoffen kann, dass sie sich in den Armen eines anderen wohl fühlt? Die man allenfalls wiederkriegt, wenn nicht einmal mehr ein betrunkener Matrose in Mombasa sie haben will? Wie lange trauert man? Wie lange wartet man?

»Ein Jahr später kam der Irakkrieg. Ich dachte nicht, dass er etwas mit mir zu tun hätte oder ich mit ihm. Aber in Kuwait bekamen die reichen Familien Angst und zogen weg, nach Los Angeles oder Cannes oder Genf oder wo immer sie Häuser hatten.

In Genf ist sie ihm entkommen. Sie ist aus dem Fenster gestiegen, über den Zaun geklettert, hat auf der Straße ein Auto angehalten und mich sofort mit dem Telefon des Fahrers angerufen. Ich habe den nächsten Flug nach Genf genommen. Weil sie Angst hatte, sie könnte gesucht und gefunden werden, wollte sie nicht alleine sein, und der Fahrer, ein Student, brachte sie in den Lesesaal der Universitätsbibliothek. Da saß sie, bis ich kam.

Kennen Sie die Genfer Universitätsbibliothek? Ein prächtiger Bau mit einem Lesesaal wie aus einem Bilderbuch der Jahrhundertwende. Sie saß in der Mitte der ersten Reihe, auffällig gekleidet, geschminkt, parfümiert. Als ich an ihren Tisch trat, hielt sie den Kopf gesenkt. Ich berührte ihren Arm, und sie sah auf und schrie. Dann erkannte sie mich.«

Aus dem Cockpit meldete sich der Pilot, kündigte Turbulenzen an und ermahnte uns, die Sicherheitsgurte anzulegen und festzuziehen. Die Stewardessen gingen durch die Reihen, prüften, ob die Mahnung des Piloten befolgt wurde, weckten die Schlafenden, bei denen die Decke den Sicherheitsgurt verbarg, und sammelten die Gläser ein.

Mein Nachbar hörte auf zu reden und verfolgte das Geschehen. »Die meinen es ernst. Ich habe noch nie erlebt, dass die Stewardessen in der ersten Klasse die Passagiere wecken.« Er sah mich an. »Haben Sie Angst, wenn es beim Fliegen gefährlich wird? Oder glauben Sie an Gott? Dass Sie nicht tiefer fallen als in seine Hand? Ich glaube nicht an Gott. Ich glaube nicht an Gott und weiß nicht, ob ich noch an die Gerechtigkeit und an die Wahrheit glaube. Ich dachte früher, wer nicht mehr lange zu leben hat, sagt die Wahrheit. Aber vielleicht sind die, die nicht mehr lange zu leben haben, die schlimmsten Lügner. Wenn sie sich jetzt nicht in Szene setzen, wann dann? Die Wahrheit… Was ist die Wahrheit, auf die der Richter einem keinen Brief und kein Siegel gibt? Und was die Lüge, auf die er es einem gibt? Was ist die Wahrheit, wenn sie nur durch die Köpfe vagabundiert und nicht gehörig festgestellt wird?« Er lachte wieder sein leises, sanftes Lachen. »Entschuldigen Sie, ich bin ein bisschen durcheinander. Ich habe Angst, wenn es beim Fliegen gefährlich wird, und was gerade geschieht, riecht nach Gefahr. Aber ich höre auf, wie Pilatus oder Raskolnikow zu reden. Sie fragen sich sonst, warum Sie mir zuhören sollen.«

Dann war es, als packe eine große Hand das Flugzeug und spiele mit ihm. Sie schüttelte es, ließ es fallen, fing es wieder auf, ließ es wieder fallen. Meinen Körper hielt der Sicherheitsgurt. Aber meine Organe fühlten sich an, als hätten sie ihren Platz verloren; ich legte meine Hände auf meinen Bauch und hielt sie fest. Jenseits des Gangs erbrach eine Frau, vor mir rief ein Mann um Hilfe, hinter mir fielen Gepäckstücke herunter. Erst als das Flugzeug ruhig weiterflog, kam die Angst, und sie galt dem, was passiert war, und dem, was noch passieren mochte. Es war noch nicht vorbei. Das Flugzeug fiel noch mal, und die Schwerkraft zerrte noch mal am Körper und an den Organen.

»So war es, als wir wieder zusammen waren. Es schüttelte uns und zerrte an uns. Es war wie ein Gift. Manchmal ging es ruhig dahin, aber wir trauten einander nicht. Wir belauerten einander, bis einer es nicht mehr aushielt. Dann ging es kalt und schneidend los und wurde laut und grob.«

Er redete schon wieder? Wovon redete er? »Es schüttelte Sie und zerrte an Ihnen? Es?«

»So hat es sich angefühlt. Wie der Sturm, der unser Flugzeug schüttelt. Eine Macht, die stärker ist als wir. Wir sind uns im Lesesaal in die Arme gefallen, und ich habe sie die ganze Nacht gehalten, diese erste Nacht und die nächsten Nächte, und wir sind zusammengezogen, was wir uns davor nicht getraut hatten, und haben gedacht, alles wird gut. Aber sie hat nicht mit mir schlafen wollen, und zunächst habe ich gedacht, dass sie traumatisiert ist, wie nach einer Vergewaltigung, und Zeit und Behutsamkeit und Zärtlichkeit braucht, aber dann habe ich mich gefragt, ob sie mich noch liebt. War ein Stück ihres Herzens beim Attaché geblieben? War es mit ihm am Ende gar nicht so schlimm gewesen?«

»Mit dem Attaché?«

»Ja, er hat sie entführen lassen.«

»Der Attaché? Ist er verurteilt worden?«

»Sie brauchte, damit sie von Genf nach Berlin fliegen konnte, einen vorläufigen Personalausweis, und wir fuhren zum deutschen Botschafter nach Bern und haben ihm alles erzählt. Er sprach mit der Schweizer Polizei, die sagte, wir sollten in Deutschland mit der deutschen Polizei reden. Die deutsche Polizei sagte uns, sie könne sich nur an die Schweizer Polizei wenden. Niemand wollte politischen Ärger mit Kuwait. Wir hätten die Medien einschalten können; nach einem Bericht in der *Bild* und einem Interview im *Stern* hätten die Polizei und das Auswärtige Amt vielleicht etwas getan. Aber wir wollten uns nicht den Medien ausliefern.«

»Sie haben Ihre Freundin verdächtigt, obwohl sie …«

»Obwohl sie geflohen ist?« Er nickte ein paarmal. »Ich verstehe Ihre Frage. Ich habe es mich selbst immer wieder gefragt. Aber überwältigt werden, genommen werden, benutzt werden kann seinen sexuellen Reiz haben, für Frauen wie für Männer. Sie hatte mit ihm geflirtet und er mit ihr. Sie wollte nicht ihr Leben in seinem Harem verbringen. Also musste sie fliehen. Aber das heißt nicht, dass sie nicht das sexuelle Erlebnis ihres Lebens mit ihm hatte. Dass sie sich mir verweigert hat und dass ich sie verdächtigt habe, war auch nicht alles. Sie hat auch mich verdächtigt. Ich hätte sie mit der Reise nach Kuwait in Gefahr gebracht, und ich hätte nach der Entführung nicht alles getan, was ich hätte tun können.«

Die Kabinenbeleuchtung ging an, und die Stewardessen kümmerten sich um das Erbrochene jenseits des Gangs, den jammernden Passagier vor mir und das heruntergefallene Gepäck hinter mir. Mein Nachbar redete weiter, aber ich horchte auf das Brummen der Motoren, das falsch klang, und hörte ihm nicht mehr zu. Bis ich ihn sagen hörte:

»Aber sie war tot.«

»Tot?«

»Es waren nur zwei Stockwerke, und ich dachte, dass sie sich was gebrochen hat, die Beine, einen Arm. Aber sie war tot. Sie ist mit dem Kopf aufgeschlagen.«

»Wie ...«

»Ich habe sie gestoßen, aber sie hatte mich geschlagen. Ich wollte sie nur abwehren, ich wollte mich nicht noch mal schlagen lassen. Ich weiß, ich hätte sie nicht stoßen sollen. Wir hätten nicht streiten sollen. Aber wir haben damals viel gestritten, wir haben eigentlich nichts anderes mehr getan. Wir sind auch nicht das erste Mal körperlich aneinandergeraten. Aber es war das erste Mal auf dem Balkon, und meine Freundin war groß und das Geländer niedrig. Ich habe noch nach ihren Armen gegriffen und sie zu halten versucht, aber sie hat meine Hände weggeschlagen.« Er schüttelte den Kopf. »Ich denke, sie wusste nicht, was ihr drohte und was sie tat. Aber ich weiß es nicht. Wie, wenn sie lieber sterben als sich von mir retten lassen wollte?«

6

Ich fasste wieder seine Hand und drückte sie. Wie soll ein Mensch mit einer solchen Frage leben? Aber dann klang mir nicht nur das Brummen der Motoren falsch. »Sagten Sie nicht, Ihre Geschichte sei in allen Zeitungen und auf allen Kanälen gewesen? Die Medien interessieren sich doch nicht für einen Sturz vom Balkon!«

Er ließ sich Zeit. »Da war noch die Sache mit dem Geld.«

»Geld?«

»Nun«, er redete langsam und bekümmert, »der Attaché hat ihr erzählt, dass er sie von mir gekauft hat. Sie hat es nicht wirklich geglaubt, aber es hat sie doch beschäftigt, und daher hat sie mich manchmal danach gefragt und manchmal mit ihrer Freundin darüber gesprochen. Nach ihrem Tod hat es die Freundin der Polizei erzählt.«

»Das war alles?«

»Die Polizei hat das Geld auf meinem Konto gefunden. Als die drei Millionen eingingen, versuchte ich sofort, sie zurückzuüberweisen. Aber sie waren bar eingezahlt worden, in Singapur oder Delhi oder Dubai, und konnten nicht zurücküberwiesen werden.«

»Jemand hat einfach so drei Millionen auf Ihr Konto überwiesen?«

Er seufzte. »Als wir uns kennenlernten, hat der Attaché manchmal Witze gemacht und den Beduinen gespielt, der noch nach seinen Gepflogenheiten lebt. Ah, schöne blonde Frau! Tauschen Frau? Wollen Kamele? Ich habe das Spiel mitgespielt, und wir haben gehandelt und gefeilscht. Den Preis eines Kamels haben wir mit dreitausend angesetzt, und den Preis meiner Freundin habe ich auf tausend Kamele hochgetrieben. Es war ein Spiel.«

Ich traute meinen Ohren nicht. »Ein Spiel? Bei dem Sie schließlich lachend okay gesagt und eingeschlagen haben? Und als Sie nach Kuwait reisten, hatten Sie keine Angst, dass aus dem Spiel Ernst wird?«

»Angst? Nein, ich hatte keine Angst. Ich war ein bisschen neugierig, ob er das Spiel weiterspielen und mir tausend Kamele zeigen oder Rennpferde oder Sportwagen anbieten würde. Gekitzelt hat's mich, aber nicht geängstigt.« Er legte mir wieder die Hand auf den Arm. »Ich weiß, dass ich einen furchtbaren Fehler gemacht habe. Aber wenn Sie den Attaché kennen würden, würden Sie mich verstehen. In England auf einer Public School erzogen, gebildet, witzig, weltläufig – ich dachte wirklich, wir spielen ein harmloses interkulturelles Spiel.«

»Aber als Ihre Freundin verschwunden war … Jedenfalls, als das Geld kam, wussten Sie, wer sie hatte. Wann kam es?«

»Als ich aus Kuwait zurückkam, war es auf meinem Konto. Was hätte ich machen sollen? Nach Kuwait fliegen und dem Attaché sagen, er solle sein Geld wieder nehmen und mir meine Freundin wiedergeben? Mich, wenn er mir ins Gesicht lacht, beim Emir beschweren? Unseren Außenminister bitten, er soll mit dem Emir sprechen? Hätte ich ein paar Kerle von der Russenmafia engagieren und mit ihnen die Anlage aufrollen sollen, in der der Attaché gewohnt und sie vermutlich gefangen gehalten hat? Ich weiß, ein richtiger Mann, der seine Frau liebt, haut sie raus. Wenn er dabei zugrunde geht, geht er dabei zugrunde. Besser mit Anstand sterben als in Feigheit leben. Ich weiß auch, dass ich mit drei Millionen eigentlich genug Geld hatte, um mir die Russen und die Waffen und den Hubschrauber und was man sonst noch braucht zu besorgen. Aber das ist Film. Das ist nicht meine Welt. Das kann ich nicht. Die Kerle von der Russenmafia würden mir einfach mein Geld abnehmen, und die Waffen wären verrostet, und der Hubschrauber hätte einen Getriebeschaden.«

7

Ich hatte die Motoren vergessen. Aber der Pilot hatte das falsche Brummen auch gehört und vielleicht Lämpchen aufleuchten und Zeiger ausschlagen gesehen. Er meldete sich aus dem Cockpit und kündigte an, wir würden in einer Stunde in Reykjavik landen. Es bestehe kein Grund zur Sorge; mit dem kleinen Problem, das es vielleicht gebe, könnten wir bis Frankfurt fliegen, aber zur Sicherheit wolle er es in Reykjavik prüfen lassen.

Die Ankündigung ließ die Passagiere unruhig werden. Kein Grund zur Sorge? Warum lande er, wenn wir weiterfliegen könnten? Könnten wir doch nicht weiterfliegen? Sei die Situation dann nicht doch gefährlich? Andere tauschten aus, was sie über Reykjavik und Island wussten, über die hellen Sommer und die dunklen Winter, die Geysire und die Schafe, die Islandponys und das Islandmoos. Rücklehnen wurden hochgefahren, Tische und Monitore ausgeklappt, Stewardessen gerufen. Die Passagiere wurden munter, laut, geschäftig. Bis einer entdeckte, dass aus einem Triebwerk schwarzer Rauch kam. Die Nachricht ging von Mund zu Mund, und wer sie weitergegeben hatte, verstummte. Binnen kurzem war es im Flugzeug still.

Mein Nachbar flüsterte: »Vielleicht hat im Gewitter ein Blitz ins Triebwerk eingeschlagen. Ich habe mir sagen lassen, das kommt oft vor.«

»Ja.« Auch ich flüsterte. Ich meinte, das Triebwerk knirschen zu hören, als sei ihm etwas in die Turbine geraten, das es vergebens versuche kleinzumahlen. Als sei es verletzt und erschöpft und könne nicht mehr. Ich hatte Angst, und zugleich ergriff mich das Geräusch der wunden Maschine wie das Ächzen eines wunden Menschen. »Was haben Sie mit dem Geld gemacht?«

»Ich weiß, ich hätte es nicht anrühren, ich hätte es liegenlassen sollen. Aber ich habe ein Händchen für Geld. Ich habe immer schon mein bisschen Geld angelegt und jeden Fonds, jeden Index geschlagen.« Er hob entschuldigend die Arme. »Jetzt hatte ich richtig Geld. Jetzt konnte ich endlich loslegen. Ich habe aus den drei Millionen in drei Jahren fünf gemacht. Wem hätte es genützt, wenn das Geld nicht gearbeitet hätte? Niemandem hätte es genützt. Kennen Sie das Gleichnis von den anvertrauten Pfunden? Von dem Herrn, der seinen drei Knechten je zehn Pfunde gibt und nach seiner Rückkehr die beiden Knechte, die mit dem Geld gearbeitet haben, belohnt und den, der das Geld einfach hat liegenlassen, bestraft? Wer hat, dem wird gegeben, wer aber nicht hat, dem wird auch das genommen, was er hat. So ist es.

Aber vor Gericht merkte ich, dass die anderen kein Verständnis dafür hatten.« Er schüttelte den Kopf. »Die Richter redeten mit mir, als hätte ich meine Freundin tatsächlich verkauft. Warum hätte ich sonst das Geld genommen und mit ihm gearbeitet? Als hätte ich sie umgebracht. War sie hinter alles gekommen und hatte mir gedroht oder mich erpresst? Der Staatsanwalt konnte es nur nicht beweisen. Bis die Nachbarin auftauchte.«

8

Ich hatte das Triebwerk und den schwarzen Rauch nicht im Auge, aber das Knirschen im Ohr. Bis es aufhörte. Zugleich ging ein Seufzen durchs Flugzeug, ein Seufzen der Passagiere, die das Triebwerk sahen, aus dem gerade ein Feuerstoß gekommen war.

Mein Nachbar zitterte und hielt sich mit beiden Händen

an den Lehnen fest. »Ich kann mir nicht helfen, ich habe Angst beim Fliegen, auch wenn ich, ich weiß nicht, wie oft, um die Erde geflogen bin. Wir sind nicht dafür geschaffen, durch den Himmel zu fliegen und aus zehntausend Meter Höhe vom Himmel auf die Erde oder ins Meer zu fallen. Zugleich ist mein Kopf mit dem Tod beim Absturz völlig einverstanden. Man weiß, es ist bald so weit, trinkt noch ein Glas Champagner, nimmt vom Leben Abschied, und bums ist es vorbei.« Er hatte wieder geflüstert, aber bei »bums« die Stimme erhoben und in die Hände geklatscht. Die Stewardess kam, und er bestellte Champagner. »Sie auch?«

Ich schüttelte den Kopf.

Als die Stewardess eingeschenkt hatte, redete er weiter. »Wissen Sie, ich fühle mich in einem neuen Haus, einem neuen Stadtviertel erst wohl, wenn ich mit den Menschen vertraut bin. Wenn ich über das Leben der Frau im Zeitungsladen Bescheid weiß und ihr morgens nicht mehr sagen muss, was ich haben will. Wenn ich den Apotheker so gut kenne, dass er mir das rezeptpflichtige Medikament auch ohne Rezept gibt. Wenn der Italiener ein paar Häuser weiter mir die Pasta macht, die nicht auf der Karte steht.

Die Nachbarin, die von ihrem Balkon auf meinen schauen kann, ist eine alte Dame, die sich mit dem Gehen und erst recht mit dem Tragen schwertut und der ich oft über die Straße und die Treppe hoch und mit den Einkäufen geholfen habe. Ich mag sie, und sie mag mich auch. Während des Prozesses ruft sie mich an und bittet mich zu sich und sagt mir, dass sie sich hoffentlich irrt, aber vor Gericht nur sagen kann, was sie gesehen hat, und dass es für sie jedenfalls so ausgesehen hat, als hätte ich meine Freundin nicht nur geschubst, sondern über das Geländer gedrückt. Sie hat sich furchtbar gequält und bei mir entschuldigt und mir versichert, dass sie denkt, dass sich alles aufklärt. Sei es wirklich ich gewesen, der an dem fraglichen Abend mit meiner Freundin gekämpft hat? Sie habe mich nicht erkennen können.

Was für eine Chance hätte mein Verteidiger vor Gericht gegen eine reizende alte Dame gehabt, ehemals Lehrerin, im Kopf wach und klar, die mich auch noch mag? Dazu kam ein alter Freund meiner Freundin, ein bekannter Journalist, der dafür sorgte, dass der Fall Schlagzeilen machte und ich schlecht aussah. Sie kennen diese alten Freunde, die Frauen manchmal haben? Aus der Schule oder schon aus dem Kindergarten? Die bei der Frau nicht landen, sie aber mit Anhänglichkeit und Unterwürfigkeit durchs Leben begleiten? So dass die Frau sich fragt, warum ihr Partner nicht auch so anhänglich und unterwürfig ist? Er mochte mich nicht, auch wenn er nichts über die Sache wusste. Dass meine Freundin und ich zusammen waren, genügte.

Ich wollte nicht ins Gefängnis. Weil ich nur wegen fahrlässiger Tötung angeklagt war, war ich nicht in Untersuchungshaft und mein Geld nicht beschlagnahmt. Ich habe das Geld auf die Virgin Islands geschafft und mich am Abend, bevor die alte Dame aussagen sollte, aus Deutschland verabschiedet.«

Es ließ mir keine Ruhe. »Haben Sie Ihre Freundin geliebt? Sie hat in Ihrer Geschichte nicht einmal einen Namen.«

»Ava. Ihre Mutter schwärmte für Ava Gardner. Ja, ich habe sie geliebt. Sie war wunderschön, und wir hatten nie Probleme miteinander, ich meine, bis wir die schlimmen Probleme miteinander bekamen. Mit ihr zusammen auftreten, auf einem Empfang oder bei einer Premiere oder auch nur im Restaurant, mit ihr im Cabriolet durch die Stadt oder auch übers Land fahren, mit ihr über den Markt bummeln, mit ihr in einem Hotel am Strand Urlaub machen – wir waren ein Paar, das sich sehen lassen konnte, und wir ließen uns gerne sehen. Das klingt ein bisschen oberflächlich? Das klingt nicht nach Leidenschaft, sondern nach Eitelkeit? Es war nicht oberflächlich. Wir liebten beide das gute Leben. Wir mochten beide, wenn die Welt schön war und wir schön in die schöne Welt treten konnten. Wir mochten es nicht nur, wir liebten es leidenschaftlich. Unsere Leidenschaft war anders, nicht himmelhoch jauchzend, zu Tode betrübt, nicht Sturm und Drang. Aber es war eine echte, tiefe Leidenschaft.«

»Warum sind Sie, als es nicht mehr schön war, nicht gegangen? Warum haben Sie Ava nicht gehen lassen?«

»Das verstehe ich auch nicht. Als sie anfing, mich zu verhören und zu beschuldigen und zu verurteilen, konnte ich es einfach nicht auf mir sitzenlassen. Ich musste mich verteidigen, ich musste sie auch angreifen. Ich wollte, dass sie mich respektiert.«

»Haben Sie sie um Verzeihung gebeten?«

»Sie wollte, dass ich sie um Verzeihung bitte.«

Ich wartete, aber er beantwortete meine Frage nicht. Ehe ich mich entscheiden konnte, ob ich die Frage wiederholen oder auf sich beruhen lassen sollte, setzte das Flugzeug mit sanftem Ruck auf der Rollbahn in Reykjavik auf.

9

Die Stewardess hieß uns in Reykjavik willkommen und sagte die Ortszeit mit zwei Uhr an. Die Rollbahnen waren leer, die Gebäude lagen dunkel, und das Flugzeug hatte den Anlegefinger bald erreicht. Wir wurden aufgefordert, unser Handgepäck mitzunehmen; vielleicht gehe es mit einem anderen Flugzeug weiter.

Auch in dieser Situation wurde die Form gewahrt; wir Passagiere der ersten Klasse wurden vom oberen zum unteren Deck und aus dem Flugzeug geleitet, während die Passagiere der anderen beiden Klassen warteten. In der Lounge, die eigens aufgemacht worden war, saßen die Passagiere der ersten und der Business-Klasse zusammen. Wieder standen an der Bar die Passagiere der ersten Klasse, die schon in New York an der Bar gestanden hatten. Es gab keinen Champagner, und wer nicht selbst eine Geschichte von einem Flugzeugunfall oder -beinaheunfall zu erzählen hatte, hörte den Geschichten der anderen lustlos zu. Warum sollte er sich für Gefahren interessieren, denen andere entronnen waren?

Wieder stand mein Nachbar stumm dabei. Ich sah manchmal zu ihm hin, und er lächelte zurück, und sein Lächeln war leise und sanft wie sein Lachen. Sonst hörte ich den Geschichten zu. Bis ein Glas auf dem Boden zersprang. Der Erzähler unterbrach seine Geschichte, die Zuhörer wandten den Kopf. Meinem Nachbarn war das Glas entglitten. Aber er bückte sich nicht nach den Scherben und wischte sich nicht die Flecken von der Hose. Er rührte sich nicht.

Ich ging zu ihm und legte ihm die Hand auf den Rücken. »Kann ich Ihnen helfen?«

Er hatte Mühe, mich wahrzunehmen und mir zu antworten. »Er ... er ist ...« Er spürte die Blicke der anderen und redete nicht weiter. Ein Kellner kam, kehrte die Scherben zusammen und wischte den Wein auf. Ich wollte meinen Nachbarn zum Fenster führen, wo es ruhiger war. Aber er wehrte mit eigentümlich quengelnder Stimme ab. »Nein, nicht ans Fenster.« Ich sah mich um. Auch bei den Ständern mit den Zeitungen war es ruhiger.

»Soll ich einen Arzt ausrufen lassen?«

»Einen Arzt ... Nein, ein Arzt kann mir nicht helfen.« Er atmete ein paarmal tief ein und aus. Dann hatte er sich wieder in der Gewalt. »Dort am Fenster, der Mann im hellen Anzug – ich wusste, dass er mir folgt, aber ich dachte, ich sei ihm ein oder zwei Flugzeuge voraus. Er hat mich vor zwei Jahren angeschossen. Ich weiß nicht, ob er mich erschießen wollte und ich Glück hatte oder ob er mir einen Denkzettel verpassen wollte.«

»Er hat auf Sie geschossen? Haben Sie ihn angezeigt?«

»Krankenhäuser rufen die Polizei, wenn sie Schussverletzungen behandeln. Ich habe ihn beschrieben und wieder Bilder angeschaut, aber es hat zu nichts geführt. In Kapstadt, wo es passiert ist, wird auch sonst mal geschossen, und die Polizei meinte, vielleicht sei ich einfach zwischen die Fronten geraten. Ich wusste es besser. Aber was hätte es genützt, das der Polizei zu erzählen?«

Ich wartete, ob er es mir erzählen würde.

»Als ich Deutschland verließ, bin ich hierhin und dorthin geflogen und schließlich in Kapstadt geblieben. Wenn Sie Geld haben und sich richtig bewegen, lässt man Sie in Südafrika in Ruhe. Ich hatte am Rand von Kapstadt das Pförtnerhaus eines Weinguts gemietet, das Meer auf der einen, Weinberge auf der anderen Seite, ein kleines Paradies. Aber nach ein paar Monaten bekam ich seinen Brief. Er hatte sich nicht als Absender auf die Rückseite des Umschlags gesetzt, das musste er auch nicht. Die Geschichte, die er mir schickte, sagte alles. Einem Scheich läuft eine Frau mit einem anderen Mann davon. Sie ist seine Lieblingsfrau, sein Augapfel, jung und schön wie der Morgen. Der Scheich ist traurig, aber obwohl er ein stolzer Mann ist, hat er ein großes Herz und versteht, dass eine Frau, die liebt, ihrer Liebe folgt. Jahre später tötet der neue Mann die Frau im Zorn. Der Scheich, der toleriert hat, dass sein Eigentum seiner eigenen Wege geht, toleriert nicht, dass jemand anderes sein Eigentum zerstört. Also lässt er den neuen Mann erschlagen.

Als ich am nächsten Morgen mit dem Auto vom Grundstück auf die Straße bog, stand der Mann mit dem hellen Anzug auf der anderen Straßenseite. Er trägt immer einen hellen Anzug, und immer ist der Anzug ein bisschen zu groß. Er könnte armselig und lächerlich aussehen. Aber da ist eine Drohung in seiner Haltung und seinen Bewegungen und seinem Gang, und er sieht nicht armselig und lächerlich aus, sondern bedrohlich. Im Rückspiegel sah ich ihn über die Straße gehen und in ein Auto steigen, und wenig später sah ich sein Auto meinem folgen.«

10

Er ging ein paar Schritte zu einem Stuhl, drehte ihn so, dass er den Mann im hellen Anzug nicht sehen konnte, setzte sich, legte die Arme auf die Knie, faltete die Hände und ließ den Kopf hängen. Ich holte einen anderen Stuhl und setzte mich ihm gegenüber.

»Dann hat er in Kapstadt auf Sie geschossen?«

»Ich sah ihn in den nächsten Wochen immer wieder. Er lehnte an der Laterne gegenüber dem Restaurant, in dem ich aß, er stand vor der Buchhandlung, aus der ich kam und vor der er noch nicht gestanden hatte, als ich hineinging, er saß mir gegenüber, als ich im Bus von der Zeitung aufsah. Ich hatte das Meer vor der Tür und machte jeden Morgen und jeden Abend einen langen Spaziergang am Meer. Als er mir eines Abends am Meer entgegenkam, bin ich zu Hause geblieben. Aber manchmal musste ich doch raus, und als ich in Kapstadt Einkäufe machte, hat er auf mich geschossen. Am helllichten Tag, auf offener Straße.

Nach ein paar Tagen im Krankenhaus habe ich wieder das Fliegen angefangen und Haken um Haken geschlagen und schließlich gehofft, ich hätte ihn abgeschüttelt. Er hat auch ein ganzes Jahr gebraucht, bis er mich wieder fand.«

Ich sah zum Mann im hellen Anzug. Er richtete seine Augen auf mich, als spiele er mit mir das Kinderspiel, bei dem es den Blick des anderen ohne Blinzeln auszuhalten und zu erwidern gilt. Nach einer Weile sah ich weg.

Mein Nachbar lächelte. »Was für ein Jahr! Ich liebe das Meer und habe wieder ein Haus am Meer gefunden, diesmal in Kalifornien. Auch in Amerika lässt sich's, wenn man Geld hat und sich richtig bewegt, unerkannt und unbehelligt leben. Zuerst war mir lästig, dass ich meine Kreditkarten nicht benutzen konnte; sie hinterlassen eine Spur. Aber wenn man's nicht eilig hat, geht es auch ohne Kreditkarten. Der Vermieter wollte ohnehin lieber Bares als Plastik; vermutlich betrog er das Finanzamt.

Kennen Sie die Küste nördlich von San Francisco? Manchmal felsig und rauh, dann wieder sandig und sanft, der Pazifik abweisender und unerbittlicher als jedes andere Meer, die zum Meer abfallenden Berge morgens nebelverhangen und dann, in der Mittags- und Abendsonne, mit ihrem trockenen braunen Gras golden leuchtend – es ist, als würde die Welt in ihrer Schönheit jeden Tag neu erschaffen. Mein Haus lag am Hang, so weit unterhalb der Straße, dass ich den Verkehr nicht hörte, und so nahe am Meer, dass mich sein Rauschen vom Morgen bis zum Abend begleitete, nicht laut und bedrohlich, sondern leise und versöhnlich. Ah, und die Sonnenuntergänge! Besonders mochte ich die in Rot und Rosa, Gemälde von verschwenderischer Farbenpracht. Aber berührt haben mich ebenso die verhaltenen, bei denen die Sonne blass in den Dunst über dem Meer eintaucht und spurlos verschwindet.«

Er lachte leise, ein bisschen ironisch, ein bisschen verlegen. »Ich bin ins Schwärmen gekommen? Ja, das bin ich wohl. Ich könnte noch viel mehr schwärmen: von der kräftigen, salzigen Luft und den Gewittern und den Regenbogen über dem Meer und dem Wein. Und von Debbie, die schön und blond war und auch nicht durch das Leben ging, sondern durch das Leben tanzte. Sie war Avas Wiedergängerin, aber während die Wiedergängerinnen, von denen wir

150

lesen, den Lebenden übelwollen, wollte Debbie mir gut. Sie wohnte eine halbe Stunde weiter, hatte ein Haus auf dem Berg, ein Pferd und einen Hund und malte Illustrationen für Kinderbücher. Sie war gut – weil sie ein Gespür für den Augenblick hatte, wie Kinder es haben? Sie lebte im Augenblick, und ohne sie hätte ich mein letztes Jahr in Freiheit nicht so genossen, wie ich es genossen habe.«

»Ihr letztes Jahr in Freiheit?«

Er zeigte mit dem Kopf zum Mann im hellen Anzug. »Nach einem Jahr stand er wieder an der Einfahrt zu meinem Grundstück. Ich hätte ihn umbringen können – o ja, ich hatte mir Waffen besorgt und schießen gelernt und traf mit dem Zielfernrohr auf große Entfernung. Aber dann wäre ein anderer gekommen. Ich dachte, vielleicht ist der Attaché zufrieden, wenn ich in Deutschland vor Gericht stehe, und akzeptiert das Urteil, wie immer es ausfällt. Vielleicht ist danach Ruhe.«

»Sie wollen sich stellen?«

»Deshalb fliege ich nach Deutschland. Wenn es geht, möchte ich nicht gleich bei der Passkontrolle im Flughafen festgenommen werden. Ich würde gerne zuerst meine Mutter sehen und mit meinem Verteidiger reden. Es kommt besser an, wenn man mit dem Verteidiger zum Richter geht und sich stellt, als wenn man von der Polizei festgenommen und vorgeführt wird. Ich weiß noch nicht, wie …« Er wandte sich mit seinem leisen, sanften Lächeln an mich. »Wollen Sie mir Ihren Pass leihen? Wir sehen einander hinreichend ähnlich. Sie sagen, die Brieftasche sei Ihnen gestohlen worden, und kriegen ein bisschen Ärger, aber schlimm wird's nicht werden. Das Schlimme, wenn einem die Brieftasche gestohlen wird, ist, dass man sich alles neu besorgen muss, und darum müssen Sie sich keine Sorge machen. Nach ein paar Tagen finden Sie die Brieftasche in Ihrer Post.«

Ich sah ihn nur an.

»Das kam ein bisschen plötzlich? Tut mir leid. Wie wäre es, wenn wir beide eine Mütze Schlaf nähmen?« Er sah sich um. »Am Fenster ist noch ein Sessel frei und einer bei der Garderobe – Sie verstehen, dass ich den am Fenster Ihnen überlasse und mir den anderen nehme?« Er stand auf. »Gute Nacht. Ich danke Ihnen für Ihr Zuhören.« Er holte bei der Bar seinen Koffer, nahm Mantel und Hut von der Garderobe, setzte sich, legte die Beine auf den Koffer, deckte sich mit dem Mantel zu und zog den Hut übers Gesicht.

II

Ich trat ans Fenster. Draußen war heller Tag. Die Sonne war rot aufgegangen und hing jetzt gelb am weißen Himmel. Es ist ein alter Traum von mir, im Sommer nach Petersburg zu fahren und die weißen Nächte zu erleben. Hier hatte ich meine weiße Nacht. Aber statt auf Wasser, Brücken, flanierende Menschen und verliebte Paare sah ich auf leere Rollbahnen, dunkle Anlegefinger und Betonbauten. Kein Flugzeug, kein Auto, kein Mensch war unterwegs.

In der Lounge war es ruhig geworden. Niemand sah fern, niemand trank an der Bar, niemand redete. Manche hatten den Computer aufgeschlagen, manche ein Buch. Viele versuchten zu schlafen, einige hatten sich auf dem Boden ausgestreckt. Ich ging an den Schalter am Eingang und fragte, wie es um den Weiterflug stehe. Die junge Frau hatte gehört, in Frankfurt werde ein Flugzeug bereitgestellt. Vor acht werde es nicht da sein, vier Stunden dauere es bis zum Weiterflug sicher noch.

Ich ging zurück, zog den freien Sessel aus dem Licht des Fensters in den Schatten der Wand und setzte mich. Hier konnte mich der Mann im hellen Anzug nicht mehr sehen. Davor hatte er, wann immer ich zu ihm sah, seine Augen auf mich gerichtet.

Es ist wohl an der Zeit, dass ich mich vorstelle. Mein Name ist Jakob Saltin, ich habe Physik studiert, mich auf Verkehrsströmungslehre spezialisiert und leite das Institut für Verkehrswissenschaft an der Universität Darmstadt. Wie viele Züge brauchen wie viele Gleise, wie viele Autos wie viele Spuren? Wie werden Staus verursacht und wie vermieden? Wo müssen Ampeln stehen, und wo dürfen sie nicht stehen? Wie werden sie optimal geschaltet? Es ist eine faszinierende Wissenschaft. Aber sie ist nüchtern wie alle Wissenschaft, und ich bin es auch.

Ich lese keine schöne Literatur mehr – wann sollte ich die Zeit dazu finden? Aber vor Jahren habe ich eine Geschichte gelesen, in der ein Reisender einem anderen Reisenden erzählt, dass er seine Frau umgebracht hat. Sie hatte einen Liebhaber – hat er ihn auch umgebracht? Jedenfalls hat er aus Leidenschaft und Verzweiflung gehandelt, ihm waren die Musik und der Alkohol zu Kopf gestiegen. Mit dem Alkohol bin ich mir nicht sicher, aber mit der Musik. Wenn ich mich recht erinnere, hat der eine Reisende dem anderen nur zugehört. Der andere hat ihn um nichts gebeten.

Mein Nachbar hatte seine Geschichte an mir ausprobiert.

Er musste sie demnächst der Polizei, dem Staatsanwalt und dem Richter erzählen und wollte wissen, wie sie ankam. Was für eine Figur er in ihr machte. Was er auslassen und was er ausschmücken musste. Hatte er gerade mich als Zuhörer gewählt, weil wir einander in Gestalt, Gesicht und Alter tatsächlich einigermaßen ähneln? Hatte er mich von Anfang an um meinen Pass bitten wollen? Und mich mit seiner Geschichte so berühren, dass ich ihm die Bitte nicht abschlagen konnte?

Aber nein, der Flug war ausgebucht; er hatte sich den Sitz nicht aussuchen können und mich als Zuhörer auch nicht. Warum war ich so misstrauisch? Die Russenmafia ist nicht seine Welt, hatte er gesagt – diplomatische Empfänge in Berlin, Picknicks in der kuwaitischen Wüste, teure Häuser an der Küste Afrikas und Amerikas und Spekulationen mit Frauen, Kamelen und Millionen sind nicht meine. Er wusste nicht, wie oft er schon um die Welt geflogen war – ich war noch nie um die Welt geflogen und wäre nicht in der ersten Klasse gesessen, wenn nicht die Business-Klasse überbucht gewesen wäre und ich ein Upgrade bekommen hätte. Für die Welt, aus der mein Nachbar mir erzählt hatte, habe ich kein Gespür. Hatte ich es für meinen Nachbarn? Hatte er seine Freundin ermordet?

Für uns Verkehrswissenschaftler sind Unfälle Parameter unter anderen. Ich bin nicht zynisch, aber ich bin auch nicht sentimental. Ich weiß, dass es Unfälle auch bei der Gattung Mensch gibt. Es gibt Menschen, in denen nichts steckt als die Gier nach dem schnellen Geld und dem leichten Leben. Ich kenne sie als Studenten und als Kollegen, in der Wirtschaft und in der Politik. Nein, mein Nachbar gehörte nicht dazu.

Er suchte nicht das leichte Leben, sondern das schöne. Er gierte nicht nach Geld, er spielte damit.

Oder bestand zwischen beidem kein Unterschied? Das Schwierige im Leben ist zu wissen, wann man an seinen Prinzipien festhalten muss und wann man ab- und zugeben darf. Ich weiß es in meinem Metier. Aber sonst?

Dann schlief ich ein. Ich schlief nicht tief; ich hörte, wenn ein Koffer umfiel, wenn ein Handy laut klingelte und wenn jemand die Stimme hob. Um halb acht informierte uns der Lautsprecher, dass in einer Stunde ein Flugzeug landen und uns nach Frankfurt bringen werde. Am Büfett gebe es Frühstück.

Mein Nachbar kam zu mir. »Wollen wir?« Wir gingen zum Büfett, nahmen Kaffee und Tee, Croissants und Joghurt und setzten uns an einen Tisch. »Sie konnten schlafen?« Wir hatten eine höfliche Konversation über das Schlafen auf Reisen und die Qualität von Flugzeugsitzen und Sesseln in Lounges.

Als wir aufgefordert wurden, zum Flugzeug zu gehen, gingen wir zusammen los. Auf den Gängen waren Menschen unterwegs, die Läden hatten geöffnet, und auf den Tafeln und über die Lautsprecher wurden Ankünfte und Abflüge mitgeteilt. Der Flughafen war aufgewacht.

12

Auch beim Flug von Reykjavik nach Frankfurt saßen wir nebeneinander. Wir redeten nicht mehr viel. Er fragte mich nach Frau und Kindern. Ich bin wortkarg, wenn es um meine Frau geht, die gestorben ist, und um meine Tochter, die mich verlassen hat. Dass meine Frau noch am Leben und meine Tochter noch bei mir wäre, wenn ich beiden mehr gegeben hätte – wie sollte ich davon erzählen? Vielleicht stimmt es auch nicht und mache ich mir unnötige Vorwürfe. Ich wartete, ob er mich noch mal um meinen Pass bitten würde. Eigentlich mag ich nicht in fremder Leute persönliche Probleme hineingezogen werden. Ich habe genug damit zu tun, die Probleme des Verkehrs zu lösen. Sie verlangen meinen ganzen Einsatz, und sie sind den Einsatz wert; würden sie gelöst, wäre die Welt ein besserer Ort. Ich bin stolz darauf, dass ich für Mexiko ein Verkehrskonzept entwickelt habe, das den Verkehr, der Tag um Tag stockte, wieder zum Fließen und die Stadt, die erstickte, wieder zum Atmen gebracht hat. Oder doch hätte bringen können, wenn die Politiker das Verkehrskonzept richtig umgesetzt hätten.

Aber mein Nachbar war kein Fremder mehr. Ich hatte im Dunkel neben ihm gesessen, mit ihm eine Flasche Pinot Noir geleert, seine Geschichte angehört, ihn belebt und bewegt und verstört gesehen, seine Hand gedrückt und ihm meine Hand auf den Rücken gelegt. Ich war entschlossen, ihm meinen Pass zu geben.

Aber er kam auf seine Bitte nicht zurück, und ich dränge mich nicht auf. Wir saßen auf dem oberen Deck in der letzten Reihe, und als das Flugzeug in Frankfurt seine Parkposition am Anlegefinger erreicht hatte, waren wir als Erste im unteren Deck und an der Tür. Als das Signal zum Öffnen gegeben wurde, umarmte er mich. Ich kann der heutigen Umarmungs- und Küsschen-Küsschen-Kultur eigentlich nichts abgewinnen. Aber ich erwiderte seine Umarmung; zwei Männer waren sich begegnet, zwei Fremde in der Nacht, hatten miteinander geredet, hatten einander nicht alles gegeben, was sie einander hätten geben können, aber waren einander nahegekommen. Vielleicht erwiderte ich die Umarmung auch besonders herzlich, weil ich Champagner getrunken hatte und ein bisschen beschwipst war.

Dann wurde die Tür geöffnet, und mein Nachbar rollte seinen Koffer nicht, sondern nahm ihn auf und rannte los. Im Flughafengebäude sah ich ihn nicht mehr. Ich sah ihn auch nicht an der Passkontrolle. Er war weg.

13

Mit meinem Pass. Als ich an der Passkontrolle nach der Brieftasche griff, war sie nicht da. Ich habe nicht weitergesucht; meine Brieftasche hat ihren Platz in der linken Innentasche, und wenn sie da nicht ist, ist sie nicht da. Ich weiß, wo meine Sachen sind.

Während des Flugs war meine wie seine Jacke in Verwahrung der Stewardess gewesen; mein Nachbar musste die Stewardess irgendwann um seine Jacke gebeten, aber meine Sitznummer angegeben, meine Jacke ausgehändigt bekommen und die Brieftasche herausgenommen haben. Er wollte nicht riskieren, dass ich seine Bitte abschlagen würde.

Die Polizei war freundlich. Ich sagte, dass ich den Pass in New York vorgezeigt und seitdem nicht mehr benutzt hätte. Dass ich keine Ahnung hätte, wo ich die Brieftasche verloren oder wo man sie mir gestohlen haben könnte. Ein Polizist begleitete mich zurück zum Flugzeug, aus dem die Passagiere noch ausstiegen, und ich suchte meine Brieftasche vergebens beim Sitz, in den Ablagen und im Kleiderschrank der Stewardessen. Danach wurde ich auf die Wache gebeten. Zum Glück ist mein Bild auf der Webseite der Universität und war das Büro des Dekans besetzt; es bestätigte, dass es mit mir seine Richtigkeit hat.

Ich nahm eine Taxe. Erst als wir in Darmstadt, aber noch nicht bei mir zu Hause waren, dachte ich daran, dass ich bei mir nur das Geld hatte, das ich lose in der Tasche trug, viel zu wenig für die lange Fahrt. Ich sagte es dem Fahrer und sagte ihm auch, dass ich zu Hause ausreichend Geld hätte. Aber er traute mir nicht, ließ sich geben, was ich hatte, und warf mich unter Gejammere und Geschimpfe aus dem Wagen.

Es war sehr warm, aber nicht schwül. Nach der Nacht und dem Morgen in Flugzeugen und Lounges, in der Polizeiwache und Taxe fand ich die Luft belebend, obwohl es nur die Darmstädter Stadtluft war, die an der roten Ampel nach Benzin und vor dem türkischen Imbiss nach heißem Fett roch. Mit jedem Schritt ging es mir besser; ich war beflügelt vom Gefühl, etwas geschafft zu haben. Was? Ich konnte es nicht sagen. Aber das machte nichts.

Was ich nicht sagen konnte, wollte auch niemand wissen. Es wäre anders gewesen, wenn meine Frau zu Hause auf mich gewartet oder wenn ich gewusst hätte, dass meine Tochter mich am Abend anrufen und willkommen heißen und nach meinen Erlebnissen auf der Reise fragen würde.

Am frühen Nachmittag war ich zu Hause. Mein kleines Haus hat einen kleinen Garten. Ich schlug den Liegestuhl auf und legte mich hinein. Ich stand noch mal auf und holte eine Flasche Wein und ein Glas. Ich trank und schlief ein und wachte auf, und immer noch hatte ich das gute Gefühl, etwas geschafft zu haben. Ich stellte mir meinen Nachbarn vor, wie er mit meinem Pass durch die Kontrolle ging, wie er bei seiner Mutter klingelte, sie in die Arme nahm und mit ihr Tee trank und wie er mit seinem Verteidiger redete und zum Richter ging.

14

Am nächsten Morgen ging mein Leben weiter. In den letzten Wochen des Semesters ist besonders viel zu tun; zu den Vorlesungen und Seminaren und Sitzungen kommen noch Prüfungen, und überdies holte ich nach, was ich wegen der Konferenz in New York hatte ausfallen lassen. Ich hatte keine Zeit, an meinen Nachbarn und seine Geschichte zu denken. Ja, er war ein interessanter Zeitgenosse und seine Geschichte eine interessante Geschichte. Aber das Ganze war die Sache einer Nacht gewesen, einer durch den Verlust von sechs Stunden auf dem Flug von West nach Ost erheblich verkürzten, durch den Aufenthalt in Reykjavik wieder ein bisschen verlängerten, aber insgesamt doch kurzen Nacht.

Nach einer Woche kam meine Brieftasche mit der Post. Ich war nicht erstaunt, ich hatte mich auf meinen Nachbarn verlassen. Aber ich war erleichtert; die EC- und die Kreditkarten hatten mir manchmal gefehlt.

Die Nachricht, die mein Nachbar mir in die linke Innentasche meiner Jacke gesteckt hatte, fand ich erst Wochen später. »Ich hätte Ihre Brieftasche lieber nicht genommen. Sie waren ein wunderbarer Gefährte. Aber ich brauche Ihre

Brieftasche, und Sie brauchen nicht das Problem, ob Sie meine Bitte erfüllen oder abschlagen sollen. – Mögen Sie mich im Gefängnis besuchen?«

Da hatten die Zeitungen schon gebracht, dass er sich gestellt hatte und der Prozess bald fortgesetzt würde. Als sie über den Prozess berichteten, erwähnten sie auch die alte Dame, die gesehen haben wollte, dass mein Nachbar seine Freundin nicht nur geschubst, sondern über das Geländer gezwungen hatte. Sie war nicht vor Gericht erschienen; wenige Tage bevor mein Nachbar sich gestellt hatte, war sie verschwunden. Aber ihre Aussage vor der Polizei wurde verlesen. Ich hätte gedacht, dass eine von der Polizei hieb- und stichfest protokollierte Aussage für den Angeklagten gefährlicher sei als eine Aussage vor Gericht, die der Verteidiger zerpflücken kann. Aber das Gegenteil stimmt. Einen Zeugen oder eine Zeugin auseinanderzunehmen ist schwieriger, als einem Polizisten vorzuwerfen, er habe dieses und jenes nicht gefragt und daher eine einseitige und wertlose Aussage bekommen und protokolliert.

Sie war verschwunden, wenige Tage bevor mein Nachbar sich gestellt hatte. Mir war das nicht recht. Hatte er … Nein, ich konnte es mir nicht vorstellen. Es gibt so viele Gründe, aus denen ein alter Mensch plötzlich verschwindet. Er kann auf einer Wanderung zu nahe an einen Abgrund geraten und hinunterstürzen, sich verlaufen und erschöpft niederlegen, in der Ferienwohnung einen Herzinfarkt bekommen und über Monate und Jahre nicht gefunden werden. Solche Sachen kommen immer wieder vor.

Mein Nachbar bekam acht Jahre – manchen Kommentatoren erschien die Strafe zu hoch und anderen zu niedrig.

Das Gericht hatte ihm die fahrlässige Tötung nicht abgenommen, ihn aber auch nicht wegen Mords verurteilt, sondern wegen Totschlags in der Erregung einer quälenden, schon länger andauernden, sich plötzlich zuspitzenden Auseinandersetzung.

Ich will mich nicht einmischen. Mein Metier ist der Verkehr, nicht das Strafrecht. Ich beurteile, wie der Verkehr einer Stadt vor dem Infarkt zu retten ist. Ob jemand schuldig ist, entscheiden die Richter, die tagein, tagaus nichts anderes tun.

Aber überzeugt hat mich das Urteil nicht. Eigentlich hat es seine Richtigkeit, dass, wer ein fremdes Leben nimmt, das eigene gibt. Ihn ein Leben lang einzusperren macht keinen Sinn. Was hat das Leben in der Zelle mit dem Leben zu tun, das nicht mehr ist? Weil es Fehlurteile gibt, darf es keine Todesstrafe geben, ich weiß. Aber acht Jahre? Es war eine lächerliche Strafe. Wer so straft, traut seinem eigenen Urteil nicht. Wer so straft, sollte lieber freisprechen.

Ich habe daran gedacht, meinen Nachbarn im Gefängnis zu besuchen. Aber ich tue mich schon mit Besuchen im Krankenhaus schwer. Wenn der Kranke mir leidtut, finde ich doch nicht die richtigen Worte, und wenn er mir nicht leidtut, finde ich sie erst recht nicht. Gute Besserung – das ist nie falsch. Was wünscht man dem Gefangenen?

15

Nach fünf Jahren stand er bei mir vor der Tür. Es war wieder Sommer, ein warmer später Nachmittag. Ich nahm ihm die Tasche ab, führte ihn in den Garten, schlug zwei Liegestühle auf und holte zwei Gläser Limonade.

»Seit wann sind Sie wieder frei?«

Er streckte sich. »Ist das schön hier! Die Bäume, die Blumen, der Geruch des gemähten Grases, der Gesang der Vögel. Mähen Sie den Rasen selbst? Haben Sie die Hortensien selbst gepflanzt? Ich habe gehört, dass die Farbe von Hortensien sich nach den Mineralien im Boden bestimmt. Ist es dann nicht erstaunlich, dass die blaue und die rosa Hortensie bei Ihnen so nahe beieinander wachsen? Seit wann ich wieder frei bin? Seit gestern. Ich habe die letzten Jahre auf Bewährung gekriegt und mit der Bewährung die eine und andere Auflage, aber keine, die mich hindern würde, für ein paar Tage nach Amerika zu fliegen und mich um mein Geld zu kümmern.« Er lächelte. »Sie liegen gewissermaßen auf meinem Weg nach Amerika.«

Ich sah ihn an. Im Gesicht konnte ich keine Spuren der vergangenen Jahre entdecken. Das Haar war grau, ließ ihn aber nicht älter, sondern besser aussehen. Er redete so angenehm, bewegte sich so gelassen und saß so entspannt wie damals.

»War es schlimm?«

Er lächelte wieder, und auch sein Lächeln war still und sanft wie damals. »Ich habe die Bücherei auf Vordermann gebracht, gelesen, was ich immer schon lesen wollte, und Sport getrieben. Ich habe mich mit Leuten arrangiert, mit denen ich mich lieber nicht arrangiert hätte. Aber müssen wir das nicht immer, wenn wir unter Leute gehen?«

»Was ist mit dem Mann im hellen Anzug?«

»Er stand gestern nicht vor dem Gefängnis. Ich hoffe, genug ist genug.« Er holte tief Luft. »Sie wissen, dass ich, was ich ausleihe, auch zurückgebe. Können Sie mir helfen? Im Gefängnis spart sich's nicht gut, und ich wüsste nicht, wen ich sonst um das Geld für den Flug bitten könnte. Meine Mutter ist gleich nach dem Prozess gestorben.«

»Die alte Dame, die Sie beobachtet hat ...« Es kam einfach raus. Dann wusste ich nicht weiter.

Er lachte. »Ob sie mir das Geld leiht? Ich habe Zweifel. Und ist sie damals nicht verschwunden?«

»Haben Sie ...« Wieder wusste ich nicht weiter.

»Ob ich damals die Belastungszeugin ermordet habe?« Er sah mich mit freundlichem, nachsichtigem Spott an. »Warum denken Sie so schlecht von mir? Warum denken Sie als Erstes an Mord und nicht daran, dass ich die alte Dame mit meinem Geld gekauft habe? Mit dem sie nicht ins Grab, sondern auf die Balearen oder die Kanaren verschwunden ist?« Er schüttelte den Kopf. »Denken Sie, dass Sie den Mord hätten verhindern können? Dass Sie ihn hätten verhindern müssen? Sie haben recht, wenn ein Mord passiert ist, stellen sich die Fragen.« Er schaute immer noch spöttisch. »Aber wenn einer passiert ist, kann ich es Ihnen nicht sagen. Ich muss Ihnen sagen, dass er nicht passiert ist. Sie sehen, so kommen wir nicht weiter.«

Nein, so kamen wir nicht weiter. »Wie viel Geld brauchen Sie?«

»Fünftausend Euro.« Ich muss erstaunt geschaut haben,

denn er erläuterte lächelnd: »Sie werden verstehen, dass ich zu alt bin, in der Holzklasse zu fliegen und in der Jugendherberge zu schlafen.«

»Ich kann Ihnen einen Scheck schreiben.« Ich stand auf.

»Können Sie mir das Geld auch bar geben? Ich weiß nicht, ob man mir so viel Geld ohne weiteres auszahlt.«

Es war kurz vor sechs, und die Schalter waren geschlossen. Aber mit meiner EC-Karte und meinen Kreditkarten würde ich das Geld schon zusammenkriegen. »Dann lassen Sie uns fahren.«

»Es eilt nicht. Mir ging sogar der Gedanke durch den Kopf, ob ich vielleicht Ihre Gastfreundschaft für ein paar Tage…«

Er hoffte, dass ich ihn den Satz nicht zu Ende sprechen lassen würde. Dass ich ihn erfreut einladen würde, für ein paar Tage mein Gast zu sein. Warum auch nicht? Zwar mag ich in meinem Haus keine Unordnung. Aber ich habe ein Gästeschlaf- und ein Gästebadezimmer, und was meine Gäste an Unordnung anrichten, bringt die Putzfrau wieder in Ordnung und merke ich nicht. Ich freue mich, wenn ich am Abend jemanden habe, mit dem ich ein Glas trinken und reden kann; es ist besser, als alleine zu sitzen. Aber ich reagierte nicht sofort.

»Wir hätten ein paar schöne Tage zusammen. Aber leider geht's nicht. Ich muss los, je früher, desto besser. Meinen Sie, Sie können mich zum Flughafen bringen?«

Ich fuhr mit ihm zum Flughafen, holte fünftausend Euro aus verschiedenen Automaten und gab sie ihm. Wir verabschiedeten uns, diesmal nicht mit einer Umarmung, sondern mit einem Händedruck. Sollte ich ihn einladen, mich wieder

zu besuchen? Ich konnte mich nicht schnell genug entschließen. »Alles Gute!«

Er lächelte, nickte und ging.

16

Ich sah ihm nach, bis er im Getümmel verschwunden war.
Dann ging ich aus dem Flughafen über die Straße ins Park-
haus und nahm den Aufzug aufs Dach. Ich fand mein Auto
nicht sofort und, als ich es gefunden hatte, nicht den Schlüssel in meinen Taschen. Der Himmel hatte sich bewölkt, es
wehte ein kalter Wind. Ich hörte auf zu suchen und stand
und sah auf die anderen Parkhäuser, die Hotels, den Flughafen und die Flugzeuge, die aufstiegen oder zur Landung
niedersanken. Bald würde mein Nachbar in einem der auf-
steigenden Flugzeuge sitzen.

Das war das Ende unserer Begegnung. Als wir uns das
erste Mal verabschiedet hatten, hatte ich mir keine Gedanken darüber gemacht, ob wir uns wiedersehen würden. Jetzt
wusste ich, dass es nicht geschehen würde. Würde ich eines
Tages einen Brief mit einem Scheck in meiner Post finden?

Ich fror. Was sich in seiner Gegenwart so gut angefühlt
hatte, fühlte sich auf einmal schlecht an, was so nah und
warm, auf einmal fremd und kalt. Dass ich bei seiner Erzählung mit ihm gehofft und mit ihm gebangt hatte. Dass ich
ihm den Pass gegeben hätte, wenn er ihn nicht genommen
hätte, und mein Gästezimmer, wenn er nicht geflogen wäre.
Dass ich mich darüber gefreut hatte, dass er der Polizei bei

der Einreise ein Schnippchen schlagen, seine Mutter besuchen und sich mit seinem Verteidiger beraten konnte. Dass ich ihm wider alle Vernunft geglaubt hatte, dass der Tod seiner Freundin ein Unglück und das Verschwinden der alten Dame ein Rätsel war.

Was hatte ich getan? Warum hatte ich mich auf ihn eingelassen? Warum mich von ihm benutzen lassen? Nur weil er ein stilles, sanftes Lächeln hatte, im Umgang angenehm war und einen weich fallenden, weich knitternden Anzug trug? Was stimmte mit mir nicht? Wo war meine Nüchternheit geblieben, die mich zum wachen Beobachter und klaren Denker und guten Wissenschaftler macht und auf die ich stolz bin? Ich habe sonst doch einen guten Blick für Menschen. Ich gebe zu, dass ich mir über meine Frau zunächst Illusionen gemacht hatte. Aber ich habe bald gemerkt, dass hinter ihrem hübschen Gesicht und ihrer netten Art nichts steckte, kein Gedanke, keine Kraft, kein Charakter. Und so süß ich meine Tochter fand und so lieb ich sie hatte, habe ich doch, als sie größer wurde, sofort gesehen, dass sie immer nur haben wollte und keinen Einsatz gezeigt und keine Leistung gebracht hat.

Nein, dass ich mich von diesem Menschen so hatte einwickeln lassen, war unbegreiflich.

Und dass ich so lange gebraucht hatte, bis ich schließlich ... Hatte ich meinen Verstand überhaupt nur wiedergewonnen, weil ein kalter Wind wehte? Würde ich, wenn es warm geblieben wäre, immer noch ...

Ich sah ein Flugzeug aufsteigen, einen Jumbo der Lufthansa. Auf dem Weg nach Amerika? Vielleicht hatte er sein Ticket schnell bekommen und es noch auf dieses Flugzeug geschafft. Kränkte ihn, dass er nicht in der ersten, sondern in der Business-Klasse saß?

Für einen Augenblick brach die untergehende Sonne durch die Wolken und ließ das Flugzeug gleißend leuchten. Als glühe es, als wolle es in einem Feuerball auflodern und in Stücke zerspringen. Nichts würde von Werner Menzel bleiben und nichts von meiner Torheit.

Dann verschwand die Sonne hinter den Wolken, und das Flugzeug stieg höher und flog eine Kurve und nahm seine Bahn. Ich fand den Schlüssel, stieg ins Auto und fuhr nach Hause.

Der letzte Sommer

Er erinnerte sich an sein erstes Semester als Professor in New York. Wie hatte er sich gefreut: als die Einladung kam, als er das Visum im Pass hatte, als er in Frankfurt ins Flugzeug stieg und in JFK mit dem Gepäck in die Wärme des Abends trat und eine Taxe in die Stadt nahm. Auch den Flug hatte er genossen, obwohl die Reihen eng und die Sitze schmal waren; als sie über den Atlantik flogen, sah er in der Ferne ein anderes Flugzeug, und ihm war, als sitze er auf dem Deck eines Schiffs, dem auf dem weiten Meer ein anderes Schiff begegnet.

Er war schon oft in New York gewesen, als Tourist, zu Besuch bei Freunden, als Gast auf Konferenzen. Jetzt lebte er im Rhythmus der Stadt. Er gehörte dazu. Er hatte eine eigene Wohnung, wie alle; sie war zentral gelegen und nicht weit vom Park und vom Fluss. Wie alle nahm er morgens die U-Bahn, zog die Fahrkarte durch den Schlitz, ging durchs Drehkreuz und über die Treppe auf den Bahnsteig, drängte sich in einen Wagen, konnte sich nicht rühren und die Zeitung nicht umblättern und drängte sich nach zwanzig Minuten aus dem Wagen. Am Abend fand er in der U-Bahn einen Sitzplatz, las die Zeitung zu Ende und erledigte in der Nachbarschaft seiner Wohnung Besorgungen. Er konnte zu Fuß ins Kino und in die Oper gehen.

Dass er in der Universität nicht ganz dazugehörte, störte ihn nicht. Die Kollegen hatten mit ihm nicht zu besprechen, was sie untereinander zu besprechen hatten, und die Studenten nahmen ihn, dem sie nur ein Semester lang begegneten, nicht so ernst wie die Professoren, mit denen sie Jahr um Jahr zu tun hatten. Aber die Kollegen waren freundlich und die Studenten aufmerksam, sein Unterricht war ein Erfolg, und aus dem Fenster seines Büros hatte er den Blick auf eine gotische Kirche aus rotem Sandstein.

Ja, er hatte sich gefreut, schon vor dem Aufbruch und auch noch nach der Rückkehr. Aber eigentlich war er dort unglücklich. Sein erstes Semester in New York war das erste Semester, in dem er an seiner deutschen Universität nicht unterrichten musste – er hätte gerne diese Freiheit genossen, statt wieder zu unterrichten. Seine Wohnung in New York war düster, und im Hof lärmte die Klimaanlage so laut, dass er sich Stöpsel in die Ohren stecken musste, um schlafen zu können. An vielen Abenden, an denen er alleine in billigen Restaurants aß oder schlechte Filme sah, fühlte er sich einsam. In seinem Büro blies die Klimaanlage trockene Luft in sein Gesicht, bis seine Nebenhöhlen eiterten und er sich operieren lassen musste. Die Operation war furchtbar, und als er aus der Narkose aufwachte, fand er sich nicht in einem Krankenbett, sondern auf einem Liegestuhl in einem Raum mit anderen Patienten in Liegestühlen und wurde wenig später mit schmerzendem Kopf und blutender Nase nach Hause entlassen.

Er hatte sich das Unglück nicht eingestanden. Er wollte glücklich sein. Er wollte glücklich sein, weil er es aus der kleinen deutschen Universitätsstadt ins große New York geschafft hatte und dort dazugehörte. Er wollte glücklich sein, weil er sich dieses Glück so sehr gewünscht hatte und es jetzt da war – oder doch alles, was er sich als dessen Zutaten immer vorgestellt hatte. Manchmal ließ sich leise eine innere Stimme vernehmen, die Zweifel am Glück anmeldete. Aber er brachte sie zum Verstummen. Schon als Kind, Schüler und Student litt er, wenn er zu einer Reise aufbrach und seine Welt und seine Freunde verlassen musste. Was hätte er versäumt, wenn er damals immer zu Hause geblieben wäre! Also sagte er sich in New York, es sei eben sein Schicksal, Zweifel überwinden zu müssen, um das Glück da zu finden, wo es zunächst nicht zu sein schien.

2

Auch in diesem Sommer kam wieder eine Einladung nach New York. Er nahm den Umschlag aus dem Briefkasten und öffnete ihn auf dem Weg zu der Bank, auf der er morgens seine Post las. Die New Yorker Universität, der er jetzt seit fünfundzwanzig Jahren verbunden war, lud ihn zur Veranstaltung eines Seminars im nächsten Frühling ein.

Die Bank stand am See, auf dem Teil des Grundstücks, der durch eine kleine Straße vom Rest des Grundstücks und dem Haus getrennt war. Als sie das Haus gekauft hatten, hatten seine Frau und die Kinder die Straße als störend empfunden. Sie hatten sich daran gewöhnt. Er hatte von Anfang an gemocht, dass da ein eigenes kleines Reich war, zu dem er eine Tür auf- und zumachen konnte. Als er erbte, ließ er das alte Bootshaus herrichten und den Dachstuhl ausbauen. In vielen Sommern hatte er dort gearbeitet. Aber in diesem Sommer saß er lieber auf der Bank. Sie war sein Versteck, vom Bootshaus und -steg, wo sich die Enkel gerne tummelten, nicht zu sehen. Wenn sie weit hinausschwammen, sahen sie ihn und sah er sie, und sie winkten einander.

Er würde im nächsten Frühling nicht in New York lehren. Er würde nie mehr in New York lehren. Sein Leben in New York, über die Jahre ein so selbstverständlicher Bestandteil seines Lebens geworden, dass er sich schon lange nicht mehr fragte, ob er dort glücklich oder unglücklich sei, war vorbei. Weil es vorbei war, gingen seine Gedanken zum ersten Semester dort zurück.

Sich einzugestehen, dass er damals in New York unglücklich war, wäre nicht schlimm, wenn es nicht zum nächsten Eingeständnis führte. Als er aus New York zurückkam, lernte er bei einem Unfall eine Frau kennen; sie stießen mit den Fahrrädern zusammen, als sie beide fuhren, wie sie nicht hätten fahren dürfen – er fand es eine hübsche Art, einander kennenzulernen. Zwei Jahre lang trafen sie sich, gingen in die Oper und ins Theater und zum Essen, ein paar Mal verreisten sie für ein paar Tage, und immer wieder verbrachte sie die Nacht bei ihm oder er bei ihr. Er fand sie hinreichend schön und hinreichend klug, fasste sie gerne an und ließ sich gerne von ihr anfassen und dachte, er sei endlich angekommen. Aber als sie wegen ihres Berufs wegzog, wurde die Beziehung rasch mühsam und erlosch. Erst jetzt gestand er sich ein, dass er erleichtert war. Dass er schon die beiden Jahre mühsam gefunden hatte. Dass er oft glücklicher gewesen wäre, wenn er zu Hause geblieben und gelesen und Musik gehört hätte, statt sie zu treffen. Er hatte sie getroffen, weil er wieder dachte, alle Zutaten des Glücks seien da und er müsse glücklich sein.

Wie war das mit den anderen Frauen in seinem Leben? Mit seiner ersten Liebe? Er war glücklich, als Barbara, das schönste Mädchen in der Klasse, mit ihm ins Kino ging, sich von ihm auf ein Eis einladen, nach Hause bringen und unter der Tür küssen ließ. Er war fünfzehn, es war sein erster Kuss. Ein paar Jahre später nahm Helena ihn mit ins Bett, und es klappte schon beim ersten Mal, er kam nicht zu früh, und sie kam auch, und bis zum Morgen gab er ihr, was ein Mann einer Frau geben kann, er, der Neunzehnjährige, der Zweiunddreißigjährigen. Sie blieben zusammen, bis sie mit fünfunddreißig einen Rechtsanwalt in London heiratete, mit dem sie, wie er schließlich erfuhr, seit Jahren verlobt war. Er machte damals Examen, ein besseres Examen, als er erwartet hatte, wurde Assistent, schrieb Aufsätze und Bücher und wurde Professor. Er war glücklich – oder wollte er wieder nur glücklich sein? Dachte er wieder, er müsse glücklich sein, weil alles stimmte? War das Glück, das er empfand, wieder nur das Zutaten-Glück? Er hatte sich manchmal gefragt, ob das Leben nicht anderswo sei, und die Frage verdrängt. Wie er verdrängt hatte, dass es Eitelkeit war, was ihn Barbara umwerben und Helena bedienen ließ, und dass er den Einsatz im Dienst der Eitelkeit oft anstrengend fand.

Er scheute sich, über sein Glück in der Ehe und mit der Familie nachzudenken.

Er wollte sich über den blauen Himmel und den blauen See und das Grün der Wiesen und des Walds freuen. Er liebte die Landschaft nicht wegen der Alpen in der Ferne, sondern wegen des sanften Schwungs, mit dem die nahen

Berge sich hoben und der See sich zwischen sie bettete. Draußen saßen ein Mädchen und ein Junge im Boot; er ruderte, und sie ließ die Beine ins Wasser hängen. Die Tropfen, die vom Ruderblatt fielen, glitzerten in der Sonne, und die leichten Wellen, die das Boot und die Füße des Mädchens zogen, liefen weit über die glatte Oberfläche. Die beiden Kinder, es mussten Meike, die älteste Tochter seines Sohns, und David, der älteste Sohn seiner Tochter, sein, redeten nicht. Seit das Postauto vorbeigekommen war, hatte nichts mehr die Stille des Morgens gestört. Seine Frau bereitete im Haus das Frühstück vor; bald würde ein Enkelkind kommen und ihn holen.

Dann dachte er, dass er die Einsicht, wie trügerisch sein Glück gewesen war, nicht negativ, sondern positiv nehmen sollte. Was konnte es für einen, der aus dem Leben gehen will, Besseres geben als diese Einsicht? Er wollte gehen, weil die letzten Monate, die ihm bevorstanden, entsetzlich würden. Nicht dass er keine Schmerzen ertragen konnte. Erst wenn die Schmerzen unerträglich würden, würde er gehen.

Aber ihm gelang nicht, die Einsicht positiv zu nehmen. Die Idee des gemeinsamen Sommers, seines letzten Sommers, war die Idee eines letzten gemeinsamen Glücks. Es hatte nicht viel Überredung gebraucht, dass seine beiden Kinder mit ihren Familien für vier Wochen ins Haus an den See kamen, aber doch ein bisschen. Er hatte auch seine Frau ein bisschen überreden müssen; sie wäre lieber mit ihm nach Norwegen gefahren, von wo ihre Großmutter stammte und wo sie noch nie gewesen waren. Jetzt hatte er seine Familie beisammen, und auch sein alter Freund würde für ein paar Tage zu Besuch kommen. Er hatte gedacht, er hätte das letzte gemeinsame Glück gut vorbereitet. Jetzt fragte er sich, ob er wieder nur die Zutaten für ein Zutaten-Glück versammelt hatte.

3

»Großvater!« Er hörte eine Kinderstimme und schnelle Kinderfüße, die über die Straße und die Wiese zum See liefen. Es war Matthias, der jüngste Sohn seiner Tochter, der jüngste seiner fünf Enkel, ein stämmiger Fünfjähriger mit blondem Schopf und blauen Augen. »Das Frühstück ist fertig.« Als Matthias das Boot mit seinem Bruder und seiner Cousine sah, rief er sie wieder und wieder und hüpfte auf dem Steg hin und her, bis sie anlegten. »Machen wir ein Wettrennen?« Die Kinder rannten los, und er folgte ihnen langsam. Vor einem Jahr hätte er noch mitgemacht, vor ein paar Jahren noch gewonnen. Aber sie vor sich den Hang hinaufrennen und dann die großen Kinder zurückfallen sehen, weil sie das kleine gewinnen lassen wollten, war schöner als mitmachen. Ja, so hatte er sich den letzten gemeinsamen Sommer vorgestellt.

Er hatte sich auch vorgestellt, wie er gehen würde. Ein befreundeter Arzt und Kollege hatte ihm den Cocktail besorgt, den die Organisationen der Sterbehilfe ihren Mitgliedern geben. Cocktail – ihm gefiel die Bezeichnung. Er hatte nie Lust auf Cocktails gehabt und nie einen versucht; sein erster würde auch sein letzter sein. Ihm gefiel auch die Bezeichnung »Sterbeengel« für das Mitglied der Organisation, das dem sterbebereiten Mitglied den Cocktail bringt; er würde sein eigener Sterbeengel sein. Ohne jedes Aufheben würde er, wenn es so weit war, beim abendlichen Zusammensein im Wohnzimmer aufstehen, rausgehen, den Cocktail trinken, die Flasche auswaschen und wegräumen und sich im Wohnzimmer wieder dazusetzen. Er würde zuhören, einschlafen und sterben, man würde ihn schlafen lassen und am nächsten Morgen tot finden, und der Arzt würde Herzversagen feststellen. Ein schmerzloser und friedlicher Tod für ihn, ein schmerzloser und friedlicher Abschied für die anderen.

Noch war es nicht so weit. Im Esszimmer war gedeckt. Er hatte zu Beginn des Sommers den Tisch ausgezogen und sich vorgestellt, am Kopf würden er und seine Frau sitzen, neben ihm die Tochter mit Mann, neben seiner Frau der Sohn mit Frau und am Ende die fünf Enkel und Enkelinnen. Aber die anderen gewannen dieser Ordnung nichts ab und setzten sich, wie es sich gerade ergab. Heute war nur noch der Platz zwischen seiner Schwiegertochter und ihrem sechsjährigen Sohn frei, Ferdinand, der sichtbar schmollend von seiner Mutter weggerückt war. »Was ist los?« Aber Ferdinand schüttelte wortlos den Kopf.

Er liebte seine Kinder, Schwiegerkinder und Enkelkinder. Er hatte sie gerne um sich, ihre Geschäftigkeit, ihr Reden und Spielen, sogar ihr Lärmen und Streiten. Am liebsten saß er in der Ecke des Sofas und hing seinen Gedanken nach, unter ihnen und zugleich für sich. Er arbeitete auch gerne in Bibliotheken und Cafés; er konnte sich gut konzentrieren, wenn um ihn herum mit Papier geraschelt, geredet und gelaufen wurde. Manchmal spielte er mit, wenn die anderen Boccia spielten, gesellte sich mit der Flöte dazu, wenn sie musizierten, nahm mit einer Bemerkung an ihrem Gespräch teil. Sie reagierten überrascht, und er war selbst überrascht, wenn er sich mit ihnen beim Spiel, bei der Musik oder im Gespräch fand.

Er liebte auch seine Frau. »Natürlich liebe ich meine Frau«, hätte er gesagt, wenn jemand ihn gefragt hätte. Es war schön, wenn er in der Ecke des Sofas saß und sie sich zu ihm setzte. Noch schöner fand er, sie im Kreis der anderen zu sehen. Unter den Jungen wurde sie jung, als sei sie wieder die Studentin aus dem ersten Semester, die er kennenlernte, als er bereits Examen machte. Sie war ohne Raffinement und ohne Arg, sie hatte nichts von dem, was an Helena begehrenswert und abstoßend war. Ihm war damals, als reinige ihn die Liebe zu ihr von der Erfahrung des Benutzens und Benutzt-Werdens, die von der Beziehung mit Helena geblieben war. Sie heirateten, als auch sie die Ausbildung abgeschlossen hatte und Lehrerin wurde. Die beiden Kinder kamen schnell, und seine Frau ging bald mit halbem Deputat wieder in die Schule. Sie schaffte alles mit leichter Hand: die Kinder, die Schule, die Wohnung in der Stadt und das Haus auf dem Land, gelegentlich ein Semester mit ihm und den Kindern in New York.

Nein, sagte er sich, er musste sich nicht scheuen, über das Glück seiner Ehe und seiner Familie nachzudenken. Es stimmte. Auch die ersten Tage des gemeinsamen Sommers hatten gestimmt; die Enkelkinder beschäftigten sich miteinander, die Kinder und Schwiegerkinder genossen die Zeit für sich, und seine Frau arbeitete glücklich im Garten. Der vierzehnjährige David war in die dreizehnjährige Meike verliebt – er sah es, die anderen schienen es nicht zu sehen. Das

Wetter war schön, Tag um Tag, Kaiserwetter, sagte seine Frau lächelnd, und das Gewitter am zweiten Abend war ein Kaisergewitter; er saß auf der Veranda und war überwältigt vom Schwarz der Wolken, den Blitzen und dem Donner und schließlich dem befreienden Regenguss.

Selbst wenn er wieder nur die Zutaten für ein Zutaten-Glück versammelt hatte, selbst wenn das Glück dieses letzten gemeinsamen Sommers ein Unglück verbarg – was machte es? Er würde es nicht mehr erfahren.

4

Als Nacht war und sie im Bett lagen, fragte er seine Frau: »Warst du mit mir glücklich?«

»Ich bin froh, dass wir hier sind. Wir könnten in Norwegen nicht glücklicher sein.«

»Nein, ich meine, ob du mit mir glücklich warst.«

Sie richtete sich auf und sah ihn an. »Die ganzen Jahre, die wir verheiratet waren?«

»Ja.«

Sie legte sich wieder zurück. »Ich bin schlecht damit zurechtgekommen, dass du so viel weg warst. Dass ich oft alleine war. Dass ich die Kinder alleine aufziehen musste. Als Dagmar mit fünfzehn ausgerissen ist und ein halbes Jahr wegblieb, warst du zwar da, hast dich aber in deine Verzweiflung verkrochen und mich alleingelassen. Als Helmut … Aber was rede ich? Du weißt selbst, wann es mir besser und wann schlechter ging. Ich weiß es doch auch über dich. Als die Kinder klein waren und ich wieder in der

Schule angefangen habe, bist du zu kurz gekommen. Du hättest gerne gehabt, wenn ich mehr Anteil an deinem Beruf genommen hätte. Wenn ich gelesen hätte, was du geschrieben hast. Du hättest auch gerne öfter mit mir geschlafen.« Sie drehte sich auf die Seite und kehrte ihm den Rücken. »Ich hätte gerne mehr mit dir gekuschelt.«

Nach einer Weile hörte er ihren ruhigen Atem. Hieß das, dass es mehr nicht zu sagen gab?

Ihm tat die linke Hüfte weh. Der Schmerz war nicht stark, aber gleichmäßig und beständig und fühlte sich an, als wolle er sich einnisten. Oder hatte er sich schon eingenistet? Taten sich seine linke Hüfte und sein linkes Bein nicht seit Tagen, nein, seit Wochen beim Treppensteigen schwer? War da nicht schon lange eine Schwäche, die er nur mit zusätzlicher Kraft und mit stechendem Schmerz überwand? Er hatte sich nicht darum gekümmert. Wenn er die Treppe geschafft hatte, war die Schwäche vorbei. Aber darum konnte der stechende Schmerz beim Treppensteigen doch der Bote des Schmerzes gewesen sein, den er jetzt spürte und der ihm Angst machte. Hatte das Skelettszintigramm nicht Herde in der linken Hüfte gezeigt?

Er erinnerte sich nicht mehr. Er wollte keiner der Kranken sein, die alles über ihre Krankheit wissen, die sich im Internet und mit Büchern und in Gesprächen schlaumachen und ihre Ärzte in Verlegenheit bringen. Linke Hüfte, rechte Hüfte – er hatte nicht aufgepasst, als der Arzt ihm erklärte, welche Knochen schon befallen waren. Er hatte sich gesagt, er werde es schon merken.

Auch er drehte sich auf die Seite. Tat die linke Hüfte noch weh? War es jetzt die rechte? Er hörte in sich hinein. Zugleich hörte er durch das offene Fenster den Wind in den Bäumen und das Bellen der Frösche am See. Er sah Sterne am Himmel und dachte, dass sie nicht golden sind und nicht prangen, sondern hart und kalt wie kleine, ferne Neonpunkte leuchten.

Doch, die linke Hüfte tat weiter weh. Aber auch die rechte. Wenn er in seine Beine fühlte, war der Schmerz da, und ebenso wenn er seinen Rücken hinauf und in den Nacken und in die Arme fühlte. Wo immer er hinfühlte, wartete der Schmerz auf ihn und sagte ihm, er wohne jetzt hier. Er sei jetzt hier zu Hause.

5

Er schlief schlecht und stand früh auf. Auf Zehenspitzen ging er zur Tür, öffnete sie behutsam und schloss sie behutsam. Die Böden, die Treppen, die Türen, alles knarrte. Er machte in der Küche Tee und nahm die Tasse mit auf die Veranda. Es wurde hell. Die Vögel lärmten.

Gelegentlich ging er seiner Frau beim Kochen oder Tischdecken oder Abwaschen zur Hand. Alleine hatte er noch keine Mahlzeit auf den Tisch gebracht. Früher fiel, wenn seine Frau verreisen musste, das Frühstück aus und ging er zum Mittag- und Abendessen mit den Kindern ins Restaurant. Früher hatte er aber auch keine Zeit. Jetzt hatte er Zeit.

Er fand in der Küche Dr. Oetkers Schulkochbuch und brachte es auf die Veranda. Mit Hilfe eines Kochbuchs musste sogar er, der Philosoph und Spezialist für analytische Philosophie, Pfannkuchen zum Frühstück backen können. Sogar er? Gerade er! »Was sich beschreiben lässt, das kann auch geschehen«, lehrt Wittgenstein im *Tractatus logico-philosophicus.*

Aber es gab im Schulkochbuch keinen Pfannkuchen. Hatte der Pfannkuchen noch einen anderen Namen? Was sich nicht benennen lässt, lässt sich auch nicht finden. Was sich nicht finden lässt, lässt sich auch nicht backen.

Er fand den Eierkuchen, las, was er zu tun hatte, und rechnete die Zutaten auf 11 Personen hoch. Dann machte er sich in der Küche an die Arbeit. Er musste lange suchen, bis er 688 Gramm Mehl, 11 Eier, einen reichlichen Liter Milch, einen reichlichen Drittelliter Mineralwasser, ein knappes Pfund Margarine, Zucker und Salz beisammenhatte. Er ärgerte sich, dass für Zucker und Salz keine Mengen angegeben waren. Wie sollte er Zucker, wie sollte er Salz an sich durch vier dividieren und mit elf multiplizieren? Er ärgerte sich auch, dass er keine Anweisung fand, wie das Eiweiß vom Eigelb zu trennen und steifzuschlagen sei. Er hätte die Pfann- oder Eierkuchen gerne zart und locker gemacht. Aber er schaffte das Sieben, Verschlagen und Verrühren, ohne dass Klümpchen entstanden.

Als er die Pfanne aus dem Schrank nahm, rutschte sie ihm aus der Hand und fiel scheppernd auf den steinernen Boden. Er hob sie auf und lauschte ins Haus. Nach wenigen Sekunden hörte er die Schritte seiner Frau auf der Treppe. Sie kam im Nachthemd in die Küche und sah sich um.

Jetzt, dachte er. Er nahm sie in die Arme. Sie fühlte sich sperrig an. Ich, dachte er, fühle mich vermutlich auch sperrig an. Wie lange ist es her, dass wir uns das letzte Mal in die Arme genommen haben? Er hielt sie fest, und sie ergab sich zwar nicht in die Umarmung, legte aber die Arme um ihn. »Was machst du in der Küche?«

»Pfannkuchen – ich will gerade die Nullnummer backen. Die anderen backe ich, wenn alle am Frühstückstisch sitzen. Es tut mir leid, dass ich dich geweckt habe.«

Sie sah auf den Tisch, auf dem noch Mehl, Eier und Margarine lagen und die Schüssel mit dem Teig stand. »Du hast das gemacht?«

»Willst du die Nullnummer versuchen?« Er ließ seine Frau los, schaltete den Herd ein und setzte die Pfanne auf die Flamme, sah ins Kochbuch, erhitzte 150 Gramm Margarine, gab ein wenig Teig in die Pfanne, nahm den halbgebackenen Pfannkuchen heraus und legte ihn auf einen Teller, erhitzte mehr Margarine, gab den Pfannkuchen gewendet in die Pfanne und präsentierte ihn schließlich goldgelb seiner Frau.

Sie aß. »Er schmeckt wie ein richtiger Pfannkuchen.«

»Er ist ein richtiger Pfannkuchen. Kriege ich einen Kuss?«

»Einen Kuss?« Sie sah ihn erstaunt an. Wie lange ist es her, dachte er wieder, dass wir uns das letzte Mal geküsst haben? Langsam legte sie Gabel und Teller aus der Hand, kam zu ihm an den Herd, gab ihm einen Kuss auf die Backe und blieb neben ihm stehen, als wisse sie nicht, was sie jetzt tun solle.

Dann stand Meike in der Tür und sah ihre Großeltern fragend an. »Was ist los?«

»Er backt Pfannkuchen.«

»Großvater backt Pfannkuchen?« Sie mochte es nicht glauben. Aber da waren die Zutaten, die Schüssel mit Teig, die Pfanne, der halbe Pfannkuchen auf dem Teller und der Großvater mit Schürze. Meike drehte sich um, rannte die

Treppe hoch und klopfte an die Türen. »Großvater backt Pfannkuchen!«

6

An diesem Tag zog er sich nicht auf die Bank am See zurück. Er holte einen Sessel aus dem Bootshaus und setzte sich an den Bootssteg. Er schlug ein Buch auf, las aber nicht. Er sah den Enkelkindern zu.

Ja, David war in Meike verliebt. Wie er sie zu beeindrucken versuchte, wie er sich bei jeder Haltung und Bewegung um Lässigkeit bemühte, wie er sich vor dem Kopfsprung mit Überschlag vergewisserte, ob sie zusah, wie er mit den Büchern angab, die er gelesen, und mit den Filmen, die er gesehen hatte, wie er mit nihilistischer Gleichgültigkeit über seine Zukunft sprach! Merkte Meike es nicht, oder spielte sie mit David? Sie schien unbeeindruckt und unbefangen und schenkte David nicht mehr von ihrer Aufmerksamkeit und Fröhlichkeit als den anderen.

Die Leiden der ersten Liebe! Er sah Davids Unsicherheit und fühlte wieder die Unsicherheit, die ihn vor mehr als fünfzig Jahren gequält hatte. Auch er wollte damals alles sein, und manchmal war ihm, als sei er es, und dann wieder, als sei er nichts. Auch er dachte damals, wenn Barbara sähe, wer er war und wie er sie liebte, würde sie ihn auch lieben, konnte aber weder zeigen, wer er war, noch sagen, dass er sie liebte. Auch er suchte damals in jeder kleinen Geste der Aufmerksamkeit und der Vertrautheit ein Versprechen und wusste doch, dass Barbara ihm nichts versprach. Auch er flüchtete damals in eine heroische Gleichgültigkeit, in der er nichts glaubte und nichts hoffte und nichts brauchte. Bis die Sehnsucht ihn wieder überwältigte.

Ihn erfasste Mitleid mit seinem Enkel – und mit sich selbst. Die Leiden der ersten Liebe, die Schmerzen des Heranwachsens, die Enttäuschungen des erwachsenen Lebens – er hätte David gerne etwas Tröstendes oder Ermutigendes gesagt, wusste aber nicht, was. Konnte er ihm immerhin helfen? Er stand auf und setzte sich im Schneidersitz zu den beiden auf den Bootssteg.

»Ehrlich, Großvater, ich hätte dir die Pfannkuchen nicht zugetraut.«

»Ich habe Spaß am Kochen gekriegt. Helft ihr beiden Großen mir morgen? Ich will nicht zu ehrgeizig werden, aber Spaghetti Bolognese und Salat sollte ich mit eurer Hilfe schaffen.«

»Zum Nachtisch Mousse au Chocolat?«

»Wenn sie in Dr. Oetkers Schulkochbuch steht.«

Dann saßen sie stumm beieinander. Er hatte ihr Gespräch unterbrochen und wusste nicht, wie er ein Gespräch zu dritt in Gang bringen sollte. »Dann gehe ich mal wieder. Morgen um elf? Zuerst einkaufen und dann kochen?«

Meike lachte ihn an. »Cool, Großvater, aber wir sehen uns doch noch.«

Dann saß er wieder auf dem Sessel. Matthias und Ferdinand hatten ein paar Meter vor dem Ufer eine flache Stelle im See gefunden, schleppten herbei, was sie an Steinen fanden, und bauten eine Insel. Er schaute nach der zwölfjährigen Schwester von David und Matthias aus. »Wo ist Ariane?«

»Auf deiner Bank.«

Er stand wieder auf und ging zu seiner Bank. Die linke Hüfte schmerzte. Ariane las, einen Fuß auf der Bank und das Buch auf dem Knie, hörte ihn kommen und sah auf. »Ist es okay, dass ich hier sitze?«

»Natürlich. Kann ich mich dazusetzen?«

Sie nahm den Fuß von der Bank, schlug das Buch zu und rückte zur Seite. Sie sah, dass er den Titel las: *Wenn der Postmann zweimal klingelt.* »Es stand bei euch im Regal. Vielleicht ist es nichts für mich. Aber es ist spannend. Ich dachte, wir machen mehr zusammen. Aber David hat nur Augen für Meike und Meike nur Augen für David, auch wenn sie so tut, als sei es nicht so, und er es nicht merkt.«

»Bist du sicher?«

Sie sah ihn an, altklug und mitleidig, und nickte. Sie wird eine schöne Frau werden, dachte er und stellte sich vor, wie sie eines Tages die Brille abnehmen, das Haar lösen und die Lippen aufwerfen würde. »So ist das also mit David und Meike. Wollen wir was zusammen machen?«

»Was?«

»Wir können Kirchen und Schlösser ansehen oder einen Maler besuchen, den ich kenne, oder einen Kraftfahrzeugmechaniker, in dessen Werkstatt es aussieht wie vor fünfzig Jahren.«

Sie dachte nach. Dann stand sie auf. »Gut, besuchen wir den Maler.«

Nach einer Woche wollte seine Frau wissen: »Was ist los? Wenn dieser Sommer stimmt, haben alle früheren nicht gestimmt, und wenn alle früheren gestimmt haben, stimmt dieser nicht. Du liest nichts mehr, und du schreibst nichts mehr. Du ziehst nur noch mit den Enkelkindern herum oder mit den Kindern, und gestern kommst du in den Garten und willst die Hecke schneiden. Wenn es eine Gelegenheit gibt, mich anzufassen, fasst du mich an. Wirklich, es ist, als könntest du deine Hände nicht von mir lassen. Ich will nicht sagen, dass du mich nicht anfassen kannst. Du kannst …« Sie wurde rot und schüttelte den Kopf. »Jedenfalls ist alles anders, und ich will wissen, warum.«

Sie saßen auf der Veranda. Die Kinder und Schwiegerkinder verbrachten den Abend bei Freunden, und die Enkelkinder lagen im Bett. Er hatte eine Kerze angezündet, eine Flasche Wein aufgemacht und ihr und sich eingeschenkt.

»Weintrinken bei Kerzenschein – auch das gab's noch nie.«

»Wird es nicht Zeit, dass ich damit anfange – damit und mit den Enkelkindern und den Kindern und der Hecke? Dass ich wieder weiß, wie gut du dich anfühlst?« Er legte den Arm um sie.

Aber sie schüttelte ihn ab. »Nein, Thomas Wellmer. So geht das nicht. Ich bin nicht eine Maschine, die du abstellen und anstellen kannst. Ich hatte mir unsere Ehe anders vorgestellt, aber anders ging es anscheinend nicht, und so habe ich mich mit dem eingerichtet, was ging. Ich lasse mich nicht auf eine Laune ein, auf einen Sommer, der nach wenigen Wochen vorbei ist. Da schneide ich meine Hecke lieber selbst.«

»Ich habe vor drei Jahren an der Universität aufgehört. Es tut mir leid, dass ich so lange gebraucht habe, bis ich die Freiheit des Ruhestands begriffen habe. An der Universität ist mit dem Ruhestand nicht so radikal Schluss wie in einer Behörde; man hat noch Doktoranden und macht noch ein Seminar und sitzt noch in einer Kommission und denkt, man müsste schreiben, was man immer schreiben wollte und wozu man nie Zeit hatte. Es ist, wie wenn du den Motor abstellst und im Leerlauf weiterrollst. Wenn die Straße dann noch ein bisschen abschüssig ist ...«

»Du bist das Auto, dem der Ruhestand den Motor abgestellt hat. Wer ist die abschüssige Straße?«

»Alle, die mich behandelt haben, als würde der Motor noch laufen.«

»Ich muss dich also besonders behandeln. Nicht, als würde der Motor noch laufen, sondern als wäre er aus. Dann ...«

»Nein, du musst nichts tun. Nach drei Jahren rollt das Auto nicht mehr.«

»... dann kümmerst du dich ab jetzt um die Enkelkinder und schneidest die Hecke?«

Er lachte. »Und lasse die Hände nicht von dir.«

Sie saßen Seite an Seite, und er spürte ihre Skepsis. Er spürte sie in ihrer Schulter, ihrem Arm, ihrer Hüfte, ihrem Oberschenkel. Wenn er noch mal den Arm um sie legen würde, würde sie ihn vielleicht nicht abschütteln – sie hatten miteinander geredet und einander zugehört. Aber sie würde darauf warten, dass er ihn wieder wegnähme. Oder würde sie nach einer Weile den Kopf an seine Schulter legen? Wie sie beim Pfannkuchenbacken die Arme um ihn gelegt hatte, nicht als Einverständnis, nicht als Versprechen, nur so?

Er warb um sie. Morgens brachte er ihr Tee ans Bett; wenn sie im Garten arbeitete, brachte er ihr Limonade; er schnitt die Hecke und mähte den Rasen; er machte es sich zur Regel, abends zu kochen, meistens unterstützt von Ariane; er war für die Enkelkinder da, wenn sie sich langweilten; er achtete darauf, dass der Vorrat an Apfelsaft, Mineralwasser und Milch nicht ausging. Jeden Tag lud er seine Frau zum Spaziergang ein, nur sie und er, und zuerst wollte sie rasch wieder nach Hause und an die Arbeit, aber dann ließ sie ihn die Wege ausdehnen und manchmal ihre Hand halten – bis sie ihre Hand brauchte, weil sie etwas aufheben oder pflücken und untersuchen wollte. Eines Abends fuhr er mit ihr in das Restaurant am anderen Ufer des Sees, das einen Stern hatte und wo man ihnen das Abendessen auf einer Wiese unter Obstbäumen servierte. Sie sahen auf das Wasser, das im Licht der Abendsonne wie geschmolzenes Metall glänzte, Blei mit einem Hauch von Bronze, glatt, bis zwei Schwäne mit klatschendem Flügelschlag landeten.

Er legte seine Linke auf den Tisch. »Du weißt, dass Schwäne …«

»Ich weiß.« Sie legte ihre Hand auf seine.

»Wenn wir zu Hause sind, möchte ich mit dir schlafen.«

Sie nahm ihre Hand nicht weg. »Weißt du noch, wann wir das letzte Mal miteinander geschlafen haben?«

»Vor deiner Operation?«

»Nein, es war danach. Ich dachte, es ginge wieder. Du hast mir gesagt, dass ich so schön bin, wie ich davor war, und dass du die neue Brust so liebst, wie du die alte geliebt hast. Aber dann musste ich ins Bad und habe die rote Narbe gesehen und gemerkt, dass es nicht ging und dass alles nur Anstrengung war, ich habe mich angestrengt, und du hast dich angestrengt. Du hast verständnisvoll und rücksichtsvoll reagiert und gesagt, dass du mich nicht drängen willst. Dass ich ein Signal geben soll, wenn ich so weit bin. Aber als ich kein Signal gab, war's dir auch recht, und du hast auch keines gegeben. Dann merkte ich, dass es vor der Operation nicht anders war und dass damals schon nichts passierte, wenn ich kein Signal gab. Ich mochte kein Signal mehr geben.«

Er nickte. »Verlorene Jahre – ich kann dir nicht sagen, wie leid es mir um sie ist. Ich dachte damals, ich müsste es mir und den anderen beweisen und Rektor werden oder Staatssekretär oder Präsident der Vereinigung, und weil du keinen Anteil daran nahmst, habe ich mich von dir verraten gefühlt. Dabei hattest du recht. Wenn ich zurückschaue, haben die Jahre kein Gewicht. Sie waren nur laut und schnell.«

»Hattest du eine Geliebte?«

»O nein. Ich habe außer der Arbeit nichts und niemanden an mich herankommen lassen. Anders hätte ich sie nicht geschafft.«

Sie lachte leise. Weil sie sich an seine damalige Arbeitswut erinnerte? Weil sie erleichtert war, dass er damals keine Geliebte hatte?

Er bat um die Rechnung.

»Meinst du, wir können es noch?«

»Ich habe so viel Angst wie beim ersten Mal. Oder noch mehr. Ich weiß nicht, wie es wird.«

9

Es wurde nichts. Mitten in der Umarmung kam der Schmerz. Er explodierte im Steißbein und schickte seine Wellen in den Rücken und in die Hüften und in die Oberschenkel. Er war schlimmer als der schlimmste Schmerz, den er bisher gehabt hatte. Er vernichtete sein Begehren, sein Fühlen, sein Denken. Er machte ihn zu seinem Geschöpf, das nicht über den Schmerz hinauskonnte, das sich nicht einmal danach sehnen konnte, dass er aufhören würde. Ohne es zu wollen oder auch nur zu merken, stöhnte er auf.

»Was ist?«

Er rollte auf den Rücken und presste beide Hände gegen die Stirn. Was sollte er sagen? »Ich glaube, ich habe einen Ischias, wie ich noch keinen hatte.« Mühsam stand er auf. Im Bad nahm er vom Novalgin, das ihm der Arzt für Krisen gegeben hatte. Er stützte seine Arme auf das Waschbecken und sah in den Spiegel. Obwohl er sich fühlte, wie er sich noch nie gefühlt hatte, war sein Gesicht, wie es immer war. Das dunkelblonde Haar mit grauen Schläfen und Strähnen, die zwischen Grau und Grün schillernden Augen, das von tiefen Furchen über der Nase und von der Nase zum Mund gezeichnete Gesicht, die Härchen, die ihm aus der Nase wuchsen und die er morgen stutzen würde, der schmale Mund – es tat ihm gut, seine Schmerzen mit dem vertrauten Gesicht zu teilen und ihm mit trotzigem Mund zu versichern und sich mit trotzigem Mund versichern zu lassen, es stecke noch Leben in dem alten Hund. Als die Schmerzen schwächer wurden, ging er zurück ins Schlafzimmer.

Seine Frau war eingeschlafen. Er setzte sich auf den Bettrand, vorsichtig, damit sie nicht aufwachte. Ihre Lider zitterten. Ob sie erst halb im Schlaf und halb noch im Tag war? Ob sie träumte? Was mochte sie träumen? Er kannte ihr Gesicht so gut. Das junge Gesicht, das darin wohnte, und das alte. Das kindliche, freudige, arglose und das müde, bittere. Wie hielten die zwei verschiedenen Gesichter es miteinander aus?

Er blieb sitzen. Er wollte seinen Schmerz nicht provozieren. Sein Schmerz hatte ihm gezeigt, dass er bei ihm nicht nur zu Hause, sondern dass er der Herr im Haus war. Jetzt hatte er sich in ein hinteres Zimmer zurückgezogen, aber die Türen aufgelassen, um zur Stelle zu sein, sollte ihm nicht der gehörige Respekt erwiesen werden.

Ihn rührten die Haare seiner Frau. Sie waren braun gefärbt und wuchsen grau und weiß nach – der Kampf gegen das Älterwerden, wieder und wieder gekämpft, verloren, aber nicht verloren gegeben. Würde seine Frau ihre Haare nicht färben, sähe sie mit ihrer geschwungenen Nase, ihren hohen Backenknochen, ihren Falten und ihren Augen wie eine weise alte Indianerin aus. Er hatte nie herausgefunden, ob ihre Augen manchmal unergründlich schauten, weil ihre Gefühle und Gedanken so tief oder weil sie so leer waren. Er würde es nicht mehr herausfinden.

Sie entschuldigte sich am nächsten Morgen. »Es tut mir leid. Der Champagner, der Wein, das Essen, das Miteinander-Schlafen, mit dem Schluss war, als es schön wurde, dein Ischias – es war ein bisschen viel. Da bin ich einfach eingeschlafen.«

»Nein, mir tut es leid. Der Arzt hat mir gesagt, dass ich mit Ischiasattacken rechnen und dann Tabletten nehmen muss. Ich ahnte nicht, dass sie so heftig und so im falschen Augenblick kommen würden.« Er hatte Angst, sich auf die Seite zu legen, und streckte den Arm aus.

Sie legte den Kopf auf seine Schulter. »Ich muss Frühstück machen.«

»Nein, musst du nicht.«

»Muss ich doch.«

Sie spielte nur. Sie wollte, was auch er wollte. Er bat seinen Schmerz, im hinteren Zimmer zu bleiben, für diesen Morgen, für diese Stunde. »Setzt du dich auf mich?«

10

Als sie hinunterkamen, waren die anderen mit dem Frühstück fast fertig. Ariane sah ihre Großeltern an, als wisse sie, warum sie spät dran waren. Die zwölfjährige Ariane? Aber er wurde rot, und seine Frau wurde es auch. Dann, als wolle sie der Clique zeigen, dass sie und er etwas miteinander hatten, gab sie ihm einen Kuss.

Gegen Mittag holte er seinen alten Freund am Bahnhof ab. Der Zug fuhr ein und hielt, und weil der Wagen zu hoch für den Bahnsteig oder der Bahnsteig zu niedrig für den Wagen war, musste sein Freund einen kleinen Sprung machen. Er machte ihn mit resigniertem Lächeln. Als sei er darauf gefasst, zu stürzen und statt eines kurzen Besuchs bei einem alten Freund einen langen Aufenthalt in einem Provinzkrankenhaus vor sich zu haben.

Resigniert, als sei das Spiel aus, bevor es beginnt, zugleich von heiterem Charme, als sei das zwar so, mache aber nichts –

so war er immer schon. So hatte er studiert, ohne großen Aufwand und Ehrgeiz, aber freundlich gegen jedermann und bei jedermann beliebt, auch bei denen, die ihn prüften, und später bei denen, die ihn einstellten. Er wurde ein erfolgreicher Rechtsanwalt, der seinen Erfolg seinem fachlichen Können und ebenso seinem Umgang mit Mandanten, Gegnern und Richtern verdankte. Er charmierte sie. Er charmierte auch die Frauen und Kinder seiner Freunde; sie liebten ihn, obwohl auch unter seinen Freunden der eine und andere eine Frau geheiratet hatte, die den Mann für sich haben wollte, ohne alte Freunde.

Sohn Helmut mochte den Freund besonders; als Kind war er manchmal mit dem Vater und ihm in Ferien gefahren, Männerferien. Im Winter liefen sie Ski, und wenn er nicht mehr konnte oder wollte, nahm ihn der Freund, der in Jeans und Mantel die Pisten hinunterfegte, zwischen die Beine. Für den kleinen Jungen war der Freund mit dem wehenden dunklen Mantel, der ihn sicher und schnell ins Tal brachte, ein Held wie Batman. Später beriet er ihn im Studium und im Beruf; ohne ihn hätte Helmut sich nicht entschieden, Rechtsanwalt zu werden. Er wäre gerne zum Bahnhof mitgekommen. Aber die Fahrten vom Bahnhof nach Hause und am nächsten Abend vom Haus zum Bahnhof waren für die beiden Freunde die einzigen Gelegenheiten, miteinander alleine zu sein.

Auf der Fahrt redeten sie über den Ruhestand, die Familien, den Sommer. Dann fragte der Freund: »Was macht der Krebs?«

»Lass uns oben«, er zeigte zu dem Berg, auf den die Straße führte, »halten und ein paar Schritte laufen.« Er hatte sich wieder und wieder gefragt, ob er dem Freund von seiner Absicht erzählen sollte. Sie hatten sonst keine Geheimnisse voreinander, und über den Krebs hatten sie umso leichter gesprochen, als beide das gleiche Schicksal teilten; bei beiden war vor Jahren Krebs diagnostiziert worden, beide Male ein verschiedener und verschieden verlaufender, aber beide Male mit Operation und Bestrahlung und Chemotherapie. Aber wie sollte der Freund mit dem Wissen um seine Absicht der Familie begegnen?

Sie gingen über die Höhe. Zur Rechten begann der Wald, zur Linken hatten sie den Blick auf den See, die Berge und in der Ferne die Alpen. Es war warm, die weiche, satte Wärme des Sommers.

»Es ist eine Frage der Zeit, bis die Knochen es nicht mehr machen. Bis sie bröseln und brechen und bis der Schmerz unerträglich wird. Manchmal kriege ich einen Vorgeschmack, aber noch geht's. Was macht dein Krebs?«

»Er hält still, schon seit vier Jahren. Letzten Monat stand die Untersuchung an, und ich bin erstmals einfach nicht gegangen.« Fatalistisch hob der Freund die Hände und ließ sie wieder sinken. »Was machst du, wenn der Schmerz unerträglich wird?«

»Was würdest du machen?«

Sie liefen eine ganze Weile, ohne dass der Freund antwortete. Dann lachte er. »Den Sommer genießen, so gut es geht. Was sonst?«

11

Nach dem Abendessen saß er in der Ecke des Sofas und sah den anderen zu. Sie spielten ein Spiel, bei dem höchstens acht Personen mitspielen durften. Er konnte sich, ohne aufzufallen, immer wieder anders hinsetzen und die Kissen mal hinter den Rücken, mal gegen die Hüfte, mal unter den Oberschenkel legen. Jede Veränderung brachte Erleichterung, bis der Schmerz sich in der neuen Haltung eingerichtet hatte wie in der alten. Er hatte Novalgin genommen, aber es half nicht mehr. Was jetzt? Sollte er in die Stadt fahren und den Arzt um Morphin bitten? Oder war der Zeitpunkt gekommen, die Flasche aus dem Weinkühlschrank zu holen, in dem sie hinter einer halben Flasche Champagner versteckt war, und den Cocktail zu trinken?

Wenn er sich seinen letzten Abend vorgestellt hatte, hatte er ihn sich schmerzfrei vorgestellt. Jetzt merkte er, dass es nicht einfach war, den richtigen Abend zu finden. Je länger es mit ihm ging und je schlimmer es um ihn stand, desto seltener würden schmerzfreie Abende sein, desto willkommener, desto unverzichtbarer. Wie sollte er einen solchen Abend an den Tod preisgeben? Andererseits wollte er nicht in Schmerzen sterben. Ob Morphin die Lösung war? Ob mit ihm die schmerzfreien Abende nicht mehr unverzichtbare Seltenheiten, sondern machbare Gelegenheiten sein würden?

Türen und Fenster standen auf, und der laue Wind brachte Mücken vom See. Als er die Mücke auf dem linken Arm mit der rechten Hand treffen wollte, konnte er sie nicht heben. Die Hand gehorchte ihm nicht. Als er sich anders setzte, ging es wieder, und es ging auch, als er wieder die Haltung einnahm, in der ihm die Hand gerade nicht gehorcht hatte. Er probierte verschiedene Haltungen, und in jeder konnte er die Hand heben, so dass er sich schließlich fragte, ob er sich das Versagen nur eingebildet hatte. Aber er wusste es besser, und er wusste auch, dass wieder etwas geschehen war, hinter das es nicht mehr zurückging.

Das Spiel war zu Ende, und der Freund erzählte Fälle aus seiner Praxis. Die Kinder hatten früher von seinen Fällen nicht genug kriegen können, und die Enkelkinder konnten es jetzt auch nicht. Es beschämte ihn. Was hatte er seinen Kindern zu erzählen gehabt? Was hatte er seinen Enkelkindern zu erzählen? Dass Kant ein guter Billardspieler war und sich mit Billardspielen Geld fürs Studium verdiente, dass Hegel mit seiner Frau das Familienleben von Martin Luther und Katharina von Bora imitierte, dass Schopenhauer seine Mutter und seine Schwester lausig behandelte und dass Wittgenstein sich um seine Schwester rührend kümmerte – er kannte ein paar Philosophenanekdoten und ein paar Anekdoten aus der Geschichte, die ihm sein Großvater erzählt hatte. Aus seiner eigenen Arbeit wusste er nichts Spannendes zu erzählen – was sagte das über ihn? Über seine Arbeit? Über die analytische Philosophie? War sie auch nur eine raffinierte Vergeudung menschlicher Intelligenz?

Dann ließ der Freund sich bitten und setzte sich ans Klavier. Er lächelte ihm zu und spielte die Chaconne aus der *Partita in d-Moll*, die sie als Studenten von Menuhin gehört und lieben gelernt hatten. Eine Bearbeitung für Klavier – er hatte nicht gewusst, dass es sie gab und dass der Freund sie spielte. Hatte er sie für ihn geübt? Schenkte er sie ihm zum

Abschied? Die Musik und das Geschenk des Freundes rührten ihn so, dass ihm die Tränen kamen und auch nicht aufhörten, als der Freund Jazz spielte – das, was die Kinder und Enkelkinder eigentlich hören wollten.

Seine Frau sah es, setzte sich zu ihm und legte ihren Kopf an seine Schulter. »Ich weine auch gleich. Der Tag hat so schön angefangen und hört so schön auf.«

»Ja.«

»Wollen wir aufstehen und hochgehen? Wenn die anderen merken, dass wir nicht mehr da sind, verstehen sie schon.«

12

Dann war Halbzeit. Er wusste, dass die zweite Hälfte des gemeinsamen Sommers schneller vergehen würde als die erste – und die erste war im Nu vergangen. Er dachte darüber nach, was er den Kindern noch sagen könne. Dagmar – dass sie sich nicht so viele Sorgen um die Kinder machen solle? Dass sie eine gute Biologin sei, ihre Gabe nicht vergeuden und wieder arbeiten solle? Dass sie ihren Mann verwöhne und dass das weder ihm noch ihr guttue? Helmut – ob ihn wirklich interessiere, welche Firma mit welcher fusioniert und welche Firma welche übernimmt? Ob ihn das viele Geld eigentlich interessiere, das er anhäuft? Ob er, das Vorbild des alten Freundes vor Augen, nicht ein anderer Rechtsanwalt habe werden wollen, als er jetzt ist?

Nein, das ging nicht. Dagmar hatte nun einmal einen aufgeblasenen Dummkopf geheiratet, und er konnte nur hoffen, dass sie es nicht merken und sich von seinem Reichtum und seinen guten Manieren weiter blenden lassen würde. Helmut war auf den Geschmack des Geldes gekommen und süchtig danach geworden, und seine Frau genoss die Früchte. Vielleicht hatten beide Kinder sich aus Unsicherheit auf ein Leben der Äußerlichkeit eingelassen, und vielleicht hatte er ihnen nicht genug Sicherheit gegeben. Jetzt konnte er sie ihnen auch nicht mehr geben. Er konnte ihnen sagen, dass er sie liebte. Was Eltern und Kinder in amerikanischen Filmen einander mit Leichtigkeit sagten, musste er auch sagen können.

Was immer mit seinen Kindern nicht stimmte – in diesem Sommer waren sie anspruchslos, verträglich und liebevoll. An den Enkelkindern hätte er nicht eine solche Freude, wenn die Kinder es nicht recht machen würden. Nein, er konnte den Kindern nichts Wegweisendes sagen. Er konnte ihnen nur sagen, dass er sie liebte.

Eines Tags waren die Schmerzen so stark, dass er den Zug in die Stadt nahm und den Arzt um Morphin bat. Der Arzt gab ihm das Betäubungsmittelrezept unter Zögern und mit allerlei Belehrungen über Dosierung und Wirkung. Freundlicher als der Arzt war die Apothekerin, bei der er seit Jahrzehnten kaufte und die ihm mit traurigem Lächeln die Packung und ein Glas Wasser gab. »Es ist also so weit.«

Er verpasste den Nachmittagszug und nahm den Abendzug. Er hatte das Auto am Bahnhof abgestellt, fragte sich, ob er fahren könne, war aber nicht anders belehrt worden und kam nach einer Fahrt über leere Straßen sicher an. Das Haus lag dunkel. Wenn alle schon schliefen, hatte er keine Eile. Er konnte sich auf die Bank am See setzen. Er konnte genießen, dass heute Abend der Schmerz sich nicht nur in ein hinteres Zimmer zurückgezogen hatte, sondern verlässlich eingeschlossen war.

Ja, Morphin war die Lösung. Mit ihm war ein schmerzfreier Abend tatsächlich nicht mehr eine unverzichtbare Seltenheit, sondern eine machbare Gelegenheit. Er fühlte sich leicht; sein Körper schmerzte nicht nur nicht, sondern pulsierte weich und fest, hielt ihn, trug ihn, hatte Flügel. Ohne sich zu rühren, konnte er nach den Lichtern am anderen Ufer des Sees und sogar nach den Sternen greifen.

13

Er hörte Schritte und erkannte den Gang seiner Frau. Er rückte auf die eine Seite der Bank, damit sie auf der anderen Seite Platz hätte. »Du hast das Auto gehört?«

Sie setzte sich, ohne zu antworten. Als er den Arm um ihre Schultern legen wollte, beugte sie sich vor, so dass seine Geste ins Leere ging. Sie hielt die Flasche mit dem Cocktail hoch und fragte: »Ist das, was ich denke?«

»Was denkst du?«

»Spiel kein Spiel mit mir, Thomas Wellmer. Was ist es?«

»Es ist ein besonders starkes Schmerzmittel, das gekühlt gelagert werden muss und nicht in die Hände der Enkelkinder geraten soll.«

»Deshalb hast du es hinter der Champagnerflasche im Weinkühlschrank versteckt?«

»Ja. Ich verstehe nicht, was du …«

»Ich habe besonders starke Schmerzen. Seit ich die Flasche gefunden habe, weil ich für dich und mich ein Essen mit Champagner vorbereiten wollte, habe ich besonders starke Schmerzen. Also trinke ich die Flasche am besten aus.« Sie schraubte den Deckel ab und hob die Flasche zum Mund.

»Mach das nicht.«

Sie nickte. »Eines Abends, während wir zusammensitzen und es schön haben, willst du rausgehen, die Flasche austrinken, wieder reinkommen und einschlafen. Sagst du uns davor noch, dass du besonders müde bist und vielleicht einschlafen wirst und wir dich schlafen lassen sollen?«

»Ich habe das nicht so genau geplant.«

»Aber du wolltest es machen, ohne es mir zu sagen, ohne mich zu fragen, ohne mit mir zu reden. So genau hast du es schon geplant. Stimmt's?«

Er zuckte die Schultern. »Ich verstehe nicht, was du hast. Ich wollte gehen, wenn ich den Schmerz nicht mehr ertrage. Ich wollte so gehen, dass niemand ein Problem hat.«

»Erinnerst du dich an unsere Hochzeit? Bis dass der Tod euch scheidet? Nicht bis du dich beim Tod einschmeichelst und mit ihm davonstiehlst. Und erinnerst du dich, dass ich mich nicht auf das Glück eines Sommers einlassen wollte, das nach wenigen Wochen vorbei ist? Hast du gedacht, dass ich die Wahrheit nicht herausfinde? Oder dass du, wenn ich sie herausfinde, tot bist? Dass ich dich dann nicht mehr zur Rede stellen kann? Du hast keine Geliebte gehabt, aber wie du mich jetzt betrogen hast, ist nicht besser, nein, es ist schlimmer.«

»Ich dachte, es kommt nicht raus. Ich dachte auch, dass es ein schöner Abschied ist. Was hättest du ...«

»Ein schöner Abschied? Du gehst, und ich weiß nicht,

dass du gehst? Das soll ein schöner Abschied sein? Es ist gar kein Abschied. Jedenfalls keiner, den ich von dir nehme. Und du nimmst auch nicht von mir Abschied, sondern von dir, und willst mich als Statistin dabeihaben.«

»Ich verstehe noch immer nicht, warum du so empört ...«

Sie stand auf. »Ja, du verstehst nicht, was du machst. Ich werde es morgen früh den Kindern sagen und fahren. Mach hier, was du willst. Ich werde nicht als Statistin bleiben, und ich wäre erstaunt, wenn die Kinder blieben.« Sie stellte die Flasche auf die Bank und ging.

Er schüttelte den Kopf. Etwas war schiefgelaufen. Er wusste nicht genau, was. Aber es bestand kein Zweifel, dass etwas nicht so gelaufen war, wie es hätte laufen sollen. Er würde am nächsten Morgen mit seiner Frau reden müssen. So empört hatte er sie lange nicht mehr erlebt.

14

Sie lag nicht im gemeinsamen Bett, als er sich hinlegte, und nicht, als er aufstand. Er machte mit den Kindern Frühstück und weckte die Enkelkinder. Als alle um den Tisch saßen, kam sie. Sie setzte sich nicht.

»Ich fahre in die Stadt. Euer Vater will sich an einem der nächsten Abende im Kreis seiner Lieben umbringen. Ich habe es nur durch Zufall herausgefunden; er wollte mir und euch nichts davon sagen, sondern einfach das Mittel trinken und einschlafen und sterben. Ich will damit nichts zu tun haben. Was er sich alleine ausgedacht hat, soll er auch alleine zu Ende bringen.«

Dagmar sagte zu ihrem Mann: »Nimm die Kinder, und mach was mit ihnen. Nicht nur unsere Kinder, alle.« Sie sagte es so bestimmt, dass ihr Mann aufstand und ging, und die Enkelkinder gingen mit. Dann wandte sie sich an ihren Vater. »Du willst dich umbringen? Wie Mutter es beschrieben hat?«

»Ich dachte, es müssten nicht alle wissen. Eigentlich müsste es niemand wissen. Der Schmerz wird schlimmer und schlimmer, und wenn er unerträglich wird, will ich mich verabschieden. Was ist daran falsch?«

»Dass du uns nichts gesagt hast und nichts sagen wolltest. Oder wenn nicht uns Kindern, dann Mutter. Wann der Schmerz unerträglich wird, hängt doch auch damit zusammen, was Mutter dir ertragen hilft. Ich dachte, auch wir ...« Dagmar sah ihren Vater enttäuscht an.

Helmut stand auf. »Lass sein, Dagmar. Was gerade abgeht, müssen die Eltern unter sich ausmachen. Ich jedenfalls werde mich nicht einmischen, und du hältst dich besser auch heraus.«

»Aber sie machen es nicht unter sich aus. Mutter hat gesagt, sie will damit nichts zu tun haben.« Dagmar sah ihren Bruder verwirrt an.

»Das ist auch eine Art, es mit ihm auszumachen.« Er wandte sich an seine Frau. »Komm, wir packen und fahren.«

Sie gingen. Dagmar stand zögernd auf, sah ihren Vater und ihre Mutter fragend an, bekam keine Antworten und ging auch. Das Haus war erfüllt von der Geschäftigkeit des Schränke und Kommoden Leerräumens, Bücher und Spielsachen Zusammensuchens, Betten Abziehens, Packens. Die Eltern ermahnten ihre Kinder, dies noch zu holen und jenes nicht zu vergessen, und weil die Kinder spürten, dass die Welt aus den Fugen geraten war, waren sie folgsam.

Seine Frau hatte schon in der Nacht gepackt. Sie stand noch eine Weile in der Küche und sah vor sich hin. Dann sah sie ihn an. »Ich fahre jetzt.«

»Du musst nicht fahren.«

»Doch, ich muss.«

»Fährst du in die Stadt?«

»Ich weiß nicht. Ich habe noch fast drei Wochen Ferien.« Sie ging, und er hörte, wie sie sich von den Kindern und Enkelkindern verabschiedete, die Haustür öffnete und schloss, das Auto anließ und losfuhr. Wenig später hatten die anderen fertiggepackt. Sie kamen in die Küche und verabschiedeten sich, die Kinder verlegen, die Enkelkinder verstört. Er hörte auch sie aus dem Haus gehen, Autotüren zuschlagen und losfahren. Dann war es still.

15

Er blieb sitzen und konnte nicht fassen, wie schnell sich das Haus geleert hatte. Er wusste nicht, was er tun sollte. Was er mit dem Morgen anfangen sollte und mit dem Tag, was mit dem nächsten Tag und der nächsten Woche, ob er sich gleich umbringen sollte oder später. Schließlich stand er auf und räumte den Tisch ab, lud das schmutzige Geschirr und Besteck in die Spülmaschine, füllte das Spülmittel ein, stellte die Spülmaschine an, sammelte oben die Bettwäsche und die Handtücher ein und trug sie in den Keller. Anders als die Spülmaschine hatte er die Waschmaschine noch nie bedient, aber er fand auf dem Bord mit den Waschmitteln eine Gebrauchsanleitung und folgte den Anweisungen. In eine Ladung passte die Wäsche von zwei Betten; er würde vier oder fünf Ladungen brauchen.

Er ging an den See und setzte sich auf die Bank. Mit den Geräuschen der spielenden und badenden Enkelkinder war sie ein Ort wie der Tisch in der Bibliothek oder im Café oder das Sofa im Wohnzimmer – er war bei den anderen und war doch für sich. Ohne die Geräusche war er nur einsam. Er wollte darüber nachdenken, was er tun sollte, aber ihm fiel nichts ein. Dann wollte er über eines der philosophischen Probleme nachdenken, die er in den Ruhestand mitgenommen hatte, und ihm fiel nicht nur nichts zu einem Problem, ihm fiel nicht einmal ein Problem ein. Situationen der letzten Wochen kamen zu ihm: David und Meike im Boot, Matthias und Ferdinand beim Bau der Insel, Ariane mit dem Buch auf dem Knie, Ariane und er beim Maler, das Kochen mit den Kindern, das Schneiden der Hecke, der Tee und die Limonade für die Frau, die wachsende Nähe, der Morgen, an dem sie sich geliebt hatten. Er spürte einen Hauch von Sehnsucht, nur einen Hauch, weil er noch nicht wirklich erfasst hatte, dass alle gegangen waren. Er wusste, dass es so war, er hatte es mit eigenen Ohren gehört und mit eigenen Augen gesehen. Aber er hatte es noch nicht wirklich erfasst.

Als der Schmerz sich meldete, war er fast froh. Wie man fast froh ist, wenn man sich verlassen an einem fremden Ort findet und jemandem begegnet, den man nicht mag, mit dem einen aber eine gemeinsame Vergangenheit auf der Schule oder Universität oder im Betrieb oder Büro verbindet. Die Begegnung lenkt von der Einsamkeit ab. Außerdem brachte der Schmerz ihm in Erinnerung, warum er hier war: nicht um in der Familie aufzugehen, sondern um von ihr Abschied zu nehmen. Nun war der Abschied eben ein bisschen früher und ein bisschen anders gekommen.

Ja, so war es. Oder doch nicht? Er stand auf und wollte die erste Ladung Wäsche zum Trocknen aufhängen und die nächste Ladung waschen. Noch bevor er das Haus erreichte, wusste er, dass der Abschied, der hinter ihm lag, nicht nur ein bisschen früher und ein bisschen anders gekommen war. Er hatte mit dem Abschied, der vor ihm gelegen hatte, nichts gemein. Der Abschied, der hinter einem liegt, ist passiert. Beim Abschied, der vor einem liegt, gibt es die Möglichkeit, dass etwas ihn verzögert, dass etwas ihn verhindert, dass ein Wunder geschieht. Er glaubte nicht an Wunder. Aber er merkte, dass er sich etwas vorgemacht hatte. Er hatte sich vorgestellt, der Schmerz werde immer stärker, immer schwerer zu ertragen und schließlich unerträglich werden und die Entscheidung zum Abschied werde sich von selbst ergeben. Stattdessen war mit dem Schmerz auch das Schmerzmittel stärker geworden. Die Entscheidung, den Cocktail zu trinken und den Abschied zu nehmen, ergab sich nicht von selbst. Er musste sie treffen, und weil er noch Zeit gehabt hatte, hatte er sich nicht eingestanden, wie schwer sie ihm fiel. Wenn er sich den Arm brechen würde oder das Bein – wäre es dann so weit?

Er hatte manchmal gesehen, wie seine Frau Wäsche aufhängte. Sie wischte die Wäscheleine ab, die im Garten gespannt war, brachte den Wäschekorb aus dem Keller, schlug die Wäschestücke aus und klemmte sie mit Wäscheklammern fest, die sie aus einem Beutel nahm, den sie wie eine

Schürze umgebunden hatte. So machte er es auch. Sich nach den Stücken bücken, sie ausschlagen, die Klammern aus dem Beutel nehmen, sich nach der Leine strecken und die Stücke festklemmen – bei jeder Bewegung sah er seine Frau vor sich, nein, fühlte er sie, wie sie dieselbe Bewegung machte. Ihn ergriff das Mitgefühl mit dem Körper seiner Frau, der die Mühen des Berufs, des Haushalts und der Kinder, die Schmerzen der Geburten und der Fehlgeburt, die Anfälligkeit für Blasenentzündungen und die Überwältigungen durch Migräne ausgehalten hatte, so stark, dass er zu weinen begann. Er wollte aufhören. Aber er konnte nicht. Er setzte sich auf die Stufen der Veranda und sah durch die Tränen, wie der Wind die Wäsche blähte, sinken ließ und wieder hochwehte.

Nichts würde von dem letzten Sommer bleiben, den er so sorgfältig eingefädelt hatte. Wieder hatte er alle Zutaten beieinandergehabt, aber das Glück hatte nicht gestimmt. Es war anders als die anderen Male; eine Weile lang war er wirklich glücklich gewesen. Aber das Glück hatte nicht bleiben mögen.

16

Am selben Tag fing er an zu horchen. Er war im Garten oder am See und horchte, ob, was er gerade gehört hatte, das Auto seiner Frau war. Er war im ersten Stock, hörte im Erdgeschoss ein Geräusch und horchte auf Schritte. Er war im Erdgeschoss, hörte ein Geräusch im ersten Stock und horchte auf Stimmen.

In den nächsten Tagen war er sich manchmal sicher, er hätte seine Frau vorfahren oder die Treppe hochkommen oder Matthias zu ihm rennen oder Ariane nach ihm rufen gehört. Dann trat er vor die Tür oder an die Treppe oder drehte sich um, und niemand war da. An einem Tag ging er immer wieder vom Haus an den See, weil sich in seinem Kopf die Idee festgesetzt hatte, seine Frau werde mit einem Boot kommen, sich auf die Bank setzen und darauf warten, dass er sich zu ihr setze. War er unten an der Bank, kam ihm die Idee absurd vor. Aber wenn er wieder im Haus war, dauerte es nicht lang, bis er meinte, den gedrosselten Motor eines anlegenden Boots zu hören.

Als er nur mehr die Leere von Haus und Garten hörte, ließ er sich gehen. Das morgendliche Ritual des Duschens und Rasierens und Anziehens ging über seine Kräfte. Wenn er einkaufen fuhr, schlüpfte er mit dem Schlafanzug in eine Hose und zog eine Jacke über und scherte sich nicht um die Blicke der anderen. Im Lauf des Nachmittags fing er zu trinken an, und am frühen Abend war er betrunken oder, wenn Alkohol und Tabletten zusammenwirkten, beinahe bewusstlos. Nur dann war er ganz ohne Schmerzen. Sonst tat ihm immer etwas und oft der ganze Körper weh.

Eines Abends stürzte er auf der Kellertreppe, war aber zu betrunken, um aufzustehen und hochzugehen. Er setzte sich auf die Stufe und lehnte sich an die Wand und schlief ein. Nachts wachte er auf und merkte, dass seine rechte Hand geschwollen war und weh tat. Es war nicht der Schmerz, den er kannte, sondern ein junger, frischer Schmerz, der bei jeder Bewegung der Hand stechend vom Gelenk bis in die Finger fuhr. Er sagte ihm, dass die Hand gebrochen war. Er sagte ihm auch, dass der richtige Augenblick gekommen war.

Aber er holte nicht den Cocktail, sondern ging in die Küche und machte Kaffee. Er füllte ein Handtuch mit Eiswürfeln, setzte sich an den Tisch, kühlte die Hand und trank den Kaffee. Er würde nicht selbst fahren können. Er musste eine Taxe kommen lassen. Ihm war peinlich, wie er aussah und wie er roch, und er quälte sich unter die Dusche und in frische Wäsche und in einen Anzug. Er rief den Taxenbetrieb an, holte den alten Chef aus dem Bett, den er seit Jahren kannte und der selbst kommen wollte, setzte sich auf die Terrasse und wartete. Die Nachtluft war warm.

Dann liefen die Dinge von selbst. Die Taxe brachte ihn zum Krankenhaus, der Arzt gab ihm eine Spritze und schickte ihn zum Röntgen, die Röntgenschwester machte die Aufnahmen und schickte ihn in die Wartehalle. Er war der einzige Patient, saß im weißen Licht der Neonröhren auf einem weißen Plastikstuhl und sah auf den leeren Parkplatz. Er wartete und schrieb in Gedanken einen Brief an seine Frau.

Es dauerte eine Stunde, bis er gerufen wurde. Neben dem ersten Arzt stand ein zweiter. Er führte das Wort und erklärte ihm die Zahl und Lage der Knochen der Hand, welche zwei Knochen gebrochen seien, dass es weder etwas zu operieren noch etwas zu schienen gebe, dass ein fester Verband ausreiche und dass eigentlich alles wieder gut werden müsse. Er legte ihm den Verband an und forderte ihn auf, sich in drei Tagen wieder sehen zu lassen. Der Empfang werde ihm eine Taxe rufen.

Der alte Chef, der ihn zum Krankenhaus gefahren hatte, fuhr ihn auch wieder nach Hause. Sie redeten über ihre Kinder. Es wurde hell, und als er ausstieg, lärmten die Vögel wie an dem Morgen, an dem er die Pfannkuchen gebacken hatte. Wie lange war das her? Drei Wochen?

17

Er ging in sein Arbeitszimmer und setzte sich an die Schreibmaschine. Auf ihr hatte er Briefe, Aufsätze und Bücher geschrieben, bis er eine Sekretärin bekam, der er diktieren konnte. Im Ruhestand hätte er sich an den Computer gewöhnen sollen. Aber lieber hatte er seine alte Sekretärin gebeten oder das Schreiben eingestellt.

Das Schreiben auf der Maschine war ungewohnt, und beim Schreiben ohne rechte Hand war er besonders ungeschickt. Er musste mit dem Zeigefinger Buchstaben um Buchstaben suchen.

»Ich kann nicht ohne Dich. Nicht wegen der Wäsche; ich wasche, trockne und falte sie. Nicht wegen des Essens; ich kaufe es ein und bereite es zu. Ich putze im Haus und gieße den Garten.

Ich kann ohne Dich nicht, weil ohne Dich alles nichts ist. Bei allem, was ich in meinem Leben gemacht habe, habe ich daraus gelebt, dass ich Dich hatte. Hätte ich Dich nicht gehabt, hätte ich nichts zustande gebracht. Seit ich Dich nicht habe, bin ich mehr und mehr und schließlich völlig verkommen. Zum Glück hatte ich einen Unfall und bin zu Sinnen gekommen.

Es tut mir leid, dass ich Dir nicht alles über meine Lage gesagt habe. Dass ich alleine geplant habe, wie ich mit dem

Leben Schluss mache. Dass ich alleine entscheiden wollte, wann ich das Leben nicht mehr aushalte.

Du kennst die Kassette, die ich von Vater geerbt habe. Ich werde die Flasche in die Kassette schließen und die Kassette in den Kühlschrank stellen. Den Schlüssel findest Du in diesem Brief; so kann ich nichts ohne Dich entscheiden. Wenn es nicht mehr geht, entscheiden wir gemeinsam, dass es nicht mehr geht. Ich liebe Dich.«

Er schloss die Flasche in die Kassette, stellte die Kassette in den Kühlschrank, steckte den Schlüssel mit dem Brief in den Umschlag und adressierte ihn an die gemeinsame Wohnung in der Stadt. Er passte den Briefträger ab und gab ihm den Umschlag mit.

Kaum war der Briefträger gegangen, kamen ihm Zweifel. Sein Leben, sein Tod in ihrer Hand? Was, wenn sie den Brief nicht bekam, nicht öffnete, nicht mochte? Er hätte gerne noch mal gelesen, was er geschrieben hatte, hatte aber keinen Durchschlag gemacht. Immerhin gab es eine fast fertige Fassung, die er wegen zu vieler Fehler weggeworfen hatte. Er musste sie im Papierkorb finden.

Als er vor seinem Schreibtisch stand, sah er in der offenen Schublade einen Schlüssel. Er nahm ihn heraus. Er hatte vergessen, dass es einen zweiten Schlüssel zur Kassette gab. Er lachte und steckte ihn ein.

Er legte sich in seinem Arbeitszimmer aufs Sofa und schlief den Schlaf, den er in der Nacht nicht geschlafen hatte. Als ihn nach zwei Stunden der Schmerz in der Hand weckte, ging er an den See und setzte sich auf die Bank. Wenn sie nicht verreist war, würde sie den Brief morgen haben. Wenn sie verreist war, könnte es Tage dauern.

Er stand auf, holte den Schlüssel aus der Tasche und warf ihn, so weit er mit der linken Hand konnte. Der Schlüssel blitzte im Licht der Sonne, blitzte auch noch, als er ins Wasser sank. Ein paar kleine Wellen kreisten um die Stelle. Dann war der See wieder glatt.

Johann Sebastian Bach auf Rügen

I

Am Ende des Films wollten ihm die Tränen kommen. Dabei hatte der Film gar kein Happy End; er endete nicht mit dem Versprechen einer glücklichen Zukunft, sondern nur mit einer vagen Hoffnung. Die beiden, die füreinander bestimmt waren, hatten sich verfehlt, sie würden sich aber vielleicht wiederbegegnen. Die Frau hatte ihr Geschäft verloren, sie wagte aber einen neuen Anfang.

Sie hatte ihr Geschäft verloren, weil ihre Schwester sie um ihr Geld gebracht hatte. Sie konnte einen neuen Anfang wagen, weil ihr Vater, ein mürrischer Alter, der manchmal schlecht und recht auf ihren Sohn aufpasste und meistens voller törichter Ideen steckte, überraschend sein Haus verkaufte und ihr den Lieferwagen schenkte, den sie brauchte. Danach standen Vater und Tochter auf der Straße und sahen auf den Lieferwagen, sie den Kopf an seine Schulter gelehnt und er den Arm um sie gelegt. Ihr Geschäft war das Reinigen von Verbrechensschauplätzen, und in der letzten Szene machte der Vater sich mit der Tochter an die Arbeit, im blauen Overall, mit weißer Atemschutzmaske und in der Vertrautheit, die keine Worte braucht.

Dass ihm beim Happy End eines Films die Tränen kommen wollten, passierte ihm immer öfter. In seiner Brust wurde es eng, seine Augen wurden feucht, und bevor er reden konnte, musste er sich räuspern. Aber die Tränen kamen nicht. Dabei hätte er gerne geweint, nicht nur im Kino beim Happy End, sondern auch, wenn ihn die Trauer über das Ende seiner Ehe oder den Tod seines Freundes oder einfach über den Verlust seiner Lebenshoffnungen und -träume überwältigte. Als Kind hatte er sich in den Schlaf geweint – er konnte es nicht mehr.

Das letzte Mal, dass er richtig hätte weinen können, war vor vielen Jahren gewesen. Er hatte mit seinem Vater eine der politischen Auseinandersetzungen, die damals zwischen den Generationen üblich waren und in denen die Eltern alles bedroht sahen, wofür sie gelebt hatten, und die Kinder alles verwehrt fanden, was sie anders und besser machen wollten. Er verstand und respektierte den Schmerz seines Vaters über den Verlust einer vertrauten und geliebten Welt und wollte nur, dass sein Vater seinen Wunsch nach einer neuen Welt ebenso verstünde und respektierte. Aber sein Vater beschimpfte ihn als unbedacht und unerfahren, anmaßend, respekt- und verantwortungslos, bis ihm die Tränen kommen wollten. Diesen Triumph mochte er dem Vater nicht lassen. Er schluckte die Tränen runter und konnte zwar nicht reden, bot aber seinem Vater die Stirn.

Hätte sein Vater sein Haus verkauft und ihm einen Lieferwagen geschenkt, wenn er einen gebraucht hätte? Hätte sein Vater einen blauen Overall und eine weiße Atemschutzmaske angezogen und ihm beim Reinigen von Verbrechensschauplätzen geholfen? Er wusste es nicht. Es wäre für seinen Vater und ihn nicht um Lieferwagen, Overalls und Atemschutzmasken gegangen. Hätte sein Vater ihn, wenn er wegen seines politischen Engagements seine Stelle verloren hätte, unterstützt? Ihm beim Neuanfang in einem anderen Beruf oder anderen Land geholfen? Oder hätte er gefunden, es geschehe ihm recht und er verdiene keine Hilfe?

Selbst wenn sein Vater ihm geholfen hätte – nie und nimmer wäre es in der wortlosen Vertrautheit geschehen, die im Film zwischen Vater und Tochter bestand. Sie war ein kleines Happy End im großen vagen Ende des Films. Sie war ein kleines Wunder. Dabei durften einem schon die Tränen kommen.

2

Er hatte vorgehabt, eine Taxe zu nehmen und sich zu Hause noch an den Artikel zu machen, den die Zeitung Anfang der nächsten Woche bringen wollte. Aber als er aus dem Kino auf die Straße trat und die weiche Sommernachtluft spürte, entschloss er sich zu gehen. Über den Platz, am Museum vorbei, am Fluss entlang – er war erstaunt, wie belebt die Straßen waren. Ihm begegneten Touristengruppen, und oft waren Alt und Jung gemeinsam unterwegs. Eine Gruppe von Italienern berührte ihn besonders. Großvater und Großmutter, Vater und Mutter, Söhne und Töchter und wohl auch noch deren Freunde und Freundinnen kamen ihm eingehakt, mit leichtem Schritt und leise singend entgegen, sahen ihn freundlich, auffordernd, einladend an und waren an ihm vorbei, ehe er auch nur beginnen konnte, sich zu überlegen, was es mit der Aufforderung und Einladung auf sich haben mochte und wie er reagieren könnte. Werde ich, fragte er sich, wenn ich Eltern und Kinder glücklich beieinander sehe, sentimental?

Er fragte es sich wieder, als er beim Italiener in der Nachbarschaft noch ein Glas Wein trank. Zwei Tische weiter saßen ein Vater und ein Sohn in lebhaftem, freundlichem Gespräch. Dann schlug seine Stimmung um; er wurde neidisch, ärgerlich, bitter. Er konnte sich nicht an ein einziges ähnliches Gespräch mit seinem Vater erinnern. Redeten sie lebhaft miteinander, dann stritten sie über Politik oder Recht oder Gesellschaft. Freundlich redeten sie miteinander nur, wenn sie Belanglosigkeiten austauschten.

Am nächsten Morgen schlug die Stimmung noch mal um. Es war Sonntag, er frühstückte auf dem Balkon, die Sonne schien, die Amsel sang, und die Kirchenglocken läuteten. Er wollte nicht bitter sein. Er wollte auch nicht, dass, wenn sein Vater starb, nichts blieb außer faden oder schlechten Erinnerungen. Als seine Eltern aus der Kirche zurück waren, rief er sie an. Seine Mutter nahm ab, wie immer, und wie immer stockte nach den wechselseitigen Fragen nach Aktivitäten, Gesundheit und Wetter das Gespräch.

»Meinst du, ich könnte Vater zu einer kleinen Reise einladen?«

Es dauerte eine Weile, bis sie antwortete. Er wusste, dass sie weniges so sehnlich wünschte wie ein besseres Verhältnis ihrer Kinder zu ihrem Mann. Zögerte sie, weil sie die Freude über seine Frage nicht fassen konnte? Oder weil sie Angst hatte, die Situation zwischen ihm und seinem Vater sei schon zu verfahren? Schließlich fragte sie: »Was für eine kleine Reise schwebt dir vor?«

»Was sowohl Vater als auch ich mögen, ist das Meer und ist Bachs Musik.« Er lachte. »Fällt dir sonst noch etwas ein, das wir beide mögen? Mir nicht. Im September gibt es ein kleines Bach-Fest auf Rügen, und ich denke an zwei bis drei Tage mit ein paar Konzerten und ein paar Spaziergängen am Strand.«

»Ohne mich.«

»Ja, ohne dich.«

Wieder zögerte seine Mutter mit der Antwort. Als gebe sie sich einen Ruck, sagte sie schließlich: »Was für ein schöner Gedanke! Kannst du Vater einen Brief schreiben? Ich fürchte, am Telefon fühlt er sich überfahren und reagiert ab weisend. Das tut ihm zwar bald leid. Aber warum nachträglich in Ordnung bringen, was von vornherein brieflich besser läuft?«

3

An einem Donnerstag im September holte er seinen Vater in der kleinen Stadt ab, in der seine Eltern lebten und in der er aufgewachsen war. Die Zimmer im Hotel und die Karten für die Konzerte waren gebucht. Er hatte sich gegen die größeren Orte mit den prächtigen Häusern der Jahrhundertwende entschieden; weil sein Vater es bescheiden mochte, würden sie in einem einfachen Hotel in einem kleinen Dorf wohnen, dort, wo der Strand sich Kilometer um Kilometer hinzieht. Sie würden am Freitagnachmittag die *Französischen Suiten,* am Samstagabend zwei *Brandenburgische Konzerte* und das *Italienische Konzert* und am Sonntagnachmittag Motetten hören. Er hatte die Programme der Konzerte ausgedruckt und gab sie seinem Vater, als sie auf der Autobahn waren. Außerdem hatte er sich zurechtgelegt, wonach er seinen Vater auf der Fahrt fragen wollte: nach Kindheit und Jugend und Studium und beruflichem Anfang. Das sollte ohne Streit gehen.

»Schön«, sagte sein Vater, als er die Programme gelesen hatte, und schwieg. Er saß aufrecht, die Beine übereinandergeschlagen, die Arme auf die Lehnen gelegt und die Hände von den Lehnen hängend. So saß er auch zu Hause im Sessel, und so hatte der Junge seinen Vater gesehen, als er ihn vor dem Abitur im Gericht besuchte und bei einer Verhandlung erlebte. Er wirkte entspannt, und die Neigung seines Kopfs und die Andeutung eines Lächelns versprachen zugewandtes und aufmerksames Zuhören. Zugleich wahrte die Haltung Abstand; so entspannt sich, wer sich auf die Menschen und auf die Situationen nicht einlässt, so hält den Kopf und lächelt, wer sich hinter dem Lächeln versteckt und voller Skepsis zuhört. Seit er sich verschiedentlich entsetzt dabei ertappt hatte, so zu sitzen, wie sein Vater saß, wusste er es.

Er fragte ihn nach seiner frühesten Erinnerung und erfuhr von dem Matrosenanzug, den sein Vater als Dreijähriger zu Weihnachten bekommen hatte. Er fragte ihn nach den Leiden und Freuden der Schule, und sein Vater wurde gesprächiger und erzählte vom Drill beim Turnen, vom vaterländischen Geschichtsunterricht und von seinen Schwierigkeiten mit Aufsätzen, bis er sie nach dem Vorbild von Artikeln schrieb, die er in einem Buch im Schrank seines Vaters fand. Er erzählte vom Tanzunterricht und von den Treffen der Primaner, bei denen gesoffen wurde wie bei den Besäufnissen studentischer Verbindungen und nach denen die, die sich besonders erwachsen fühlten, noch ins Bordell gingen. Nein, er selbst sei nie mitgegangen und habe auch beim Trinken nur halbherzig mitgetan. Als Student habe er sich geweigert, in eine Verbindung einzutreten, obwohl sein Vater ihn gedrängt habe. Er habe studieren und auf der Universität dem Reichtum des Geistes begegnen wollen, nachdem es auf der Penne nur Almosen gegeben hatte. Er erzählte von Professoren, die er gehört, von Veranstaltungen, die er besucht hatte, und wurde darüber müde.

»Du kannst die Lehne tieferstellen und schlafen.«

Er stellte die Lehne tiefer. »Ich ruhe nur aus.« Aber es dauerte nicht lange, bis er schlief, schnarchend und manchmal schmatzend.

Sein Vater im Schlaf – er merkte, dass er das noch nie erlebt hatte. Er konnte sich nicht erinnern, als Kind mit seinen Eltern im Bett herumgetollt zu haben, bei ihnen eingeschlafen oder aufgewacht zu sein. Ferien hatten seine Eltern ohne die Kinder verbracht; er und seine Geschwister wurden zu Großeltern, Tanten und Onkeln geschickt. Das fand er auch gut; er erlebte die Ferien immer als Befreiung nicht nur von der Schule, sondern auch von den Eltern. Er sah zu seinem Vater, sah die Bartstoppeln auf Kinn und Wangen, die Haare, die aus der Nase und aus den Ohren wuchsen, den Speichel in den Mundwinkeln, die geplatzten Adern an der Nase. Zugleich roch er seinen Vater, ein bisschen muffig und ein bisschen säuerlich. Er war froh, dass es außer den Ritualen des Begrüßungs- und des Abschiedskusses, die er meistens vermeiden konnte, keine Zärtlichkeiten zwischen seinen Eltern und ihm gab oder gegeben hatte. Dann fragte er sich, ob er dem Körper seines Vaters liebevoller begegnen würde, wenn es sie gegeben hätte.

Er tankte, und sein Vater drehte sich, so gut es ging, auf die Seite und schlief weiter. Er stand im Stau, ein Krankenwagen bahnte sich den Weg mit Blaulicht und Sirene, und sein Vater murmelte etwas, wachte aber nicht auf. Der tiefe Schlaf seines Vaters ärgerte ihn; er berührte ihn als Ausdruck des guten Gewissens, mit dem sein Vater selbstgerecht durchs Leben gegangen war und ihn beurteilt und verurteilt hatte. Aber dann löste der Stau sich auf, er umfuhr Berlin, durchfuhr Brandenburg und erreichte Mecklenburg. Die karge Landschaft stimmte ihn melancholisch, die einsetzende Dämmerung milde.

»Wie ist die Welt so stille und in der Dämmerung Hülle so traulich und so hold.« Sein Vater war aufgewacht und zitierte Matthias Claudius. Als er ihn anlächelte, lächelte sein Vater zurück. »Ich habe von deiner Schwester geträumt, als sie klein war. Sie kletterte einen Baum hoch, höher und höher, und dann flog sie in meine Arme, leicht wie eine Feder.«

Seine Schwester war das Kind der ersten Frau seines Vaters, die im Kindbett gestorben war und in der Familie als Himmelsmama geführt wurde, im Unterschied zur zweiten Frau, die auf der Erde als Mama präsent war. Die zweite Frau war die Mutter der beiden Söhne und war auch die Mutter der Schwester geworden; die Kinder hatten sich immer voll und ganz als Geschwister und nie als Halbgeschwister empfunden. Aber er hatte sich manchmal gefragt, ob die besondere Liebe seines Vaters für seine Schwester die Fortsetzung der Liebe für die erste Frau war. Die Dämmerung, das Lächeln, die Erzählung des Traums als Bekenntnis einer Sehnsucht und Zeichen des Vertrauens – er dachte, er könnte seinen Vater fragen. »Wie war deine erste Frau?«

Der Vater antwortete nicht. Sie fuhren von der Dämmerung in die Dunkelheit, und sein Gesicht war nicht zu sehen und nicht zu deuten. Er räusperte sich, sagte aber nichts. Als der Sohn die Hoffnung auf eine Antwort schon aufgeben wollte, sagte der Vater: »Ach, nicht so anders als Mama.«

4

Am nächsten Morgen wachte er früh auf. Er lag im Bett und fragte sich, ob sein Vater ihm ausgewichen war oder über seine erste Frau nicht mehr sagen konnte, als er gesagt hatte. Hatte er die beiden Frauen ineinandergefühlt und -gedacht, weil er die Spannung von Erinnern und Vermissen und Vergessen nicht aushielt?

Das waren keine Fragen, die er seinem Vater beim Frühstück stellen konnte. Sie saßen auf der Terrasse mit Blick aufs Meer. Der Vater richtete Grüße von Mama aus, mit der er gerade telefoniert hatte, köpfte das Ei, belegte die eine Hälfte des Brötchens mit Schinken und die andere mit Käse und aß schweigend und konzentriert. Als er fertig war, las er die Zeitung.

Was er und Mutter miteinander am Telefon reden mochten? Tauschten sie nur aus, wie sie geschlafen hatten und wie das Wetter hier und dort war? Warum redete er von ihr als Mama, obwohl keines der Kinder sie so nannte? Interessierte ihn die Zeitung, oder versteckte er sich hinter ihr? Machte die Reise mit seinem Sohn ihn befangen?

»Vermutlich findest du gut, dass die Regierung ...«

Das klang, als wolle sein Vater eine ihrer üblichen politi-

schen Auseinandersetzungen eröffnen. Er ließ ihn nicht ausreden. »Ich habe seit Tagen nicht die Zeitung gelesen. Nächste
Woche wieder. Wollen wir am Strand gehen?« Der Vater bestand darauf, die Zeitung fertigzulesen, versuchte aber nicht
mehr, ihn in eine Auseinandersetzung zu ziehen. Schließlich
faltete er die Zeitung und legte sie auf den Tisch. »Wollen
wir?«

Sie gingen am Strand, der Vater im Anzug, mit Krawatte
und schwarzen Schuhen, er in Hemd und Jeans, die Turnschuhe an den Senkeln zusammengebunden über die Schulter gehängt. »Du hast auf der Fahrt vom Studium erzählt –
was kam danach? Warum musstest du nicht in den Krieg?
Was genau war der Grund, dass du deine Stelle als Richter
verloren hast? Warst du gerne Anwalt?«

»Vier Fragen auf einmal! Mein Herz hatte damals schon
die Rhythmusstörungen, die ich heute noch habe; sie haben
mich vor dem Krieg gerettet. Die Stelle als Richter habe ich
verloren, weil ich die Bekennende Kirche juristisch beraten
habe. Das war dem Präsidenten des Landgerichts und auch
der Gestapo ein Ärgernis. Also wurde ich Anwalt und habe
die Kirche als Anwalt weiterberaten. Meine Partner in der
Kanzlei haben mich machen lassen; mit dem richtigen An-
waltsgeschäft mit Verträgen und Gesellschaften und Hypo-
theken und Testamenten hatte ich kaum zu tun, und vor Gericht bin ich selten aufgetreten.«

»Ich habe den Aufsatz gelesen, den du 1945 im *Tageblatt*
geschrieben hast. Kein Hass gegen die Nazis, keine Abrechnung, keine Vergeltung, gemeinsames Bewältigen der Not,
gemeinsamer Aufbau der zerstörten Städte und Dörfer, Zu-
sammenrücken mit den Flüchtlingen – warum so versöhn-

lich? Die Nazis haben Schlimmeres angerichtet, ich weiß, aber sie haben dich immerhin um deine Stelle gebracht.«

Sie kamen im Sand nur langsam voran. Sein Vater machte keine Anstalten, doch noch Schuhe und Socken auszuziehen und die Hose hochzukrempeln, sondern setzte schwerfällig Schritt vor Schritt. Dass sie es so nicht ans Ende des langen, hellen Strandes und zum Kap Arkona schaffen würden, war ihm gleichgültig, aber – er war sicher – nicht seinem Vater, der stets Ziele hatte und Pläne machte und sich beim Frühstück nach dem Kap erkundigt hatte. In drei Stunden mussten sie wieder im Hotel sein.

Wieder wollte er die Hoffnung auf eine Antwort schon aufgeben, als sein Vater sagte: »Du kannst dir nicht vorstellen, wie es ist, wenn das Leben aus den Fugen geraten ist. Dann ist wichtiger als alles andere, dass es wieder seine Ordnung findet.«

»Der Präsident des Landgerichts ...«

»... hat mich im Herbst 1945 freundlich begrüßt, als käme ich aus längeren Ferien zurück. Er war kein schlechter Richter und auch kein schlechter Präsident. Er war aus den Fugen geraten wie alle und war wie alle froh, dass es vorbei war.«

Er sah die Schweißperlen auf der Stirn und den Schläfen seines Vaters. »Würdest du aus den Fugen geraten, wenn du barfuß gehen und Jacke und Krawatte ausziehen würdest?«

»Nein.« Er lachte. »Vielleicht versuche ich's morgen. Heute würde ich mich gerne ans Meer setzen und auf die Wellen sehen. Wie wäre es hier?« Er sagte nicht, ob er nicht mehr konnte oder nicht mehr wollte. Er zog die Hosenbeine hoch, damit sie nicht an den Knien spannten, setzte sich im

Schneidersitz in den Sand, sah aufs Meer und sagte nichts mehr.

Er setzte sich neben seinen Vater. Als er sich von dem Gefühl befreit hatte, dass sie eigentlich miteinander reden müssten, genoss er den Blick auf das ruhige Meer und die weißen Wolken, den Wechsel von Sonne und Schatten, die salzige Luft, den leichten Wind. Es war nicht zu warm und nicht zu kalt. Es war ein vollkommener Tag.

»Wieso hast du meinen Aufsatz von 1945 gelesen?« Es war die erste Frage, die sein Vater an ihn richtete, seit sie aufgebrochen waren, er konnte nicht heraushören, ob misstrauisch oder einfach neugierig.

»Ich habe einem Kollegen beim *Tageblatt* einen Gefallen getan, und er hat mir eine Kopie deines Aufsatzes geschickt. Ich vermute, er hat im Archiv geschaut, ob sich etwas fände, das mich interessieren könnte.«

Sein Vater nickte.

»Hattest du, als du die Bekennende Kirche beraten hast, Angst?«

Sein Vater nahm die Beine aus dem Schneidersitz, streckte sie aus und stützte sich auf die Ellbogen. Das sah unbequem aus und war es wohl auch, denn nach einer Weile richtete er sich wieder auf und schlug die Beine wieder übereinander. »Ich hatte lange vor, etwas über Angst zu schreiben. Aber als ich im Ruhestand Zeit hatte, habe ich es nicht getan.«

5

Um fünf begann das Konzert. Als sie um halb fünf vor dem Schloss parkten, in dessen Saal das Konzert stattfand, waren die meisten Parkplätze frei. Er schlug vor, bis zum Beginn des Konzerts im Schlossgarten zu spazieren. Aber sein Vater drängte, und so setzten sie sich im leeren Saal in die erste Reihe und warteten.

»Es ist das erste Mal, dass Rügen ein Bach-Fest ausrichtet.«

»Die Menschen müssen sich an alles erst gewöhnen. Sie mussten sich auch an Bachs Musik erst gewöhnen. Du weißt, dass Bach im 19. Jahrhundert von Mendelssohn entdeckt und aufgeführt wurde?« Der Vater erzählte von Bach und Mendelssohn, vom Entstehen der Suite als einer Zusammenstellung von Tänzen im 16. Jahrhundert, vom Aufkommen des Namens Partita neben dem Namen Suite im 17. Jahrhundert, von Bachs Suiten und Partiten als seinen besonders auf Leichtigkeit gestimmten Werken, von den frühen Fassungen mancher Suiten in den *Notenbüchlein für Anna Magdalena Bach*, vom Entstehen der *Französischen Suiten*, der *Englischen Suiten* und der Partiten zwischen 1720 und 1730, von den drei *Französischen Suiten* in Moll und den drei in Dur und ihren verschiedenen Sätzen. Er erzählte lebhaft, freute sich an seinem Wissen und an der Aufmerksamkeit seines Sohns. Er betonte, wie er sich auf die Musik freue.

Ein junger Pianist, von dem weder Vater noch Sohn gehört hatten, spielte mit kalter Präzision. Als seien die Töne Zahlen, als seien die Suiten Rechnungen. Ebenso kalt verbeugte er sich nach dem Konzert vor dem kleinen Publikum.

»Hätte er vor einem größeren Publikum mit mehr Herz gespielt?«

»Nein, er meint, so gehöre Bach gespielt. Wie wir Bach gerne hören, findet er sentimental. Aber ist es nicht großartig? Keine Interpretation kann Bach etwas anhaben, nicht einmal diese. Nicht einmal die Verwendung als Klingelton – ich sitze in der Straßenbahn, höre ein Handy, und es ist immer noch Bach und immer noch gut.« Der Vater redete mit Wärme. Auf der Fahrt zurück ins Hotel verglich er Richters und Schiffs und Fellners und Goulds und Jarretts Interpretationen der *Französischen Suiten*, und der Sohn war ebenso beeindruckt von den Kenntnissen seines Vaters wie befremdet von dem Redefluss, der ohne Unterbrechung, ohne Vergewisserung, dass die Ausführungen auf Interesse stießen, ohne Einladung zu einer Frage oder einem Kommentar fort- und fortsprudelte. Ihm war, als höre er einem Selbstgespräch zu.

Beim Abendessen ging es so weiter. Der Vater kam von der Interpretation der *Französischen Suiten* auf die der Messen, Oratorien und Passionen. Als der Sohn erst nach langer Pause vom Klo zurückkam, war der Redefluss versiegt. Aber auch die Lebhaftigkeit, die Freude, die Wärme des Vaters waren verschwunden. Der Sohn bestellte eine zweite Flasche Rotwein und war vorbereitet, vom Vater eine kritische Bemerkung über Luxus und Völlerei zu hören. Aber der Vater ließ sich gerne einschenken.

»Woher kommt deine Liebe zu Bach?«

»Was für eine Frage!«

Der Sohn gab nicht auf. »Dass der eine Mozart liebt und der andere Beethoven und der Dritte Brahms, hat Gründe. Mich interessiert, warum du Bach liebst.«

Wieder saß der Vater aufrecht, die Beine übereinandergeschlagen, die Arme auf die Lehnen gelegt und die Hände von den Lehnen hängend, den Kopf geneigt und mit der Andeutung eines Lächelns. Er sah ins Leere. Der Sohn musterte das Gesicht des Vaters, die hohe Stirn unter dem immer noch vollen grauen Haar, die tiefen Kerben über der Nase und zwischen Nase und Mundwinkeln, die starken Backenknochen und schlaffen Backen, die schmalen Lippen, den müden Mund und das kräftige Kinn. Es war ein gutes Gesicht, das sah der Sohn, aber er sah nicht dahinter, nicht, welche Sorgen die tiefen Kerben in die Stirn gegraben hatten, wessen der Mund müde war, warum der Blick nichts hielt.

»Bach hat mich …« Er schüttelte den Kopf und setzte neu an. »Deine Großmutter war eine kapriziöse, funkelnde Frau und dein Großvater ein gewissenhafter Beamter, nicht frei von …«

Wieder redete er nicht weiter. Der Sohn hatte die Großmutter als Junge ein paarmal mit dem Vater im Heim besucht; sie saß im Rollstuhl, redete nicht, und aus einem Gespräch zwischen Vater und Arzt hatte sich ihm der Begriff der Altersdepression eingeprägt. Den Großvater hatte er nicht bewusst erlebt. Warum konnte der Vater nicht über seine Eltern reden? »Bach versöhnt das Widerstrebende. Das Helle und das Dunkle, das Starke und das Schwache, das Vergangene …« Er zuckte die Schultern. »Vielleicht war es nur, dass ich mit Bach Klavier gelernt habe. Ich habe zwei Jahre lang nichts außer Etüden spielen dürfen, und danach waren die *Notenbüchlein* ein Geschenk des Himmels.«

»Du hast Klavier gespielt? Warum spielst du nicht mehr? Wann hast du aufgehört?«

»Ich wollte im Ruhestand wieder Unterricht nehmen. Aber es hat sich nicht ergeben.« Er stand auf. »Machen wir morgen nach dem Frühstück einen Spaziergang am Strand? Ich glaube, Mama hat mir eine passende Hose eingepackt.« Er legte seinem Sohn kurz die Hand auf die Schulter. »Gute Nacht, mein Junge.«

6

Wenn er später an die Reise mit seinem Vater zurückdachte, war der Samstag nur blauer Himmel und blaues Meer, Sand und Fels, Buchen- und Kiefernwälder, Felder und Musik.

Sie gingen nach dem Frühstück los, er wieder in Jeans und Hemd und die Turnschuhe über der Schulter, sein Vater in heller Leinenhose, einen Pullover um die Hüften und Sandalen in der Hand. Als der Sand aufhörte, zogen sie die Schuhe an. Sie kamen gut voran und waren nach ein paar Stunden am Kap. Sie redeten nicht. Wenn er seinen Vater fragte, ob er wirklich weitergehen oder lieber umkehren wolle, schüttelte sein Vater nur den Kopf.

Am Kap machten sie Rast, wieder ohne zu reden, ließen für den Heimweg eine Taxe kommen, saßen schweigend im Wagen und sahen in die Landschaft. Im Hotel ruhten sie, bis es Zeit war, zum Konzert in die Stadt zu fahren. Die Aula des Gymnasiums war voll, und Vater und Sohn waren sich ohne Worte in der Freude über den Schwung einig, mit dem musiziert wurde. »Bin ich froh, dass sie das *Vierte Brandenburgische* mit Querflöten und nicht mit Blockflöten besetzen«, war der einzige Kommentar des Vaters.

Im Hotel nahmen sie einen leichten späten Imbiss, hofften für den nächsten Tag auf gutes Wetter, planten nach dem Frühstück einen Ausflug zu den Kreidefelsen und wünschten einander eine gute Nacht.

Er nahm die halbvolle Flasche Wein mit aufs Zimmer und setzte sich auf den Balkon. Das Zusammensein mit seinem Vater war wortlos gewesen wie die Zusammenarbeit von Tochter und Vater am Ende des Films. Aber es hatte sich mehr nach wortlosem Waffenstillstand angefühlt als nach wortloser Vertrautheit; sein Vater wollte nicht wieder bedrängt, sondern in Ruhe gelassen werden, und er hatte ihn in Ruhe gelassen. Warum bedrängten seine Fragen seinen Vater? Weil er sein Inneres nicht nach außen kehren wollte, auch nicht gegenüber seinem Sohn? Weil in seinem Inneren, dessen Türen und Fenster er nie geöffnet hatte, alles verdorrt und erstorben war und er nicht wusste, was der Sohn von ihm wollte? Weil er aufgewachsen war, bevor psychoanalytische und psychotherapeutische Entblößungen alltäglich wurden, und ihm die Sprache für Mitteilungen aus seinem Inneren fehlte? Weil er, was er auch tat und was ihm auch geschah, von den beiden Ehen bis zu den beruflichen Aufgaben vor und nach 1945, derart in Kontinuität sah, dass es eigentlich immer das Gleiche war und es nichts darüber zu sagen gab?

Er würde mit seinem Vater morgen wieder reden. Wortlose Vertrautheit war zu viel erwartet. Auch auf wortreiche Vertrautheit brauchte er nicht zu hoffen. Aber er wollte ihn erreichen. Er wollte nach seinem Tod mehr von ihm haben als eine Fotografie auf dem Schreibtisch und Erinnerungen, auf die er gerne verzichtet hätte.

Er erinnerte sich an die ungeschickten, ungeduldigen Versuche seines Vaters, ihm das Schwimmen beizubringen, an die langweiligen, freudlosen Spaziergänge, die er zweimal im Jahr mit ihm und seinem Bruder am Sonntag nach der Kirche machte, an die Verhöre über die Leistungen in der Schule und auf der Universität, an die quälenden politischen Auseinandersetzungen, an den Ärger seines Vaters, als er sich scheiden ließ, die erste Scheidung in der Familie. Er fand keine einzige beglückende Begebenheit, an die er sich hätte erinnern können.

Nichts war zwischen ihm und seinem Vater, nichts. Das Nichts machte ihn so traurig, dass es in seiner Brust eng wurde und seine Augen feucht wurden. Aber die Tränen kamen nicht.

7

Erst im Angesicht der Kreidefelsen erzählte sein Vater, dass er früher schon auf Rügen gewesen war. Das erste Mal auf der Hochzeitsreise mit seiner ersten und das zweite Mal auf der mit seiner zweiten Frau. Das Ziel beider Hochzeitsreisen war Hiddensee, und der Umweg zu den Kreidefelsen wäre beide Male zu groß gewesen. Er freute sich, sie endlich zu sehen.

Beim Mittagessen fragte er: »Welche Motetten werden heute Nachmittag gesungen?«

Der Sohn stand auf und holte das Programm: *Fürchte dich nicht, ich bin bei dir; Der Geist hilft unser Schwachheit auf; Jesu, meine Freude; Singet dem Herrn ein neues Lied.*

»Kennst du die Texte?«

»Die Texte der Motetten? Kennst du sie?«

»Ja.«

»Alle Motetten? Alle Kantaten?«

»Es gibt Hunderte von Kantaten und nur wenige Motetten; ich habe sie als Student im Chor gesungen. ›Fürchte dich nicht, ich bin bei dir, ich stärke dich, ich helfe dir, ich erhalte dich durch die Hand meiner Gerechtigkeit‹ – ein schöner Text für einen Studenten der Rechte.«

»Ich weiß, dass du jeden Sonntag in die Kirche gehst. Aus Gewohnheit oder weil du wirklich glaubst?« Er wusste, dass er eine heikle Frage stellte. Sein Vater hatte mit Trauer zur Kenntnis genommen, dass seine drei Kinder schon früh von der Kirche nichts mehr wissen wollten, es aber nur durch das betrübte Gesicht zu erkennen gegeben, mit dem er am Sonntagmorgen ohne sie vom Frühstück aufstand und in die Kirche aufbrach. Er hatte mit ihnen nie über Religion gesprochen.

Sein Vater lehnte sich zurück. »Glauben ist eine Gewohnheit.«

»Er wird es, aber er fängt nicht als Gewohnheit an. Wie hast du angefangen zu glauben?« Das war eine noch heiklere Frage. Seine Mutter hatte einmal erwähnt, dass sein Vater, ohne Religion aufgewachsen, als Student eine Bekehrung erlebt hatte. Aber darüber, wie die Bekehrung stattgefunden hatte, hatte sie nichts gesagt, und der Vater hatte nie auch nur über die Tatsache der Bekehrung gesprochen.

Er lehnte sich noch weiter zurück, und die Hände hielten die Enden der Lehnen fest. »Ich ... ich habe immer gehofft ...« Er sah ins Leere. Dann schüttelte er langsam den

Kopf. »Ihr müsst es selbst erfahren. Wenn ihr es nicht selbst…«

»Rede mit mir. Mutter hat einmal erwähnt, dass du als Student eine Bekehrung erlebt hast. Das muss das wichtigste Ereignis in deinem Leben gewesen sein – wie kannst du es deinen Kindern verschweigen? Willst du nicht, dass wir dich kennen? Dass wir wissen, was für dich wichtig ist und warum? Merkst du nicht, wie weit weg wir von dir sind? Denkst du, es war nur der Beruf, der deine Tochter nach San Francisco und deinen Ältesten nach Genf getrieben hat? Wie lange willst du noch warten, bis du mit uns redest?« Er wurde immer erregter. »Verstehst du nicht, dass Kinder von ihrem Vater mehr wollen als gemessenes Verhalten und distanziertes Schweigen und eine gelegentliche Auseinandersetzung über irgendwas Politisches, das morgen ohnehin vergessen ist? Du bist zweiundachtzig, und eines Tages bist du tot, und alles, was mir von dir bleibt, ist der Schreibtisch, den ich schon als Kind gemocht habe und von dem die Geschwister schon als Kinder gesagt haben, ich könne ihn einmal haben. Ja, und manchmal werde ich mich dabei ertappen, dass ich sitze, wie du jetzt sitzt, weil ich mit dem Gegenüber so wenig zu tun haben will, wie du jetzt mit mir zu tun haben willst.« Am liebsten wäre er aufgestanden und gegangen.

Ihm kam eine Szene aus der Kindheit in den Sinn. Er mochte zehn gewesen sein, als er eine kleine schwarze Katze nach Hause brachte, die der Bruder eines Spielgefährten mit dem ganzen Wurf im Fluss ertränken sollte. Er kümmerte sich um die Katze, erzog sie zur Reinlichkeit, fütterte sie, spielte mit ihr, liebte sie, und sein Vater, der sie nicht mochte, tolerierte sie. Aber als die Familie eines Abends beim Essen saß und die Katze auf den Flügel sprang, stand sein Vater auf und wischte sie mit einer angelegentlichen Bewegung seines Arms weg, als sei sie Staub. Ihm war, als habe sein Vater ihn selbst weggewischt, und er war so verletzt und verzweifelt, dass er aufstand, die Katze nahm und aus der Wohnung ging. Aber wohin sollte er gehen? Nach drei Stunden in der Kälte kam er wieder nach Hause, sein Vater machte ihm schweigend die Tür auf, und ihm gegenübertreten zu müssen war so schlimm wie von ihm weggewischt zu werden. Nach wenigen Wochen bekam er von der Katze Asthma, und sie wurde weggegeben.

Sein Vater sah ihn an. »Ich denke, ihr kennt mich. Die Bekehrung – es war nicht wie beim jungen Martin Luther, neben dem der Blitz in den Baum schlug. Du musst nicht meinen, dass ich dir etwas Dramatisches vorenthielte.« Dann sah er auf die Uhr. »Ich sollte ein bisschen ruhen. Wann müssen wir los?«

8

Er wusste sich mit seinem Vater in der Liebe zu Bachs Musik einig, hatte sich aber immer nur für die weltliche Musik interessiert. Sein Bach war der Bach der *Goldberg-Variationen*, der Suiten und Partiten, des *Musikalischen Opfers* und der Konzerte. Als Kind war er mit den Eltern in der *Matthäus-Passion* und im *Weihnachtsoratorium* gewesen, hatte sich gelangweilt und daraus die Lehre gezogen, dass Bachs geistliche Musik nichts für ihn sei. Wenn sie nicht in das Programm der Reise mit dem Vater gepasst hätten, wäre er nicht auf den Gedanken gekommen, sich Motetten anzuhören.

Aber als er in der Kirche saß und die Musik hörte, ergriff sie ihn. Er verstand die Texte nicht, und weil er sich durch die Lektüre nicht von der Musik ablenken lassen wollte, las er sie auch nicht im Programm mit. Er wollte die Süße der Musik auskosten. Süße war ihm noch nie zu Bach eingefallen und durfte einem, so fand er, zu Bach auch nicht einfallen. Aber Süße war, was er empfand, manchmal schmerzlich, manchmal beseligt, bei den Chorälen zutiefst versöhnt. Er erinnerte sich an die Antwort, die sein Vater auf die Frage, warum er Bach liebe, gegeben hatte.

In der Pause traten sie vor die Kirche und sahen in das Getriebe des sommerlichen Sonntagnachmittags. Touristen schlenderten über den Platz oder saßen an den Tischen vor den Cafés und Restaurants, Kinder rannten um den Brunnen, in der Luft lagen Stimmengewirr und der Geruch von Rostbratwürsten. Die Welt in der Kirche und die Welt vor der Kirche hätten nicht gegensätzlicher sein können. Aber es irritierte ihn nicht. Er war auch mit diesem Gegensatz versöhnt.

Wieder redeten sie nicht, nicht in der Pause, nicht auf der Fahrt zum Hotel. Beim Abendessen wurde sein Vater gesprächig und dozierte über Bachs Motetten, ihre Rolle bei Trauungen und Beerdigungen, ihre Aufführung ursprünglich wohl mit, aber seit dem 19. Jahrhundert ohne Orchester, ihren Platz im Repertoire der Thomaner. Nach dem Essen schlug sein Vater einen Spaziergang am Strand vor, und sie gingen in die Dämmerung und kamen in der Dunkelheit zurück.

»Nein«, sagte er, »ich weiß nicht, wer du bist.«

Sein Vater lachte leise. »Oder es gefällt dir nicht.« Im Hotel fragte er: »Wann müssen wir morgen aufbrechen?«

»Ich muss morgen Abend noch nach Hause und würde hier gerne um acht losfahren. Können wir um halb acht frühstücken?«

»Ja. Schlaf gut.«

Wieder setzte er sich auf den Balkon vor seinem Zimmer. Das war's. Auf der Heimfahrt könnte er seinen Vater weiter nach Studium und Beruf fragen. Aber warum sollte er? Was er erfahren wollte, würde er nicht erfahren.

Er hatte die Lust verloren, seinen Vater zu fragen. Nach dem vielen gemeinsamen Schweigen machte ihm die Vorstellung einer schweigsamen Heimfahrt auch keine Angst mehr.

9

Sie fuhren nicht in völligem Schweigen. Da waren die Schilder an der Autobahn, die auf Sehenswürdigkeiten hinwiesen, zu denen dem Vater eine Erinnerung oder eine Belehrung einfiel. Oder die Verkehrsnachrichten schalteten sich ein und berichteten von Staus und zähflüssigem Verkehr und einem Pferd auf der Autobahn, und der Vater stellte fest, sie seien davon nicht betroffen. Oder sein Vater merkte, dass er vor einer Tankstelle langsamer fuhr, fragte ihn, ob er tanken müsse, und er erklärte, er überlege, ob er bei dieser oder bei der nächsten Tankstelle tanken solle. Oder er fragte seinen Vater, ob er einen Kaffee trinken oder zu Mittag essen oder die Lehne tieferstellen und schlafen wolle.

Er war zu seinem Vater aufmerksam, höflich, verbind-
lich. Er tat, was er auch täte, wenn er sich seinem Vater verbunden gefühlt hätte. Aber er fühlte sich ihm nicht verbunden, er war kalt und weit weg. Er dachte an das, was ihn am
nächsten Tag in der Zeitung erwartete, an die Kolumne, die
Reihe mit Porträts und an den großen Artikel über die Re-
form des Unterhaltsrechts, den er in der nächsten Woche
schuldete. Versuchte sein Vater, mit seinen Erinnerungen,
Belehrungen, Feststellungen und Fragen ein Gespräch in
Gang zu bringen? Es war ihm gleichgültig, und er blieb ein-
silbig.

Als es noch eine Stunde war, bis er seinen Vater absetzen
konnte, fuhren sie in ein Gewitter. Er stellte die Scheiben-
wischer schneller und schneller, aber schließlich waren sie
dem Regen nicht mehr gewachsen. Unter einer Brücke fuhr
er auf den Seitenstreifen und hielt. Von einem Augenblick
auf den nächsten verstummte das Prasseln des Regens auf
das Auto. Die Reifen der anderen Autos zischten auf der
nassen Straße. Sonst war es still.

»Ich könnte …« Er hatte einen CD-Spieler im Auto, aber
eigentlich keine CDs. Wenn er alleine fuhr, arbeitete er, telefonierte und diktierte. Wenn er müde war und wach bleiben
wollte, tat's auch das Radio. Aber nach dem gestrigen Konzert hatte er eine Aufnahme des Chors mit Bachs Motetten
gekauft. Er legte sie ein.

Wieder ergriff ihn die Süße der Musik. Jetzt hörte er auch
Bruchstücke des Texts. »Du bist mein, weil ich dich fasse und
dich nicht, oh mein Licht, aus dem Herzen lasse« – so hätte
er es nicht gesagt, aber so hatte er empfunden, als er seine
Frau liebte und wusste, dass auch sie ihn liebte. »Wir sind wie

das Gras, eine Blume, fallend Laub, so der Wind drüber weht, ist es nicht mehr da« – wie gut kannte er das Gefühl, wie oft stellte es sich bei seinem von Auftrag zu Auftrag, von Termin zu Termin hetzenden Leben ein. »Unter deinem Schirmen bin ich von den Stürmen aller Feinde frei« – so fühlte er sich, beschirmt von der Autobahnbrücke und frei von den Stürmen des Gewitters, dieses Gewitters und der Gewitter, die noch kommen würden.

Er wollte eine Bemerkung über seine Freude an den Toten machen und sah zu seinem Vater. Er saß, wie er immer saß, aufrecht, die Beine übereinandergeschlagen, die Arme auf die Lehnen gelegt und die Hände von den Lehnen hängend. Ihm liefen die Tränen übers Gesicht.

Zuerst konnte er die Augen nicht von seinem weinenden Vater lassen. Dann fand er sich aufdringlich, wandte sich ab und sah in den Regen. Sah auch sein Vater in den Regen? In den Regen und auf die Straße und zu den Autos, die hinter der Brücke durch eine Pfütze fuhren, von Wassergüssen überschüttet und Wasserfontänen aufsprühend? Oder verschwand seinem Vater alles hinter dem Schleier seiner Tränen? Nicht nur der Regen und die Straße und die Autos, sondern alles, was sich nicht in Kontinuität und Gleichmaß fügte? Hatten ihn seine Kinder mit ihren Wandlungen, ihren Irrungen und ihrem Aufbegehren so traurig gemacht, dass er sie nicht sehen mochte? »Schade, dass sie größer werden«, hatte sein Vater zu seiner Tochter gesagt, als er ihre zweijährigen Zwillinge bei Mutters siebzigstem Geburtstag kennenlernte.

Sie standen unter der Autobahnbrücke, bis das Gewitter vorbei und bis die Musik zu Ende war. Der Vater wischte sich mit dem Taschentuch übers Gesicht. Dann faltete er das Taschentuch ordentlich zusammen. Er lächelte seinen Sohn an. »Ich glaube, wir können fahren.«

Die Reise nach Süden

I

Der Tag, an dem sie aufhörte, ihre Kinder zu lieben, war nicht anders als andere Tage. Als sie sich am nächsten Morgen fragte, was den Verlust der Liebe ausgelöst hatte, fand sie keine Antwort. Hatten ihre Rückenschmerzen sie besonders gequält? Hatte das Scheitern an einer einfachen häuslichen Aufgabe sie besonders gedemütigt? Hatte eine Auseinandersetzung mit dem Personal sie besonders gekränkt? So etwas Kleines musste es gewesen sein. Etwas Großes passierte in ihrem Leben nicht mehr.

Aber was es auch war, der Verlust war da. Sie hatte den Hörer abgenommen, um ihre Tochter anzurufen und ihren Geburtstag zu besprechen, die Gäste, den Ort, das Essen, und legte wieder auf. Sie wollte nicht mit ihrer Tochter sprechen. Sie wollte auch mit keinem anderen Kind sprechen. Sie wollte ihre Kinder nicht sehen, nicht an ihrem Geburtstag und nicht davor und nicht danach. Dann saß sie neben dem Telefon und wartete, dass die Lust zum Telefonieren sich einstellen würde. Aber sie stellte sich nicht ein. Als am Abend das Telefon klingelte, nahm sie nur ab, weil ihre Kinder sonst besorgt bei der Pforte angerufen und das Personal auf sie gehetzt hätten. Da log sie lieber gleich, sie könne nicht reden, sie habe Besuch.

Sie hatte nichts an ihren Kindern auszusetzen. Sie hatte es

gut mit ihnen. Auch die anderen Frauen im Stift sagten ihr, wie gut sie es mit ihnen habe. Wie wohlgeraten ihre Kinder seien: der eine Sohn ein hoher Richter und der andere ein Museumsdirektor, die eine Tochter mit einem Professor verheiratet und die andere mit einem bekannten Dirigenten! Wie aufmerksam sie sich um sie kümmerten! Sie kamen zu Besuch, ließen zwischen dem Besuch des einen und des anderen Kinds nicht zu viel Zeit verstreichen, blieben für ein oder zwei Nächte, holten sie manchmal für zwei oder drei Tage zu sich und brachten zum Geburtstag ihre Familien mit. Sie halfen ihr bei Steuererklärung, Versicherung und Beihilfe, begleiteten sie zum Arzt und beim Kauf von Brille und Hörgerät. Sie hatten ihre Familien, ihre Berufe, ihre Leben. Aber sie ließen ihre Mutter daran teilhaben.

So ging sie mit dem Gefühl einer Verstimmung ins Bett, wie man mit einer Magenverstimmung und Rennie oder dem Anflug einer Erkältung und Aspirin ins Bett geht, um am nächsten Morgen aufzuwachen, als sei nichts gewesen. Sie hatte kein Mittel gegen Liebesverstimmung, aber sie machte Tee, eine Mischung aus Kamille und Minze, und war gewiss, am nächsten Morgen werde alles wieder in Ordnung sein. Aber am nächsten Morgen war ihr die Vorstellung, ihre Kinder zu sehen oder am Telefon zu sprechen, so fremd wie am Abend davor.

2

Sie machte den Spaziergang, den sie jeden Morgen machte: vorbei an Schule und Post, Apotheke und Obstladen, durch die Siedlung zum Wald, am Hang bis zum Bierer Hof und wieder zurück. Die Strecke bot immer wieder den Blick in die Ebene, den sie liebte. Sie war eben und in einer Stunde zu bewältigen. Der Arzt hatte ihr gesagt, sie müsse jeden Tag mindestens eine Stunde laufen.

Der Regen der letzten Tage hatte nachts aufgehört, der Himmel war blau und die Luft frisch. Der Tag würde heiß werden. Sie hörte die Geräusche des Walds: den Wind in den Bäumen, Specht und Kuckuck, knackendes Geäst und raschelnde Blätter. Sie hielt nach Rehen und Hasen Ausschau; sie waren hier zahlreich und ohne Scheu. Sie hätte den Wald gerne gerochen; noch regennass und schon sonnenwarm roch er am besten. Aber sie konnte seit einigen Jahren nicht mehr riechen. Der Geruchssinn war eines Tages einfach ausgefallen, wie die Liebe zu den Kindern. Ein Virus, hatte der Arzt gesagt.

Mit dem Geruchssinn war auch der Geschmackssinn verlorengegangen. Essen hatte ihr nie viel bedeutet, und dass sie nicht mehr schmecken konnte, war nicht schlimm. Schlimm war, dass sie die Natur nicht mehr riechen konnte, nicht nur den Wald, auch die blühenden Obstbäume, die Blumen auf dem Balkon und in der Vase, den warmen und trockenen Straßenstaub, auf den die ersten Regentropfen fallen.

Außerdem empfand sie, nicht mehr riechen zu können, als Schmach. Dass man riechen kann, gehört einfach dazu. Wie Sehen und Hören und Laufen und Lesen und Schreiben und Rechnen. Sie hatte immer funktioniert, und auf einmal funktionierte sie nicht mehr, nicht weil ihr etwas von außen zugestoßen wäre, sondern weil ihre Ausstattung versagt hatte. Dazu kam die Angst, sie würde stinken. Sie erinnerte sich an ihre Besuche bei ihrer Mutter im Altersheim. »Sie können nicht mehr riechen«, hatte ihre Mutter ihr erklärt, als sie eine Bemerkung über den Geruch der anderen Alten gemacht hatte. Stank sie jetzt auch so? Sie war auf peinliche Sauberkeit bedacht und benutzte ein Eau de Toilette, das ihre Enkelinnen mochten. »Wie gut du riechst, Großmutter!« Aber man weiß nie, und wenn man zu viel davon nimmt, stinkt man auch nach Eau de Toilette.

Außer ihrem Arzt wusste niemand, dass sie nicht mehr riechen und schmecken konnte. Sie lobte das Essen, wenn ihre Kinder sie ausführten, und roch an den Sträußen, die sie ihr mitbrachten. Wenn sie ihnen die Blüten auf dem Balkon zeigte, sagte sie: »Riecht mal, sie riechen wunderbar!«

So musste sie es auch mit der verlorenen Liebe halten. Zum Sehen und Hören und Riechen und Laufen und Lesen und Schreiben und Rechnen gehört auch, dass man seine Kinder und Enkel und Enkelinnen liebt. Sich dem Telefonieren verweigern, wie sie es gestern getan hatte – nein, das würde sie sich nicht noch einmal erlauben. Der Geburtstag würde normal gefeiert werden, und die Besuche würden normal weitergehen. Wieder kam eine Erinnerung hoch. Als sie ein kleines Mädchen war, hatte sie ihre Mutter, die einen Witwer mit zwei Kindern und schwierigen, fordernden Schwiegereltern, Schwägern und Schwägerinnen geheiratet hatte, gefragt, ob sie diese Verwandten der ersten Frau, um die sie sich kümmern musste, eigentlich liebe.

Ihre Mutter hatte gelächelt. »Ja, mein Liebes.«

»Aber ...«

»Liebe ist keine Sache des Gefühls, sondern des Willens.«
Sie hatte es über Jahre und Jahrzehnte geschafft und
schaffte es nicht mehr. Wenn man nur richtig will, kann man
aus einer Pflicht eine Neigung und aus einer Verantwortung
eine Liebe machen. Aber sie hatte keine Verantwortung
mehr für ihre Kinder, keine Pflichten gegenüber ihren Enkeln und Enkelinnen. Da war nichts, was sie zur Liebe hätte
wollen können. Aber die Kinder, die so wohlgeraten waren,
zu kränken und die anderen Frauen im Stift zu irritieren und
sich selbst zu blamieren bestand kein Anlass.

Sie hatte ihren Spaziergang beschwingt begonnen. Die
Leere, nachdem die Liebe zu den Kindern abhandengekommen war, hatte sie erschreckt, aber auch erleichtert. Sie war
beschwingt, wie man mit hohem Fieber beschwingt sein
kann oder nach langem Fasten – es ist ein Zustand, der be-
hoben werden muss und doch wohltut. Als sie auf der Bank
beim Bierer Hof saß, merkte sie, wie sie schwer und müde
wurde und wieder auf die Erde kam.

Sollte sie den Geburtstag hier im Bierer Hof feiern? Als
sie noch verheiratet war, waren ihr Mann und sie manchmal
auf einen Spaziergang und einen Kaffee hierhergefahren. Es
waren Stunden, die er sich vom Beruf und sie sich von den
Kindern freinahm, um über das zu reden, worüber zu reden
der Alltag keinen Raum ließ. Bis er eines Tages mit ihr hier-
herfuhr, um ihr zu beichten, dass er seit zwei Jahren mit seiner Assistentin schlief.

Seitdem war angebaut, umgebaut, verschönt worden. Der
Hof, damals ärmlich, sah stattlich aus, und innen würde ge-

wiss auch nichts mehr an die Stube erinnern, in der ihr Mann ihr gegenübersaß und rumdruckste und für sein großes Herz, das zwei Frauen liebte, bemitleidet werden wollte. Die Erinnerung, die so lange weh getan hatte, tat nicht mehr weh. Auch jetzt fühlte sie nicht das Mitleid, das ihr Mann gesucht hatte, aber eine traurige Gleichgültigkeit gegenüber diesem Menschen, der sich's im Leben immer leichtgemacht und dabei gemeint hatte, er mache es sich schwer und kämpfe und ringe. Sie hätte sich die späten Jahre der Ehe gerne erspart. Aber er bestand darauf, bei ihr zu bleiben, bis das letzte Kind die Schule abschloss. Im letzten Jahr beendete er sogar die Affäre mit der Assistentin. Für beide Opfer von seiner Frau nicht gehörig belohnt, begann er die nächste Affäre mit der nächsten Assistentin.

Sie stand auf und machte sich auf den Heimweg. Ja, das Leben würde weitergehen, als sei nichts geschehen. Wenn sie aufhören könnte, für die anderen zu leben, um endlich ihr eigenes Leben zu leben! Aber dafür war sie nicht nur zu alt. Sie hatte keine Ahnung, was ihr eigenes Leben war. Endlich machen, woran sie Freude hatte? Die einzige Freude, die sie gelernt hatte, war, mit Liebe ihrer Verantwortung zu genügen und ihre Pflicht zu erfüllen. Dann gab es noch die Natur. Aber die konnte sie nicht mehr riechen.

3

Am Morgen ihres Geburtstags machte sie sich schön. Lila Strickkostüm, weiße Bluse mit weißer Stickerei und weißer Schleife, lila Schuhe. Die Friseurin, zu der sie sonst ging, kam und legte das graue Haar in Locken. »Wenn ich ein älterer Herr wäre, würde ich Ihnen den Hof machen. Und wenn ich Ihre Enkelin wäre, würde ich Sie stolz meinen Freundinnen zeigen.«

Alle kamen. Die vier Kinder, die vier Schwiegerkinder und die dreizehn Enkelinnen und Enkel. Auf dem Weg zum Bierer Hof fanden die Söhne und Schwiegersöhne zusammen und die Töchter und Schwiegertöchter; die älteren Enkelinnen und Enkel trafen sich im Gespräch über Abitur und Studium und die jüngeren über Popmusik und Computerspiele. In jeder Gruppe lief sie eine Weile mit, zuerst freundlich begrüßt und dann freundlich übersehen, weil das Gespräch dahin zurückkehrte, wo sie es unterbrochen hatte. Es störte sie nicht. Aber während sie früher glücklich gewesen wäre, dass ihre Lieben sich über ihre verschiedenen Ehen und Familien hinweg so gut verstanden, wunderte sie sich jetzt, worüber sie redeten. Popmusik und Computerspiele? Welches Studium Reichtum verspricht? Ob man Botox versuchen soll? Wie man billig auf den Seychellen Ferien macht?

Der Aperitif wurde auf der Terrasse serviert, das Essen an einer langen Tafel im Nebenzimmer. Nach der Suppe hielt der Älteste eine Tischrede. Erinnerungen an die Zeit, als die Kinder klein waren, Bewunderung für den Erfolg, mit dem sie sich nach dem Auszug der Kinder in der Gemeinde engagiert hatte, Dank für die Liebe, mit der sie die Kinder und Enkel und Enkelinnen begleitet habe und begleite – ein bisschen trocken, aber gut gemeint und wohl gesprochen. Sie sah ihn vor sich, wie er eine Sitzung oder eine Beratung leitete. Ihr Mann, ihre Ehe, ihre Scheidung kamen nicht vor; es erinnerte sie an Fotografien aus der russischen Revolution, die Stalin hatte retuschieren lassen und aus denen Trotzki verschwunden war. Als hätte es ihn nie gegeben.

»Denkt ihr, ich könnte nicht ertragen, wenn ihr euern Vater erwähnt? Ich wüsste nicht, dass ihr ihn und seine Frau trefft? Dass ihr seinen achtzigsten Geburtstag mit ihnen gefeiert habt? Ihr wart mit ihnen auf dem Bild in der Zeitung!«

»Du hast ihn, nachdem er ausgezogen ist, nie mehr erwähnt. Da dachten wir …«

»Ihr dachtet? Warum habt ihr nicht gefragt?« Sie sah ihre Kinder prüfend an, eines nach dem anderen, und die Kinder sahen irritiert zurück. »Statt zu fragen, habt ihr gedacht. Ihr habt gedacht, wenn ich ihn nicht erwähne, bedeutet das, dass ich nicht ertrage, wenn ihr ihn erwähnt. Habt ihr gedacht, dass ich zusammenbrechen würde? Dass ich weinen oder schreien oder toben würde? Dass ich euch verbieten würde, ihn zu treffen? Dass ich euch vor die Wahl stellen würde: er oder ich?« Sie schüttelte den Kopf.

Wieder war es ihre jüngste Tochter, die redete. »Wir hatten Angst, du …«

»Angst? Ihr hattet Angst vor mir? Ich bin so stark, dass ich euch Angst mache, und so schwach, dass ich nicht ertrage, wenn ihr euern Vater erwähnt? Das macht doch keinen Sinn!« Sie merkte, dass sie lauter und schärfer wurde. Jetzt sahen auch die Enkel und Enkelinnen sie irritiert an.

Der Älteste mischte sich ein. »Alles zu seiner Zeit. Jeder von uns hat seine Geschichte mit Vater, jeder von uns freut sich darauf, einmal in Ruhe mit dir über ihn zu reden. Aber jetzt wollen wir die Kellnerinnen nicht länger mit dem nächsten Gang warten lassen; ihr Programm gerät sonst durcheinander.«

»Das Programm der Kellnerinnen …« Sie sah das Flehen im Gesicht ihrer jüngsten Tochter und sprach nicht weiter. Es fiel ihr nicht schwer, über dem Salat, dem Sauerbraten und der Mousse au Chocolat nichts zu sagen. Alle redeten, und sie hatte Mühe herauszuhören, was jemand neben ihr oder ihr gegenüber zu ihr sagte. So ging es ihr immer, wenn viele redeten; ihr Arzt hatte einen Namen dafür, Party-schwerhörigkeit, und die Auskunft, dass man nichts dagegen tun könne. Sie hatte gelernt, sich ihrem Gegenüber freund-lich zuzuwenden, gelegentlich verständnisvoll zu lächeln oder zu nicken und zugleich über etwas anderes nachzudenken. Meistens merkte ihr Gegenüber nichts.

Vor dem Kaffee stand Charlotte auf, das jüngste Enkel-kind, und schlug mit dem Löffel an das Glas, bis alle ihr zu-hörten. Der Onkel habe eine Rede auf die Mutter gehalten, sie wolle eine auf die Großmutter halten. Alle, die sie da sä-ßen, Enkel und Enkelinnen, hätten von der Großmutter le-sen gelernt. Nicht Wörter und Sätze lesen, das hätte man ih-nen in der Schule beigebracht, sondern Bücher lesen. Immer wenn sie bei ihr in Ferien gewesen seien, habe die Großmut-ter ihnen vorgelesen. Sie sei mit dem Buch bis zum Ende der Ferien nie fertig geworden, das Buch sei aber so spannend gewesen, dass sie selbst es hätten fertiglesen müssen. Bald nach Beginn der Schule habe Großmutter dann ein Päck-chen mit einem weiteren Buch desselben Autors geschickt, das sie natürlich wieder lesen mussten. »Das war so schön, dass wir Opi und Anni überredet haben, es auch so zu ma-chen. Vielen Dank, Großmutter, dass du uns zu Lesern ge-macht und uns die Freude an Büchern gebracht hast!«

Alle klatschten, Charlotte kam mit dem Glas um den

Tisch. »Auf viele, viele Jahre, Großmutter!« Sie stieß mit ihr an und gab ihr einen Kuss.

In den Moment der Stille, als Charlotte zu ihrem Platz zurückging und ehe die Gespräche wiederaufgenommen wurden, fragte sie: »Wer ist Anni?« Sie fragte es, obwohl sie wusste, dass es die zweite Frau ihres ehemaligen Manns sein musste und dass ihre Frage die anderen verlegen machen würde.

»Anna ist Vaters Frau. Die Kinder haben aus Opa Opi und dann auch gleich aus Anna Anni gemacht.« Der Älteste sagte es sachlich und ruhig.

»Vaters Frau? Du meinst nicht mich – meinst du Vaters zweite Frau? Oder gibt es schon eine dritte?« Sie wusste, dass sie schwierig war. Sie wollte es nicht sein, konnte aber nicht aufhören.

»Ja, Anna ist Vaters zweite Frau.«

»Anni«, sie betonte das I ironisch, »Anni. Vermutlich muss ich dankbar sein, dass ihr nicht Granny zu ihr sagt und sie zur zweiten Großmutter macht. Oder nennt ihr sie manchmal Granny?« Als niemand antwortete, fragte sie nach. »Charlotte, wie ist das, sagst du zu Anni manchmal Granny?«

»Nein, Großmutter, wir sagen zu Anni nur Anni.«

»Wie ist sie so, die Anni, zu der ihr nicht Granny sagt?«

Ihre Jüngste mischte sich ein. »Können wir damit nicht bitte aufhören?«

»Wir? Nein, weil wir damit nicht angefangen haben, können wir damit auch nicht aufhören. Ich habe damit angefangen.« Sie stand auf. »Ich kann damit auch aufhören. Ich lege mich ein bisschen hin – holt ihr mich in zwei Stunden mit dem Auto zum Tee?«

4

Sie lehnte die Angebote, sie zu begleiten, ab und ging alleine. Was war aus ihren guten Vorsätzen geworden? Immerhin war sie aufgestanden und gegangen. Sie hätte lieber weitergemacht – ob sie ihre Kinder dazu gebracht hätte, außer sich zu geraten? Den Richter dazu, die Stimme zu erheben und mit dem Fuß aufzustampfen? Den Museumsdirektor, Geschirr auf den Boden oder an die Wand zu werfen? Die Töchter, sie nicht mehr flehentlich, sondern hasserfüllt anzusehen?

Als sie vom ältesten Enkelkind abgeholt wurde, wollte sie niemanden mehr irritieren und provozieren. Ferdinand erzählte auf der kurzen Fahrt vom Examen, das er in wenigen Wochen ablegen musste. Sie hatte ihn immer besonders ausgeglichen gefunden. Jetzt gestand sie sich ein, dass er besonders langweilig war. Sie war müde.

Am Tag nach dem Fest wurde sie krank. Kein Schnupfen oder Husten, keine Magenschmerzen oder Verdauungsprobleme. Sie hatte einfach hohes Fieber, gegen das weder fiebersenkende Mittel noch Antibiotika halfen. »Ein Virus«, sagte der Arzt und zuckte die Schultern. Aber er rief den ältesten Sohn an, der seine zweite Tochter schickte, die sich ihrer annehmen sollte. Emilia war achtzehn und wartete auf ihren Studienplatz in Medizin.

Emilia wechselte die Bettwäsche, rieb Rücken und Arme mit Franzbranntwein ein und machte kalte Wickel um die Waden. Sie brachte morgens frischgepressten Orangensaft, mittags frischgeriebenen Apfel, abends Rotwein, in den sie ein Eigelb geschlagen hatte, und immer wieder Pfefferminz-

oder Kamillentee. Mehrmals am Tag lüftete sie, mehrmals am Tag bestand sie auf ein paar Schritten durchs Zimmer und über den Gang. Einmal am Tag ließ sie ein Bad einlaufen, hob sie auf und trug sie hin. Emilia war ein kräftiges Mädchen.

Es dauerte fünf Tage, bis das Fieber zu sinken begann. Sie wollte nicht sterben. Aber sie war so müde, dass ihr gleichgültig war, ob sie leben oder sterben, gesund werden oder krank bleiben würde. Vielleicht wollte sie sogar lieber krank bleiben als gesund werden. Sie liebte das fiebrige Dämmern, zu dem sie aufwachte und aus dem sie in den Schlaf glitt und das alles dämpfte, was sie sah und hörte. Mehr noch, es verwandelte das sich Wiegen des Baums vor dem Fenster in den Tanz einer Fee und den Gesang der Amsel in den Ruf einer Zauberin. Zugleich liebte sie die Intensität, mit der sie die Hitze des Badewassers und die Kühle des Franzbranntweins auf ihrer Haut spürte. Sogar den Frost, der sie in den ersten Tagen ein paar Mal schüttelte, mochte sie; er ließ sie nur noch nach Wärme verlangen und nichts mehr sonst denken oder fühlen. Ah, und wenn ihr dann tatsächlich warm wurde!

Sie wurde wieder jung. Die Fieberbilder und -träume waren die Fieberbilder und -träume ihrer Kindheit. Mit der Fee und der Zauberin kamen Fetzen der Märchen, die sie geliebt hatte: *Schneeweißchen und Rosenrot, Brüderchen und Schwesterchen, Allerleirauh, Aschenputtel, Dornröschen*. Als der Wind durch das offene Fenster wehte, kam ihr die Königsjungfer in den Sinn, die dem Wind gebieten konnte: »Weh, weh, Windchen, nimm Kürdchen sein Hütchen« – weiter wusste sie nicht. Als sie jung war, fuhr sie gut Ski; in einem Traum glitt sie einen weißen Hang hinab, hob ab und schwebte über Wälder und Täler und Dörfer. In einem anderen Traum musste sie jemanden treffen, wusste nicht, wen und wo, nur dass es bei Vollmond war und wie das Lied begann, an dem sie einander erkennen sollten; beim Aufwachen war ihr, als habe sie den Traum schon einmal geträumt, als sie das erste Mal verliebt war, und sie erinnerte sich an die ersten Takte eines alten Schlagers. Die Melodie begleitete sie den ganzen Tag. Einmal träumte sie, sie sei auf einem Ball und tanze mit einem Mann, dem ein Arm fehlte, der sie mit dem anderen aber so sicher und so leicht führte, dass sie die Beine nicht bewegen musste; sie wollten in den Morgen tanzen, aber ehe der Morgen im Traum graute, wachte sie im wirklichen Morgengrauen auf.

Oft saß Emilia am Bett und hielt ihre Hand. Wie geborgen, wie leicht ihre Hand sich in den kräftigen Händen des kräftigen Mädchens fühlte! Die Dankbarkeit dafür, dass sie so gehalten, gepflegt und versorgt wurde, dass sie schwach sein durfte, dass sie nichts sagen und nichts tun musste, trieb sie zu Tränen. Weinte sie, konnte sie lange nicht aufhören; aus den Tränen der Dankbarkeit wurden Tränen der Trauer um das, was im Leben nicht geworden war, wie es hätte werden sollen, und Tränen der Einsamkeit. Es tat ihr wohl, von Emilia gehalten zu werden. Zugleich war sie so einsam, als wäre Emilia nicht da.

Als es ihr wieder besserging und die Kinder sie besuchten, eines nach dem anderen, war es ebenso. Die Kinder waren da, aber sie war so einsam, als wären sie nicht da. Das ist das Ende der Liebe, dachte sie. Mit dem anderen so einsam sein, als wäre man ohne ihn.

Emilia blieb, machte zuerst kleinere und dann größere

Spaziergänge mit ihr, begleitete sie zum Mittagessen ins Restaurant des Stifts und sah abends mit ihr fern. Sie war immer um sie.

»Musst du nicht studieren? Oder Geld verdienen?«

»Ich hatte einen Job. Aber deine Kinder haben beschlossen, dass ich den Job sausen lasse und mich um dich kümmere, und zahlen mir, was ich anders verdient hätte. War kein guter Job, ist nicht schade um ihn.«

»Wie lange geht deine Stelle bei mir?«

Emilia lachte. »Bis deine Kinder den Eindruck haben, dir geht's wieder gut.«

»Aber wenn ich davor schon merke, dass es mir wieder gutgeht?«

»Ich dachte, du freust dich, dass ich hier bin.«

»Ich mag nicht, wenn andere besser wissen als ich, wie es mir geht und was ich brauche.«

Emilia nickte. »Das verstehe ich.«

5

Könnte sie Emilia rausekeln? Die Kinder würden es als Zeichen nehmen, dass sie immer noch krank war, wie sie sich ihr Verhalten am Geburtstag damit erklärt hatten, dass ihre Krankheit ausgebrochen war. Könnte sie Emilia bestechen, die Kinder von ihrer Genesung zu überzeugen?

»Nein«, lachte Emilia, »wie soll ich den Eltern erklären, dass ich plötzlich Geld habe? Wenn ich es ihnen nicht erzähle und tue, als hätte ich es nicht, muss ich wieder arbeiten.«

Am Abend versuchte sie es noch mal. »Könnte ich dir das Geld nicht geschenkt haben?«

»Du hast noch nie einem von uns etwas geschenkt, das du nicht allen anderen auch geschenkt hast. Als wir klein waren, hast du nicht einmal einen Ausflug mit einem von uns gemacht, den du nicht mit allen anderen über die nächsten zwei, drei Jahre auch gemacht hast.«

»Das war ein bisschen übertrieben.«

»Vater sagt immer, ohne dich wäre er nicht Richter geworden.«

»Trotzdem war es ein bisschen übertrieben. Darfst du mit mir eine Reise machen? Eine Reise, damit es mir bessergeht?«

Emilia schaute zweifelnd. »Du meinst, eine Kur?«

»Ich möchte raus. Die Wohnung fühlt sich wie ein Gefängnis an und du dich wie die Wärterin. Tut mir leid, aber es ist so und wäre so, selbst wenn du eine Heilige wärst.« Sie lächelte. »Nein, es ist so, obwohl du eine Heilige bist. Ohne dich hätte ich es nicht geschafft.«

»Wohin willst du?«

»Nach Süden.«

»Ich kann Vater und Mutter doch nicht sagen, dass ich mit dir nach Süden fahre! Wir brauchen ein Ziel und eine Route und Stationen, und sie müssen wissen, wo sie die Polizei anrufen und nach uns suchen lassen können, wenn wir uns nicht melden. Wie willst du eigentlich reisen? Mit dem Auto? Das werden die Eltern nie erlauben. Vielleicht wenn ich fahren würde, aber nicht, wenn du fährst. Als du noch gesund warst, haben sie schon überlegt, die Polizei anzurufen, damit du vorgeladen wirst, geprüft wirst, durchfällst und nicht mehr fahren darfst. Jetzt, wo du krank bist …«

Sie hörte ihrer Enkelin erstaunt zu. Wie ängstlich das kräftige Mädchen war, wie fixiert auf die Eltern. Was für ein Ziel, was für eine Route, was für Stationen sollte sie angeben? »Genügt nicht, wenn wir am Morgen sagen, wo wir am Abend sind? Wenn wir morgen früh sagen, dass wir morgen Abend in Zürich sind?«

Sie wollte nicht nach Zürich. Sie wollte auch nicht nach Süden. Sie wollte in die Stadt, in der sie Ende der vierziger Jahre zu studieren begonnen hatte. Ja, die Stadt lag im Süden. Aber sie war nicht der Süden. Im Frühjahr und Herbst sah sie viel Regen und im Winter Schnee. Nur im Sommer war sie betörend schön.

So hatte sie die Stadt jedenfalls vor ihrem inneren Auge. Seit dem Studium war sie nicht mehr dort gewesen. Weil es sich nicht ergeben hatte? Weil sie sich gescheut hatte? Weil sie die Erinnerung an den letzten Sommer nicht entzaubern wollte, den Sommer mit dem Studenten, dem ein Arm fehlte und mit dem sie damals auf dem Medizinerball und jetzt im Fiebertraum getanzt hatte? Er trug einen dunklen Anzug, hatte den linken Ärmel in die linke Tasche gesteckt, führte sie sicher und leicht mit der Rechten und war der beste Tänzer, mit dem sie an dem Abend tanzte. Außerdem war er unterhaltsam, erzählte vom Verlust seines Arms mit fünfzehn durch eine Bombe, als sei's ein Witz, und von den Philosophen, die er studierte, als seien es schrullige Freunde.

Oder war sie nicht mehr dort gewesen, weil sie nicht an den Schmerz des Abschieds erinnert werden wollte? Er hatte sie nach dem Ball nach Hause gebracht und unter der Tür geküsst, und sie hatten sich gleich am nächsten Tag und danach an jedem Tag wiedergesehen, bis er plötzlich abreiste.

Es war September, die meisten Studenten hatten die Stadt verlassen, sie war seinetwegen geblieben und hatte ihren Eltern, die sie zu Hause erwarteten, etwas von einem Praktikum vorgeschwindelt. Sie brachte ihn an den Zug, und er versprach, zu schreiben, zu telefonieren und bald wieder zurück zu sein. Aber er ließ nichts mehr von sich hören.

Emilia telefonierte auf dem Balkon mit den Eltern. Danach berichtete sie, die Eltern seien einverstanden, erwarteten aber einen Anruf am Morgen, einen am Mittag und einen am Abend. »Ich trage die Verantwortung, Großmutter, und ich hoffe, du machst es mir nicht zu schwer.«

»Du meinst, ich soll nicht weglaufen? Mich nicht betrinken? Mich nicht mit fremden Männern einlassen?«

»Du weißt schon, was ich meine, Großmutter.«

Nein, ich weiß es nicht – aber sie sagte es nicht.

6

Am nächsten Morgen nahm Emilia die Bürde der Verantwortung leichter und freute sich auf die Reise. Dass es in die Stadt ging, in der die Großmutter so alt gewesen war, wie sie jetzt war, fand sie spannend. Während der Fahrt fing sie an, Fragen zu stellen: nach der Stadt, der Universität, der Organisation des Studiums, dem Leben der Studenten, wie sie gewohnt und was sie gegessen und wie sie sich vergnügt hatten, ob sie nach dem Krieg eher Spaß haben oder eher Geld machen wollten, ob sie viel geflirtet und wie sie verhütet hatten.

»Hast du Opi im Studium getroffen?«

»Wir sind uns schon als Kinder begegnet, unsere Eltern waren befreundet.«

»Klingt nicht aufregend. Ich will's aufregend. Ich habe mit Felix Schluss gemacht, weil ich die Schulgeschichte nicht ins Studium schleppen möchte. Ein neuer Abschnitt ist ein neuer Abschnitt. Felix war okay, aber jetzt will ich mehr als okay. Ich habe gelesen, dass es funktionieren kann, wenn die Eltern die Ehen der Kinder arrangieren. Für mich wäre das nichts. Ich…«

»So war's doch nicht. Unsere Eltern haben nicht unsere Ehe arrangiert, sondern waren befreundet. Wir haben uns als Kinder ein paar Mal gesehen, das war alles.«

»Ich weiß nicht. Eltern geben den Kindern Botschaften, die den Kindern gar nicht bewusst sind. Die auch den Eltern nicht bewusst sein müssen. Die Eltern denken einfach, dass ihre Kinder von Familie und Stand und Geld zueinanderpassten und es sich gut träfe, wenn sie heirateten. Sie denken das immer wieder, jedes Mal, wenn sie die Kinder zusammen sehen. Sie machen kleine Bemerkungen, Anspielungen, Ermutigungen, die sich festsetzen wie kleine Widerhaken.«

So ging es weiter. Emilia hatte gelesen, dass Mädchen noch in den fünfziger Jahren glaubten, sie könnten von einem Kuss schwanger werden. Dass Männer am Tag nach der Hochzeit die Scheidung einreichten, wenn sie festgestellt hatten, dass ihre Frauen nicht mehr Jungfrau waren. Dass Sport bei Mädchen populär wurde, weil sie sagen konnten, das Jungfernhäutchen sei beim Sport gerissen. Dass junge Frauen sich nach dem Verkehr die Scheide mit Essig spülten, um nicht schwanger zu werden, und mit Stricknadeln in der Gebärmutter stocherten, um abzutreiben. »Bin ich froh, dass das alles heute nicht mehr wahr ist! Habt ihr, wenn ihr als Jungfrau in die Hochzeitsnacht gegangen seid, nicht furchtbare Angst gehabt? War Opi eigentlich der einzige Mann, mit dem du in deinem Leben geschlafen hast? Hast du nicht das Gefühl, was versäumt zu haben?«

Sie sah ihrer Enkelin beim Reden zu, dem hübschen, glatten Gesicht, den munteren Augen, dem energischen Kinn, dem emsig auf- und zugehenden Mund, der Torheit auf Torheit sprach. Sie wusste nicht, ob sie lachen oder schimpfen sollte. War die ganze Generation so? Lebten alle so ausschließlich in der Gegenwart, dass sie die Vergangenheit nur verzerrt wahrnehmen konnten? Sie versuchte, von der Kriegs- und der Nachkriegszeit zu erzählen, von den Träumen, die Mädchen und Frauen damals hatten, von den Jungen und Männern, die sie trafen, vom Umgang der Geschlechter miteinander. Aber was sie erzählte, klang blass und fade, sie fand es selbst. Also fing sie an, von sich zu erzählen. Als sie zum Kuss nach dem Ball kam, ärgerte sie sich – die Geschichte mit dem einarmigen Studenten hätte sie aussparen sollen. Aber da war es schon zu spät.

»Wie hieß er?«

»Adalbert.«

Danach unterbrach Emilia sie nicht mehr. Sie hörte konzentriert zu und nahm, als der Abschied auf dem Bahnsteig kam, Großmutters Hand. Sie ahnte schon, dass die Geschichte kein gutes Ende nehmen würde.

»Was würden deine Eltern sagen, wenn sie sähen, dass du die Hand vom Steuer nimmst?« Sie löste ihre Hand aus Emilias.

»Hast du nie mehr von ihm gehört?«

»Er tauchte nach ein paar Wochen in Hamburg auf. Aber ich habe nicht mit ihm geredet. Ich wollte ihn nicht sehen.«

»Weißt du, was aus ihm geworden ist?«

»Ich habe einmal in einer Buchhandlung ein Buch von ihm gesehen. Keine Ahnung, ob er Journalist oder Professor oder was sonst geworden ist. Ich habe nicht in das Buch geschaut.«

»Wie hieß er mit Nachnamen?«

»Das geht dich nichts an.«

»Hab dich nicht so, Großmutter. Ich will nur mal recherchieren, was der Mann geschrieben hat, der meine Großmutter und den meine Großmutter geliebt hat. Ich bin sicher, dass er dich ebenso geliebt hat wie du ihn. Kennst du den Spruch: *Now, if not forever, is sometimes better than never?* Ist doch wahr. So, wie du erzählt hast, sind deine Erinnerungen auch nicht nur bitter. Sie sind auch süß. Bittersüß.«

Sie zögerte. »Paulsen.«

»Adalbert Paulsen.« Emilia prägte sich den Namen ein.

Sie hatten die Autobahn verlassen und folgten auf einer kleinen Straße den Windungen eines Flusses. Waren sie damals entlang dem Fluss gewandert? Auf dem anderen Ufer, wo es weder Straße noch Bahn gab? Hatten sie in dem Gasthof gerastet, zu dem eine Fähre führte? Sie war sich nicht sicher, ob sie den Gasthof und dann die Burg und dann das Dorf wiedererkannte. Vielleicht war es nur die Atmosphäre von Fluss und Wald und Bergen und alten Gebäuden, die sich nicht verändert hatte. Sie waren gerne gewandert, mit Wein und Brot und Fleischwurst im Rucksack, waren im Fluss geschwommen und hatten in der Sonne gelegen.

Sie würden bald ankommen. Es machte keinen Sinn, jetzt einzuschlafen. Aber sie schlief trotzdem ein und wachte erst auf, als Emilia vor dem Hotel parkte, das sie am Morgen im Computer gefunden hatte.

7

Was hatte sie erwartet? Die Häuser waren nicht mehr grau, sondern weiß und gelb und ocker oder sogar grün und blau. Die Geschäfte waren Filialen großer Ketten, und wo sie Gasthöfe und Kneipen und Beizen in Erinnerung hatte, gab es Fast Food. Auch die Buchhandlung, die sie geliebt hatte, gehörte zu einer Kette und verkaufte nur noch Bestseller und Zeitschriften. Immerhin floss der Fluss durch die Stadt, wie er auch damals geflossen war, und waren die Gassen so eng, der Weg zur Burg so steil und der Blick von der Burg so weit wie damals. Sie setzte sich mit Emilia auf die Terrasse und sah auf die Stadt und ins Land.

»Und? Ist es, wie du dir's vorgestellt hast?«

»Ach, Kind, lass mich einfach ein bisschen sitzen und schauen. Ich hatte mir zum Glück nicht viel vorgestellt.«

Sie war müde, und als sie auf der Terrasse zu Abend gegessen und das Hotel wieder gefunden hatten, ging sie ins Bett, obwohl es gerade erst acht war. Emilia hatte um die Erlaubnis gebeten, noch ein bisschen durch die Stadt zu streifen, und die Bitte hatte sie erstaunt und gerührt. War Emilia nicht selbständig?

So müde sie war, sie schlief nicht ein. Draußen war es noch hell, und sie konnte alles deutlich erkennen: den dreitürigen

Schrank, den Tisch an der Wand mit dem Spiegel darüber, nach Bedarf Kosmetik- oder Schreibtisch, die beiden Sessel neben dem Regal, auf dem eine Flasche Wasser und ein Glas und ein Korb mit Früchten standen, den Fernsehapparat, die Tür zum Badezimmer. Das Zimmer erinnerte sie an die Zimmer, in denen sie mit ihrem Mann übernachtet hatte, als sie ihn noch auf Konferenzen begleitete; es war das Zimmer eines guten, an einem kleinen Ort sogar des besten Hotels, aber so funktional, dass es keinen Charakter hatte.

Sie dachte an das Zimmer, in dem Adalbert und sie die erste gemeinsame Nacht verbracht hatten. Ein Bett stand drin, ein Stuhl, ein Tisch mit Waschkrug und -schüssel, und über dem Tisch hing ein Spiegel und an der Tür ein Haken. Es war funktional. Und hatte doch Geheimnis und Zauber. Adalbert und sie hatten in dem Landgasthaus unter dem strengen Blick der Wirtin zwei Einzelzimmer genommen. Nach dem Abendessen gingen sie auf ihre Zimmer, und obwohl sie nichts verabredet hatten, wusste sie, dass er kommen würde. Sie hatte es schon am Morgen gewusst und ihr schönstes Nachthemd eingepackt. Jetzt zog sie es an.

Hätte mit Adalbert auch dieses Zimmer Charakter? Wäre sie auch mit ihm viel gereist, hätte sie auch mit ihm viel in Hotels übernachtet? Wie wäre das Leben mit ihm geworden? Auch ein Leben an der Seite eines Mannes, der viel Verantwortung trug, viel auf Reisen und wenig zu Hause war, Affären hatte? Sie konnte sich das Leben mit Adalbert so nicht vorstellen, aber sie konnte es sich auch nicht anders vorstellen. Sie hatte beim Gedanken an ein Leben mit Adalbert Angst, ein eigentümliches Gefühl des Bodenlosen. Weil er sie hatte sitzenlassen?

Sie hatte das Fenster geschlossen und hörte die Geräusche der Straße nur gedämpft: das helle Lachen junger Frauen, das laute Reden junger Männer, das Auto, das langsam durch die Fußgänger fuhr, die Musik aus einem offenen Fenster, das klirrende Zerspringen einer Flasche. Hatte ein Betrunkener die Flasche fallen lassen? Sie hatte Angst vor Betrunkenen, obwohl sie ihnen sofort mit fester Stimme zu verstehen geben konnte, dass sie sich von ihnen nichts bieten lassen würde. Es ist eigentlich seltsam, dachte sie, dass anderen Angst zu machen nicht davor schützt, vor ihnen Angst zu haben.

Je länger sie dalag und nachdachte, desto wacher wurde sie. Was Emilia machen mochte? Was für eine Ärztin sie einmal werden würde? Eine resolute oder eine behutsame? Warum fragte sie sich das? Liebte sie ihre Enkelin doch? Wie stand es um die anderen Enkel und die Kinder? Sie hatte das geforderte mittägliche und abendliche Anrufen Emilia überlassen und abgewinkt, als Emilias Eltern auch mit ihr sprechen wollten. Sie wollte von der Familie in Ruhe gelassen werden, daran hatte sich nichts geändert. Am besten wäre es, wenn auch Emilia sie in Ruhe ließe.

Sie stand auf und ging ins Badezimmer. Sie zog das Nachthemd aus und sah sich an. Die mageren Arme und Beine, die schlaffen Brüste und der schlaffe Bauch, die schwere Taille, die Falten im Gesicht und am Hals – nein, sie mochte auch sich nicht. Nicht, wie sie aussah, nicht, wie sie fühlte, nicht, wie sie lebte. Sie zog das Nachthemd wieder an, legte sich ins Bett und stellte den Fernseher an. Wie selbstverständlich sie sich liebten, die Männer und die Frauen, die Eltern und die Kinder! Oder spielten alle nur ein Spiel, in dem der eine dem anderen etwas vormacht, damit auch der andere dem einen seine Illusionen lässt? Hatte sie an dem Spiel einfach den Spaß verloren? Oder lohnte sich für sie der Einsatz nicht mehr, weil sie für die Jahre, die ihr noch blieben, keine Illusionen mehr brauchte?

Sie brauchte auch keine Reisen mehr. Das Reisen war nur eine Illusion, kurzlebiger noch als die Liebe. Sie würde am nächsten Tag wieder nach Hause fahren.

8

Aber als sie am nächsten Morgen um neun an Emilias Tür klopfte, kam keine Antwort, und als sie auf die Frühstücksterrasse trat, saß Emilia an keinem der Tische. Sie ging zum Empfang und erfuhr, die junge Dame sei vor einer halben Stunde aus dem Haus gegangen.

»Hat sie eine Nachricht hinterlassen?«

Nein, das hatte sie nicht. Aber nach einer Weile kam das freundliche Mädchen vom Empfang an den Frühstückstisch und berichtete, die junge Dame habe angerufen und lasse ausrichten, sie werde um zwölf kommen und die Großmutter zum Mittagessen abholen.

Ihr passte nicht, dass sie hier festsaß. Sie hatte um zehn aufbrechen, um elf auf der Autobahn und um vier zu Hause sein wollen. Aber dann schickte sie sich ins Warten. Die Sonne schien in den Innenhof und auf die Frühstücksterrasse, und die Bedienung quälte sie nicht und schickte sie nicht zum Büfett, sondern brachte ihr von dort, worum sie bat. Tomaten mit Mozzarella, geräucherte Forelle mit Sahnemeerrettich, Obstsalat mit Joghurt und Honig – nach dem Verlust des Geschmacks bissen und kauten sich verschiedene Speisen doch immer noch verschieden. Wie sich nach dem Verlust der Liebe die verschiedenen Kinder und Enkel immer noch verschieden anfühlen, dachte sie. Wie ich das weiche, kompakte Fleisch der Forelle neben dem wattigen Sahnemeerrettich immerhin ein bisschen genieße, sollte ich es mit den Kindern und Enkeln auch halten. Hatte Emilia gestern Abend in der Stadt einen Jungen kennengelernt, um den sie sich jetzt so energisch kümmerte, wie sie sich um sie und die Wünsche der Eltern gekümmert hatte? Ja, sie war energisch, kräftig, tüchtig. Zugleich hatte sie ein großes Herz. Sie würde eine gute Ärztin werden.

Sie blieb sitzen, bis die Tische für das Mittagessen gerichtet wurden. Ihr Gesicht glühte; sie hatte sich der prallen Sonne ausgesetzt und einen leichten Sonnenbrand geholt. Sie war auch ein bisschen benommen, als sie aufstand, ins Foyer ging und sich in einen Sessel setzte. Sie schlief ein und wachte auf, als Emilia auf der Armlehne des Sessels saß und ihr mit einem Taschentuch den Mund abwischte.

»Habe ich im Schlaf gesabbert?«

»Hast du, Großmutter, aber das macht nichts. Ich habe ihn gefunden.«

»Du hast …«

»Ich habe Adalbert Paulsen gefunden. Es war einfach – er steht im Telefonbuch. Ich weiß auch, dass er hier an der Universität Professor für Philosophie war und Witwer ist und eine Tochter hat, die in Amerika lebt. Die Bibliothekarin des Philosophischen Seminars hat mir die Bücher gezeigt, die er geschrieben hat – ein ganzes Fach.«

»Lass uns nach Hause fahren.«

»Willst du ihn nicht sehen? Du musst ihn sehen! Deshalb sind wir doch hierhergekommen.«

»Nein, wir sind…«

»Vielleicht ist es dir nicht bewusst. Aber glaub mir, dein Unterbewusstes hat dich hierhergeführt, damit du ihn wiedersiehst und ihr euch versöhnt.«

»Wir sollen uns…«

»Ja, ihr sollt euch versöhnen. Du musst ihm verzeihen, was er dir angetan hat. Anders findest du keinen Frieden, und er findet auch keinen. Ich bin sicher, dass er sich danach sehnt und nur nicht traut, weil du ihn damals in Hamburg hast abblitzen lassen.«

»Lass gut sein, Emilia. Pack deine Sachen. Wir essen unterwegs zu Mittag.«

»Ich habe dich für vier bei ihm angemeldet.«

»Du hast mich…«

»Ich war dort, ich wollte wissen, wie er lebt, und wo ich schon dort war, dachte ich, ich kann dich gleich anmelden. Er hat ein bisschen gezögert, wie du, aber dann war er einverstanden. Ich glaube, er freut sich auf dich. Er ist gespannt auf dich.«

»Das sind zwei verschiedene Sachen. Nein, Kind, das war keine gute Idee von dir. Du kannst ihn anrufen und ihm absagen, oder ich komme einfach nicht. Ich will ihn nicht sehen.«

Aber Emilia ließ nicht locker. Sie habe nichts zu verlieren, sie habe nur zu gewinnen, ob sie nicht spüre, dass sie immer noch bitter sei und nicht bleiben dürfe, ob sie nicht verstehe, dass man, wo man verzeihen und Gutes tun könne, es auch tun müsse, ob sie denn überhaupt nicht neugierig sei, dies sei das letzte Abenteuer, das ihr das Leben biete. Emilia redete und redete, bis ihre Großmutter erschöpft war. Sie konnte dieses Kind, das von sich und seinen psychologischen Plattheiten und seiner psychotherapeutischen Mission so überzeugt war, einfach nicht länger ertragen. Also gab sie nach.

9

Emilia bot an, sie zu fahren, aber sie nahm lieber eine Taxe. Sie wollte keine letzten Anweisungen. Als sie ausstieg und zu dem unscheinbaren Einfamilienhaus aus den sechziger Jahren ging, wurde sie ganz ruhig. Für ein solches Haus hatte er sie verlassen? Er mochte es zum Professor gebracht haben – jedenfalls war er ein Spießer geworden. Oder war er immer einer gewesen?

Er machte die Tür auf. Sie erkannte sein Gesicht, die dunklen Augen, die buschigen Brauen, das volle Haar, jetzt weiß, die scharfe Nase und den breiten Mund. Er war größer, als sie ihn in Erinnerung hatte, dünn, und der Anzug, linker Ärmel in der linken Tasche, hing an seinen Knochen wie an einem Gestell. Er lächelte leicht. »Nina!«

»Es war nicht meine Idee. Meine Enkelin Emilia meinte, ich sollte …«

»Komm rein. Du kannst mir gleich erklären, warum du nicht hier sein willst.« Er ging voraus, und sie folgte ihm durch einen Flur und ein Zimmer voller Bücher auf die Terrasse. Der Blick ging über Obstbäume und Wiesen zu einem waldigen Bergzug. Er sah, wie erstaunt sie war. »Auch ich mochte das Haus nicht, bis ich auf der Terrasse stand.« Er rückte ihr den Sessel zurecht, schenkte ihr und sich Tee ein und setzte sich ihr gegenüber. »Warum willst du nicht hier sein?«

Sie konnte sein Lächeln nicht deuten. Spöttisch? Verlegen? Bedauernd? »Ich weiß nicht. Mir war die Vorstellung, dich jemals wiederzusehen, unerträglich. Vielleicht war die Vorstellung schließlich nur noch eine Gewohnheit. Aber ich hatte sie.«

»Wie kam deine Enkelin darauf, du solltest mich wiedersehen?«

»Ach«, sie machte eine wegwerfende Handbewegung, »ich habe ihr von unserem Sommer erzählt. Sie hatte so törichte Ideen über das Leben und die Liebe damals, dass ich mich habe hinreißen lassen.«

»Was hast du ihr von unserem Sommer erzählt?« Er lächelte nicht mehr.

»Was fragst du? Du warst doch dabei, beim Medizinerball und beim Kuss unter der Tür und im Zimmer im Gasthof.« Sie wurde ärgerlich. »Und du warst auf dem Bahnsteig dabei und bist in den Zug gestiegen und abgefahren und hast dich nicht mehr gemeldet.«

Er nickte. »Wie lange hast du vergebens gewartet?«

»Ich weiß nicht mehr, wie viele Tage und Wochen es waren. Es war eine Ewigkeit, das weiß ich noch, eine Ewigkeit.«

Er sah sie traurig an. »Es waren keine zehn Tage, Nina. Nach zehn Tagen kam ich zurück und erfuhr von deiner Wirtin, dass du ausgezogen warst. Ein junger Mann hatte dich abgeholt, er hatte deine Sachen in ein Auto geladen und war mit dir weggefahren.«

»Du lügst!« Sie fuhr ihn an.

»Nein, Nina, ich lüge nicht.«

»Willst du, dass ich den Boden unter den Füßen verliere? Dass ich meinem Verstand und meiner Erinnerung nicht mehr traue? Dass ich verrückt werde? Wie kannst du solche Sachen sagen!«

Er lehnte sich zurück und strich sich mit der Hand über Gesicht und Kopf. »Erinnerst du dich, wohin ich damals aufbrach?«

»Nein, ich erinnere mich nicht. Aber ich erinnere mich, dass du nicht geschrieben und nicht telefoniert hast und dass…«

»Ich bin zu einem philosophischen Kongress in Budapest gefahren und konnte dich von dort nicht anrufen und dir von dort nicht schreiben. Es war Kalter Krieg, und weil ich nicht dort sein durfte, konnte ich mich auch nicht von dort melden. Das hatte ich dir alles erklärt.«

»Ich weiß noch, dass du eine Reise gemacht hast, die du ebenso hättest lassen können. Aber so warst du, du hattest deine Philosophie, dann kam nichts, dann kamen deine Kollegen und Freunde, und dann kam ich.«

»Auch das stimmt nicht, Nina. Dass ich damals wie wild an meiner Dissertation gearbeitet habe, lag daran, dass ich fertig werden, einen Job finden und dich heiraten wollte. Du wolltest geheiratet werden, das war klar, und der Junge aus Hamburg war mir immer eine Nasenlänge voraus. Kanntet ihr euch nicht aus der Kindheit? Waren eure Familien nicht befreundet und er Assistent bei deinem Vater?«

»Das ist so falsch wie alles, was du sagst. Mein Vater hat ihn beim Studium und bei der praktischen Ausbildung beraten, weil er ihn mochte, aber Assistent, nein, mein Mann war nie Assistent bei meinem Vater.«

Er sah sie müde an. »Hattest du Angst, aus deiner bürgerlichen in meine ärmliche Welt zu fallen? Bei mir nicht zu kriegen, was du gewohnt warst und gebraucht hast? Ich stand vor dem Haus deiner Eltern in Hamburg – war es das?«

»Was soll das: ein verwöhntes bürgerliches Gör aus mir machen? Ich habe dich geliebt, und du hast es kaputtgemacht und willst es einfach nicht mehr wissen.«

Er schwieg, wandte den Kopf ab und sah über die Wiesen zu den Bergen. Ihr Blick folgte seinem, und sie sah Schafe auf den Wiesen weiden. »Schafe!«

»Ich war gerade dabei, sie zu zählen. Erinnerst du dich, wie zornig ich werden konnte? Wahrscheinlich habe ich dich auch damit verschreckt. Ich kann immer noch zornig werden, und Schafe zählen hilft.«

Sie versuchte, vergebens, sich an Zornausbrüche von ihm zu erinnern. Ihr Mann, ja, ihr Mann konnte sie mit seinem kalten Zorn frieren machen. Wenn er ihn über Tage durchhielt, trieb er sie zur völligen Verzweiflung. »Hast du mich angeschrien?«

Er antwortete nicht. Stattdessen fragte er: »Erzählst du mir von deinem Leben? Ich weiß, dass du geschieden bist; das Bild deines Manns bei seinem achtzigsten Geburtstag mit einer anderen Frau habe ich in der Zeitung gesehen. Auch seine Kinder waren auf dem Bild – waren es eure?«

»Willst du hören, dass mein Leben schiefgelaufen ist? Dass ich damals auf dich hätte warten sollen?«

Er lachte. Sie erinnerte sich, dass sie sein rückhaltloses, überbordendes Lachen gemocht und dass es sie zugleich erschreckt hatte. Sie merkte, dass er nicht nur über ihre Frage lachte; er lachte die Spannung des Gesprächs weg. Aber was war an ihrer Frage eigentlich komisch?

»Ich habe mal darüber geschrieben, dass die großen, die Lebensentscheidungen nicht richtig oder falsch sind, dass man nur verschiedene Leben lebt. Nein, ich denke nicht, dass dein Leben schiefgelaufen ist.«

10

Sie erzählte. Sie hatte das Studium aufgegeben, weil ihr Mann sie brauchte. Er hatte eine Oberarztstelle bekommen, obwohl er nicht habilitiert war, und von ihm wurde erwartet, dass er die Habilitation rasch nachholen werde. Außerdem hatte er die Redaktion einer wichtigen Fachzeitschrift übernommen. Sie schrieb und redigierte für ihn. »Ich war gut. Helmuts Nachfolger bot mir eine Stelle als Redaktionsassistentin an. Aber Helmut sagte ihm, das müsse warten, bis ich fröhliche Witwe sei.«

Dann kamen die Kinder. Sie kamen in schneller Folge, und wenn es beim vierten nicht Komplikationen gegeben hätte, wären noch mehr gekommen. »Du hast eine Tochter – ich weiß nicht, wie ihr es gemacht habt, aber bei vier Kindern war nicht daran zu denken, wieder mit dem Studium anzufangen. Ich hatte alle Hände voll zu tun. Aber es war auch schön, die Kinder aufwachsen und was werden zu sehen. Der Große ist Richter am Bundesgericht, der Nächste ist Museumsdirektor, und die Mädchen sind Hausfrauen und Mütter, wie ich, aber die eine ist mit einem Professor verheiratet und die andere mit einem Dirigenten. Ich habe dreizehn Enkel – hast du auch welche?«

Er schüttelte den Kopf. »Meine Tochter ist nicht verheiratet und hat keine Kinder. Sie ist ein bisschen autistisch.«

»Wie war deine Frau?«

»Sie war fast so groß und so dünn wie ich. Sie schrieb Gedichte, wunderbare, verrückte, verzweifelte Gedichte. Ich liebe die Gedichte, obwohl ich sie oft nicht verstehe. Ich habe auch die Depressionen nicht verstanden, mit denen Julia ihr Leben lang gekämpft hat. Nicht, was sie ausgelöst und was sie beendet hat, ob es einen Rhythmus des Monds oder der Sonne gab, ob eine Rolle gespielt hat, was wir gegessen und getrunken haben.«

»Aber sie hat sich nicht umgebracht!«

»Nein, sie ist an Krebs gestorben.«

Sie nickte. »Nach mir hast du dir eine ganz andere gesucht. Ich hätte gerne mehr gelesen in meinem Leben, aber ich habe so lange nur gelesen, was ich für die Redaktion lesen musste, und dann, was ich lesen wollte, weil die Kinder es gerade lasen und ich mit ihnen darüber reden wollte, dass ich das Lesen für mich verlernt habe. Ich hätte jetzt viel Zeit zum Lesen. Aber wenn ich's gelesen habe, was soll ich damit anfangen?«

»Ich stand in der Küche, als du den kurzen Weg von der Straße zum Haus gekommen bist, und habe sofort deinen Schritt erkannt. Du trittst immer noch so fest auf wie damals. Klack, klack, klack – ich habe nie eine Frau getroffen, die so entschlossen läuft. Damals habe ich gedacht, du seist so entschlossen, wie du läufst.«

»Und ich habe damals gedacht, du würdest mich so leicht

und sicher durchs Leben führen, wie du mich beim Tanzen geführt hast.«

»Ich hätte auch gerne so gelebt, wie ich getanzt habe. Julia hat gar nicht getanzt.«

»Warst du mit ihr glücklich? Bist du über dein Leben glücklich?«

Er atmete tief ein und aus und lehnte sich zurück. »Ich kann mir das Leben ohne sie nicht mehr vorstellen. Ich kann mir auch sonst kein anderes als mein Leben vorstellen. Natürlich kann ich mir dies und das ausdenken, aber es bleibt abstrakt.«

»Das geht mir nicht so. Ich stelle mir ständig Sachen anders vor, als sie passiert sind. Wie, wenn ich doch zu Ende studiert und gearbeitet hätte? Wenn ich immerhin die Stelle als Redaktionsassistentin übernommen hätte? Wenn ich mich von Helmut hätte scheiden lassen, als er seine erste Affäre hatte? Wenn ich die Kinder nicht so ernst und streng, sondern chaotischer und fröhlicher erzogen hätte? Wenn ich das Leben nicht nur als Räderwerk von Pflichten und Verantwortung gesehen hätte? Wenn du mich nicht verlassen hättest?«

»Ich …« Er redete nicht weiter.

Sie hatte es noch mal sagen müssen. Aber sie wollte keinen Streit und ihn nicht verärgern und fragte: »Kann ich verstehen, was du geschrieben hast? Ich würde es gerne versuchen.«

»Ich schicke dir etwas, das dich vielleicht interessiert. Magst du mir deine Adresse geben?«

Sie machte ihre Handtasche auf und gab ihm eine Visitenkarte.

»Danke.« Er hielt die Karte in der Hand. »Ich hab's in meinem Leben nie zu Visitenkarten gebracht.«

Sie lachte. »Es ist nicht zu spät.« Sie stand auf. »Rufst du bitte eine Taxe?«

Sie folgte ihm in sein Arbeitszimmer. Es lag neben dem Zimmer mit der Terrasse und hatte wieder den Blick auf die Berge. Während er telefonierte, sah sie sich um. Auch hier die Wände voller Regale, neben dem Schreibtisch mit Büchern und Papieren auf der einen Seite ein Tisch mit Computer, auf der anderen eine Pinnwand voller Rechnungen, Abholzettel, Zeitungsausschnitte, handschriftlicher Notizen, Fotografien. Die große, hagere Frau mit den traurigen Augen musste Julia sein, die jüngere Frau mit dem verschlossenen Gesicht seine Tochter. Auf einem Bild schaute ein schwarzer Hund mit ebenso traurigen Augen in die Kamera wie Julia. Auf einem anderen stand Adalbert im schwarzen Anzug neben anderen Herren in schwarzen Anzügen, als seien sie verspätete Abiturienten. Der Mann in Uniform und die Frau in Schwesterntracht, die Arm in Arm vor einem Hauseingang standen, mussten Adalberts Eltern sein.

Dann sah sie die kleine schwarzweiße Fotografie von ihm und ihr. Sie standen auf einem Bahnsteig und hielten sich umarmt. Das konnte doch nicht … Sie schüttelte den Kopf.

Er legte den Hörer auf und trat neben sie. »Nein, das ist nicht von unserem Abschied. Wir haben dich einmal am Bahnhof abgeholt, deine Freundin Elena, mein Freund Eberhard und ich. Es war später Nachmittag, und wir sind zusammen an den Fluss und haben ein Picknick gemacht. Eberhard hatte von seinem Großvater ein Grammophon zum Aufziehen geerbt und beim Trödler alte Schellackplatten gefunden, und wir haben in die Nacht getanzt. Weißt du noch?«

»Hing das Bild immer neben deinem Schreibtisch?«

Er schüttelte den Kopf. »Nicht in den ersten Jahren. Aber seitdem. Die Taxe ist gleich da.«

Sie gingen an die Straße. »Kümmerst du dich um den Garten?«

»Nein, das macht ein Gärtner. Ich schneide die Rosen.«

»Vielen Dank«, sagte sie, legte die Arme um ihn und spürte seine Knochen. »Bist du gesund? Du bist nur Haut und Knochen.«

Er legte seinen rechten Arm um sie und hielt sie. »Mach's gut, Nina.«

Dann kam die Taxe. Adalbert hielt die Tür auf, half ihr hinein und machte die Tür zu. Sie drehte sich um und sah ihn da stehen und kleiner und kleiner werden.

II

Emilia hatte im Foyer gewartet, sprang auf und lief ihr entgegen. »Wie war's?«

»Ich erzähle dir morgen auf der Fahrt. Alles, was ich jetzt möchte, ist zu Abend essen und ins Kino gehen.«

Sie aßen auf der Terrasse im Innenhof. Es war früh, sie waren die ersten Gäste, und das Häusergeviert schirmte die Geräusche der Straße und des Verkehrs ab. Auf einem Dach sang eine Amsel, um sieben läuteten die Glocken, sonst war es still. Emilia, ein bisschen gekränkt, mochte nicht reden, und so aßen sie schweigend.

Ihr war nicht wichtig, was für einen Film sie sah. Sie war in ihrem Leben nicht oft ins Kino gegangen und hatte sich nie ans Fernsehen gewöhnt. Aber sie fand die bewegten bunten Bilder auf der großen Leinwand überwältigend und wollte sich an diesem Abend überwältigen lassen. Das tat der Film auch, aber nicht so, dass sie alles vergaß, sondern dass sie alles erinnerte: die Träume, die sie als Kind geträumt hatte, ihre Sehnsucht nach etwas, das größer und schöner wäre als der Familien- und Schulalltag, ihre kläglichen Versuche, es beim Ballett und am Klavier zu finden. Der kleine Junge, dessen Geschichte sie sahen, war vom Film fasziniert, ließ dem Filmvorführer in dem kleinen sizilianischen Dorf keine Ruhe, bis er beim Vorführen assistieren durfte, und wurde schließlich Regisseur. Von den Träumen ihrer Kindheit war am Ende nur noch geblieben, den richtigen Mann zu finden, und auch das war ihr nicht gelungen.

Aber sie hatte sich noch nie Selbstmitleid erlaubt und erlaubte es sich auch heute nicht. Emilia kam mit Tränen in den Augen aus dem Kino, legte den Arm um sie und schmiegte sich an sie. Sie tätschelte Emilia beruhigend den Rücken; den Arm um sie zu legen, dazu konnte sie sich nicht bringen. Emilia entzog sich denn auch bald, und sie liefen nebeneinander durch die sommerabendhelle Stadt zum Hotel.

»Du willst wirklich morgen wieder nach Hause?«

»Ich muss nicht früh zu Hause sein, und wir müssen nicht früh aufbrechen. Ist dir Frühstück um neun recht?«

Emilia nickte. Aber sie war mit ihrer Großmutter und den letzten beiden Tagen nicht zufrieden. »Du schläfst jetzt, als sei nichts gewesen?«

Sie lachte. »Nicht einmal, wenn nichts gewesen ist, schlafe

ich, als sei nichts gewesen. Weißt du, wenn man jung ist, schläft man, oder man ist wach und auf. Im Alter gibt es als Drittes die Nächte, in denen man weder schläft noch wach und auf ist. Es ist ein Zustand eigener Art, und eines der Geheimnisse des Altwerdens besteht darin, ihn als solchen zu akzeptieren. Wenn du willst, kannst du noch durch die Stadt streifen, ich erlaube es dir.«

Sie ging auf ihr Zimmer und legte sich ins Bett. Sie wappnete sich für eine Nacht mit Einschlafen und Aufwachen und Erinnern und Überlegen und Einschlafen und Aufwachen. Aber sie wachte am nächsten Morgen auf.

Dann saßen sie im Auto, fuhren wieder auf der kleinen Straße und folgten den Windungen des Flusses. Emilia hatte begriffen, dass ihre Fragen zu nichts führten, und fragte nicht mehr. Sie wartete.

»Es war nicht so, wie ich es dir auf der Hinfahrt erzählt habe. Er hat mich nicht verlassen. Ich habe ihn verlassen.« Das war eigentlich alles. Aber um Emilias willen redete sie weiter. »Als wir uns am Bahnhof verabschiedeten, wusste ich, dass er bald wiederkommen würde, und auch, dass er nicht schreiben oder anrufen konnte. Ich hätte auf ihn warten können. Aber meine Eltern hatten herausgefunden, dass ich gar kein Praktikum machte, und haben Helmut losgeschickt. Er sollte mich nach Hause bringen, und er hat mich nach Hause gebracht. Ich hatte Angst vor dem Leben mit Adalbert, vor der Armut, in der er aufgewachsen war und die ihm nichts ausmachte, vor seinen Gedanken, die ich nicht verstand, vor dem Bruch mit meinen Eltern. Helmut war meine Welt, und ich bin in meine Welt geflüchtet.«

12

»Warum hast du mir alles anders erzählt?«

»Ich hatte geglaubt, es sei anders gewesen. Noch als ich mit Adalbert sprach.«

»Man kann doch nicht...«

»Doch, Emilia, man kann. Ich habe nicht ausgehalten, dass ich mich falsch entschieden habe. Adalbert sagt, es gibt keine falschen Entscheidungen – dann habe ich eben nicht ausgehalten, dass ich so entschieden habe, wie ich entschieden habe. Habe ich überhaupt entschieden? Ich hatte damals das Gefühl, es ziehe mich, zuerst zu Adalbert und dann doch stärker in meine alte Welt und zu Helmut. Als ich in meiner alten Welt und mit Helmut nicht glücklich wurde, habe ich Adalbert nicht verziehen, dass er meine Ängste nicht gesehen und mir nicht geholfen, mich nicht gehalten hat. Ich habe mich von ihm verlassen gefühlt, und die Erinnerung hat alles in die Szene gefasst, als er auf dem Bahnsteig Abschied genommen hat.«

»Aber du hast dich doch entschieden!«

Sie wusste nicht, was sie antworten sollte. Dass es keinen Unterschied mache, weil sie mit den Folgen so oder so habe leben müssen? Dass sie nicht wisse, was sich entscheiden eigentlich sei? Nachdem Helmut sie nach Hause gebracht hatte, verstand sich von selbst, dass sie ihn heiraten würde, die Kinder kamen von selbst, und die Affären auch. Die Pflichten, für die sie gelebt hatte, waren da und mussten erfüllt werden – was gab es da zu entscheiden?

Ärgerlich sagte sie: »Hätte ich mich entscheiden sollen, mich nicht um die Kinder zu kümmern? Sie nicht zu pflegen, wenn sie krank waren, mit ihnen nicht über das zu reden, was sie beschäftigte, sie nicht ins Konzert und Theater mitzunehmen, nicht die richtigen Schulen für sie zu finden, ihnen nicht bei den Hausaufgaben zu helfen? Und bei euch Enkeln und Enkelinnen – hätte ich meine Pflichten …«

»Deine Pflichten? Sind wir nur Pflichten für dich? Waren deine Kinder nur Pflichten für dich?«

»Nein, ich liebe euch natürlich. Ich …«

»Das klingt, als sei für dich auch die Liebe nur eine Pflicht.«

Sie fand, dass Emilia sie zu oft unterbrach. Zugleich wusste sie nicht weiter. Sie verließen die Landstraße und fädelten sich in den dichten Verkehr der Autobahn ein. Emilia fuhr schnell, schneller als auf der Hinfahrt und manchmal waghalsig und rücksichtslos.

»Kannst du bitte langsamer fahren? Ich habe Angst.«

Mit einem beängstigenden Schwenk zog Emilia auf die rechte Fahrbahn zwischen zwei langsame Lastwagen. »Zufrieden?«

Sie war müde, wollte nicht einschlafen und schlief doch ein. Sie träumte, sie sei ein kleines Mädchen und laufe an der Hand ihrer Mutter durch eine Stadt. Obwohl sie die Straßen und Häuser kannte, fühlte sie sich in der Stadt fremd. Das kommt daher, dachte sie im Traum, dass ich noch so klein bin. Aber es half nichts; je länger sie liefen, desto bedrückter und ängstlicher wurde sie. Dann erschreckte sie ein großer schwarzer Hund mit großen schwarzen Augen, und sie wachte mit einem Schreckenslaut auf.

»Ist was, Großmutter?«

»Ich habe geträumt.« Sie sah auf einem Schild, dass es

nicht mehr weit nach Hause war. Emilia hatte, während sie schlief, wieder auf die linke Fahrbahn gewechselt.

»Ich bringe dich nach Hause und mache mich dann auf.«

»Zu deinen Eltern?«

»Nein. Ich muss auf den Studienplatz nicht zu Hause warten. Ich habe ein bisschen Geld und besuche meine Freundin in Costa Rica. Ich wollte schon immer Spanisch lernen.«

»Aber heute Abend…«

»Heute Abend fahre ich nach Frankfurt und bleibe bei einer anderen Freundin, bis ich einen Flug kriege.«

Sie hatte das Gefühl, sie müsse etwas sagen, Ermutigendes oder Warnendes. Aber sie konnte nicht so schnell denken. Machte Emilia es richtig oder falsch? Sie bewunderte Emilias Entschluss, aber das konnte sie doch nicht sagen, solange sie nicht wusste, dass er richtig war.

Als Emilia sie nach Hause gebracht und gepackt hatte, brachte sie sie zur Bushaltestelle. »Ich danke dir. Ohne dich wäre ich nicht gesund geworden. Ohne dich hätte ich die Reise nicht gemacht.«

Emilia zuckte die Schultern. »Kein Problem.«

»Ich habe dich enttäuscht, nicht wahr?« Sie suchte nach Worten, die alles in Ordnung brächten. Aber sie fand keine. »Du machst es besser.« Der Bus kam, sie nahm Emilia in die Arme, und Emilia legte die Arme um sie. Sie stieg vorne ein und brauchte eine Weile, bis sie es im Bus nach hinten schaffte. Bevor der Bus hinter der Kurve verschwand, kniete sie auf der letzten Bank und winkte.

13

Der Sommer blieb schön. Abends zogen oft Gewitter auf, und sie setzte sich auf den überdachten Balkon, sah die Wolken dunkel werden, den Wind die Bäume beugen und die Tropfen fallen, zuerst einzeln und dann in dichtem Guss. Wenn die Temperatur sank, legte sie sich eine Decke über. Manchmal schlief sie ein und wachte erst auf, wenn schon Nacht war. An den Morgen nach den Gewittern war die Luft berauschend frisch.

Sie dehnte ihre Spaziergänge aus und machte Pläne für eine Reise, konnte sich aber nicht entschließen. Von Emilia kam eine Postkarte aus Costa Rica. Die Eltern verziehen ihr nicht, dass sie Emilia hatte abreisen lassen. Sie hätte sich zumindest die Adresse der Frankfurter Freundin geben lassen müssen, damit man sie vor dem Abflug hätte finden und mit ihr reden können. Schließlich sagte sie, sie wolle nichts mehr davon hören, und wenn sie nicht aufhören könnten, davon zu reden, sollten sie sie nicht mehr besuchen.

Nach ein paar Wochen kam ein Päckchen von Adalbert. Sie mochte das schmale, in schwarzes Leinen gebundene Buch, sie sah es gerne an und fasste es gerne an. Sie mochte auch den Titel: »Hoffnung und Entscheidung«. Aber sie wollte nicht wirklich wissen, was Adalbert dachte.

Wirklich gerne hätte sie gewusst, ob er noch so gut tanzte. Eigentlich konnte es nicht anders sein. Sie hätte, als sie ihn besuchte, noch ein bisschen bleiben, das Radio anmachen und mit ihm tanzen sollen, aus dem Zimmer auf die Terrasse, von ihm mit dem einen Arm so sicher und so leicht geführt, als schwebe sie.

Bernhard Schlink
im Diogenes Verlag

Selbs Justiz
Zusammen mit Walter Popp
Roman

Privatdetektiv Gerhard Selb, 68, wird von einem
Chemiekonzern beauftragt, einem ›Hacker‹ das Hand-
werk zu legen, der das werkseigene Computersy-
stem durcheinanderbringt. Bei der Lösung des Falles
wird er mit seiner eigenen Vergangenheit als junger,
schneidiger Nazi-Staatsanwalt konfrontiert und findet für die Ahndung zweier Morde, deren argloses
Werkzeug er war, eine eigenwillige Lösung.

»Bernhard Schlink und Walter Popp haben mit Gerhard Selb eine, auch in ihren Widersprüchen, glaub-
würdige Figur geschaffen, aus deren Blickwinkel ein
gesellschaftskritischer Krimi erzählt wird. Und das so
meisterlich, daß sich das Ergebnis an internationalen
Standards messen läßt.«
Jürgen Kehrer / Stadtblatt, Münster

1992 verfilmt von Nico Hofmann unter dem Titel *Der
Tod kam als Freund,* mit Martin Benrath und Hanne-
lore Elsner in den Hauptrollen.

Die gordische Schleife
Roman

Georg Polger hat seine Anwaltskanzlei in Karls-
ruhe mit dem Leben als freier Übersetzer in Süd-
frankreich vertauscht und schlägt sich mehr schlecht
als recht durch. Bis zu dem Tag, als er durch merkwürdige Zufälle Inhaber eines Übersetzungsbüros
wird – Spezialgebiet: Konstruktionspläne für Kampf-
hubschrauber. Polger gerät in einen Strudel von Er-

eignissen, die ihn Freund und Feind nicht mehr voneinander unterscheiden lassen.

Anläßlich der Criminale 1989 in Berlin mit dem Glauser, Autorenpreis für deutschsprachige Kriminalliteratur, ausgezeichnet.

Selbs Betrug
Roman

Privatdetektiv Gerhard Selb sucht im Auftrag eines Vaters nach der Tochter, die von ihren Eltern nichts mehr wissen will. Er findet sie, aber der, der nach ihr suchen läßt, ist nicht ihr Vater, und es sind nicht ihre Eltern, vor denen sie davonläuft.

Selbs Betrug wurde von der Jury des Bochumer Krimi Archivs mit dem Deutschen Krimi Preis 1993 ausgezeichnet.

»Es gibt wenige deutsche Krimiautoren, die so raffinierte und sarkastische Plots schreiben wie Schlink und ein so präzises, unangestrengt pointenreiches Deutsch.« *Wilhelm Roth / Frankfurter Rundschau*

»Gerhard Selb hat alle Anlagen, den großen englischen, amerikanischen und französischen Detektiven, von Philip Marlowe bis zu Maigret, Paroli zu bieten – auf seine ganz spezielle, deutsche, Selbsche Art.« *Wochenpresse, Wien*

Der Vorleser
Roman

Eine Überraschung des Autors Bernhard Schlink: Kein Kriminalroman, aber die fast kriminalistische Erforschung einer rätselhaften Liebe und bedrängenden Schuld.

»Ein Höhepunkt im deutschen Bücherherbst. Eine aufregende Fallgeschichte, so gezügelt wie Genuß gewährend erzählt. Das sollte man sich nicht entgehen

lassen, weil es in der deutschen Literatur unserer Tage hohen Seltenheitswert besitzt.«
Tilman Krause/Tagesspiegel, Berlin

»Nach drei spannenden Kriminalromanen ist dies Schlinks persönlichstes Buch.« *Michael Stolleis/FAZ*

»Die Überraschung des Herbstes. Ein bezwingendes Buch, weil eine Liebesgeschichte so erzählt wird, daß sie zur Geschichte der Geschichtswerdung des Dritten Reiches in der späten Bundesrepublik wird.«
Mechthild Küpper/Wochenpost, Berlin

Auch als Diogenes Hörbuch erschienen,
gelesen von Hans Korte

Liebesfluchten
Geschichten

Anziehungs- und Fluchtformen der Liebe in sieben Geschichten: als unterdrückte Sehnsüchte und unerwünschte Verwirrungen, als verzweifelte Seitensprünge und kühne Ausbrüche, als unumkehrbare Macht der Gewohnheit, als Schuld und Selbstverleugnung.

»Wieder schafft es Schlink, die Figuren lebendig werden zu lassen, ohne alles über sie zu verraten – selbst wenn ihn gelegentlich sein klarer, kluger Ton zu dem einen oder anderen Kommentar verführt. Ein genuiner Erzähler.« *Volker Hage/Der Spiegel, Hamburg*

»Schlink seziert seine Figuren regelrecht, er analysiert ihr Handeln. Er wertet nicht, er beschreibt. Darin liegt die moralische Qualität seines Erzählens. Schlink gelingt es wieder, wie schon beim *Vorleser*, genau die Wirkung zu erzielen, die wesentlich zu seinem Erfolg beigetragen hat. Er erzeugt den Eindruck von Authentizität.« *Martin Lüdke/Die Zeit, Hamburg*

Die Geschichte *Der Seitensprung* ist
auch als Diogenes Hörbuch erschienen,
gelesen von Charles Brauer

Selbs Mord

Roman

Ein Auftrag, der den Auftraggeber eigentlich nicht interessieren kann. Der auch Selb im Grunde nicht interessiert und in den er sich doch immer tiefer verstrickt. Merkwürdige Dinge ereignen sich in einer alteingesessenen Schwetzinger Privatbank. Die Spur des Geldes führt Selb in den Osten, nach Cottbus, in die Niederlagen der Nachwendezeit. Ein Kriminalroman über ein Kapitel aus der jüngsten deutsch-deutschen Vergangenheit.

»Schlink ist der brillante Erzähler, der mit der Klarheit und Nüchternheit eines Ermittlungsrichters die Geschichte auf ihr Ende zusteuert. Dieses Ende ist konsequent und immer überraschend.«
Rainer Schmitz / Focus, München

Vergewisserungen

Über Politik, Recht, Schreiben
und Glauben

Wer an der Entwicklung der Gesellschaft manchmal verzweifeln möchte, dem sei dieses Buch empfohlen: Kompetent und in klarer, schöner Prosa zeigt es, was alles nicht zwangsläufig und unaufhaltsam ist und daß es Werte und Hoffnungen gibt, auf die zu setzen lohnt.

»Das wirklich Meisterhafte an Schlinks ruhig dahinfließender Prosa ist ihre Intelligenz. Es ist, ganz im Sinne seiner amerikanischen Vorbilder, eine Intelligenz des *common sense*. Sie liegt im Vermögen, Fragestellungen und Problemzusammenhänge anschaulich werden zu lassen.«
Tilman Krause / Die Welt, Berlin

»Schlinks Essays sind verständlich, durchsichtig und intelligent, keine abstrakten juristischen Erkenntnisse, sondern lebendige Literatur eines präzisen Erzählers.« *Janko Ferk / Die Furche, Wien*

Die Heimkehr
Roman

Im Fragment eines Heftchenromans über die Heimkehr eines deutschen Soldaten aus Sibirien entdeckt Peter Debauer Details aus seiner eigenen Wirklichkeit. Die Suche nach dem Ende der Geschichte und nach deren Autor wird zur Irrfahrt durch die deutsche Vergangenheit und offenbart auch Peter Debauers Geheimnisse.

»Schlink gelingt eine atemberaubende Engführung von Nazi-Vergangenheit, Nachkriegs- und Wendegeschichte, Liebesdrama und schließlich gewichtiger Probleme der politischen Theorie. Er komponiert das brisantest denkbare Material zu einem spannenden Roman.« *Marius Meller / Der Tagesspiegel, Berlin*

»Die Heimkehr ist ein spannender und blendend geschriebener Roman.« *Le Monde, Paris*

Auch als Diogenes Hörbuch erschienen,
gelesen von Hans Korte

Vergangenheitsschuld
*Beiträge zu einem
deutschen Thema*

Die Beiträge behandeln die Kollektivschuld der Kriegs- und der Nachkriegsgeneration, deren Auseinandersetzung mit dem Nationalsozialismus und seinen Folgen, die Leistung des Rechts bei der Bewältigung von schuldbelasteter Vergangenheit und die Möglichkeit von Vergebung und Versöhnung. Sie sind in den letzten zwei Jahrzehnten aus der Beschäftigung mit den Erfahrungen und Verstrickungen der eigenen Generation und aus der Begegnung mit Freunden, Kollegen und Studenten aus den neuen Bundesländern entstanden, wo der Autor im Jahr der Wende an der Humboldt-Universität Berlin zu unterrichten begann.

Das Wochenende
Roman

Nach 20jähriger Haft hat ihn der Bundespräsident begnadigt. Zum ersten Wochenende in Freiheit lädt seine Schwester die alten Freunde ein. Für sie ist das Leben weitergegangen. Und für ihn? Was bleibt von der Zeit der Gewalt? Legenden? Bewältigung? Sprachlosigkeit?

»Ein kammerspielartiges Familiengeflecht, das mehr verrät über die Verstrickung in Ideologie und Gewalt als alle politischen Analysen. Die Parameter, die Schlink zur Erklärung der Eskalation der sechziger, siebziger Jahre heranzieht, sind elementar und darum treffend und überzeugend. Der Autor entwirft ein Setting, dem man sich weder intellektuell noch emotional entziehen kann.« *Tilman Krause / Die Welt, Berlin*

»Es ist Bernhard Schlink ein spannendes Buch gelungen, dessen Verlauf man atemlos folgt, verfaßt in ebenso klarer wie schlicht-schöner Prosa. Es enthält den ganzen, bis heute unverdauten Konfliktstoff der Terror-Tage. Ein wichtiges Buch.«
Michael Kluger / Frankfurter Neue Presse

Auch als Diogenes Hörbuch erschienen,
gelesen von Hans Korte

Außerdem erschienen:

Selb-Trilogie
Selbs Justiz / Selbs Betrug / Selbs Mord
Ungekürzt gelesen von Hans Korte
2 MP3-CD
Gesamtspieldauer 22 Stunden

Hans Werner Kettenbach
im Diogenes Verlag

»Schon lange hat niemand mehr – zumindest in der deutschen Literatur – so erbarmungslos und so unterhaltsam zugleich den Zustand unserer Welt beschrieben.« *Die Zeit, Hamburg*

»Hans Werner Kettenbach erzählt in einer eigenartigen Mischung von Zartheit, Humor und Melancholie, aber immer auf erregende Art glaubwürdig.«
Neue Zürcher Zeitung

»Dieses Nie-zuviel-an-Wörtern, diese unglaubliche Leichtigkeit und Selbstverständlichkeit... ja, das ist in der zeitgenössischen Literatur einzigartig!«
Visa Magazin, Wien

»Ein beweglicher ›Weiterschreiber‹ nicht nur der Nachkriegsgeschichte, sondern der Geschichte der Bundesrepublik ist Hans Werner Kettenbach. Seine Romane aus dem bundesrepublikanischen Tiergarten sind viel unterhaltsamer und spitzer als alle Weiterschreibungen Bölls.« *Kommune, Frankfurt*

*Minnie oder Ein Fall
von Geringfügigkeit*
Roman

Hinter dem Horizont
Eine New Yorker Liebesgeschichte

Sterbetage
Roman

Schmatz oder Die Sackgasse
Roman

Davids Rache
Roman

Grand mit vieren
Roman

Die Konkurrentin
Roman

Kleinstadtaffäre
Roman

Zu Gast bei Dr. Buzzard
Roman

Das starke Geschlecht
Roman

*Tante Joice und
die Lust am Leben*
Geschichten und anderes